중국 양직공도 마한제국

마한연구원 총서 7

중국 양직공도 마한제국

2019년 10월 21일 초판 1쇄 인쇄
2019년 10월 26일 초판 1쇄 발행

지은이 林永珍 · 林華東 · 尹龍九 · 朴仲煥 · 郭長根 · 井上直樹

펴낸이 권혁재

편집 조혜진
인쇄 성광인쇄

펴낸곳 학연문화사
등록 1988년 2월 26일 제2-501호
주소 서울시 금천구 가산동 371-28 우림라이온스밸리 B동 712호
전화 02-2026-0541~4
팩스 02-2026-0547
E-mail hak7891@chol.com

ISBN 978-89-5508-406-1 94910

中国 梁職貢圖 馬韓諸國

林永珍

林華東

尹龍九

朴仲煥

郭長根

井上直樹

학연문화사

책을 펴내며

이 책은 〈중국 양직공도梁職貢圖 마한제국馬韓諸國〉을 주제로 2018년 8월 30~31일에 개최되었던 국제학술회의에서 발표되었던 글들을 보완하고, 토론하였던 내용을 함께 묶은 것입니다.

직공職貢은 중국 주나라 이래 제후국이나 인접한 나라에서 행하였던 의례적인 조공입니다. 조공을 받는 왕조의 정통성이나 영향력은 조공한 나라의 수와 관련되어 있기 때문에 특히 남북조 시기에 중요한 국가 행사가 되었습니다.

직공도는 이와같은 행사를 기념하기 위해 작성된 두루마리 그림인데 정식 역사서에 기록되지 않은 내용을 담고 있기도 하여 중요한 자료로 평가되고 있습니다. 현재 남아있는 직공도는 청나라에 이르기까지 적지 않은데 그 가운데 가장 오래된 것은 양나라(502~557)의 직공도입니다.

양직공도는 무제의 아들 소역蕭繹이 형주자사로 재임할 때 작성한 것인데 문헌자료를 통해 그 존재만 알려져 왔습니다. 다행히 1960년 중국 남경박물관에서 북송대의 모사품이 확인되었고, 1987년 대만 고궁박물원에서 남당대의 모사품과 시대미상의 모사품이 확인되었습니다. 모사품이긴 하지만 6세기 중엽 중앙아시아를 포함한 동서교섭사 연구에 있어 대단히 귀중한 자료입니다.

남경박물관에서 확인된 양직공도에는 521년 백제 무령왕이 파견하였다고 추정되는 백제 사신의 그림과 함께 당시의 백제 사정을 반영한 제기題記가 남아 있어 중요합니다. 제기는 모두 189자에 달하는데 '旁小國有叛波卓多羅前羅斯羅止迷麻連上巳文下枕羅等附之'라는 26자는 어느 역사서에서도 찾아볼 수 없는 것입니다.

이 26자의 기록은 당시 백제 주변, 특히 전남지역에 여러 마한 소국들이 존재하였음을 말해줍니다. 이는 일본서기를 바탕으로 369년 전남지역 마한 소국들을 병합하였다는 기존 견해와는 매우 다른 것입니다. 따라서 521년까지 백제에 병합되지 않았던 전남지역 마한 소국들이 얼마나 되는지, 또한 이 소국들은 언제 백제에 병합되었는지에 대해서도 궁금증을 불러일으킵니다.

마한연구원에서는 이와같은 궁금증들을 풀어보기 위해 국내외 전문가들을 모시고 국제학술회의를 개최한 바 있습니다. 이틀에 걸친 발표와 집중토론을 통해 9개 방소국에 대한 백제의 인식 차이를 알 수 있었습니다. 각 방소국의 위치에 대해서는 부분적으로 견해 차이가 있었지만 신라와 가야 세력을 제외한 止迷, 麻連, 下枕羅는 전남지역을 중심으로 마지막까지 남아 있었던 마한 소국으로서 각각 고창을 포함한 전남 서북부, 나주와 영암을 중심으로한 영산강유역, 강진과 고흥 등 남해안에 위치하였을 가능성이 높은 것으로 보았습니다.

〈중국 양직공도 마한제국〉 학술회의는 그동안 논란이 많았던 전남지역 마지막 마한 소국들이 백제에 편입된 시기를 올바르게 설정할 수 있는 중요한 계기가 될 것입니다. 학술대회에서 중요한 견해를 발표해 주시고, 발표문을 보완하여 이 책자에 싣도록 하여주신 중국 절강성 사회과학원 林華東 선생님을 비롯하여 일본 京都府立大學 井上直樹 교수님, 인천도시공사 윤용구 선생님, 국립중앙박물관 박중환 선생님, 군산대학교 곽장근 교수님께 감사드립니다. 또한 토론 좌장을 맡아주신 공주대학교 정재윤 교수님을 비롯하여 토론에 참여하신 여러 선생님들께 깊이 감사드립니다.

무엇보다도 재정적, 행정적으로 학술회의를 지원하여 주신 김영록 지사님과 김명원 관광문화체육국장님을 비롯한 전라남도 관계자 여러분, 국립나주문화재연구소와 국립나주박물관, 전남문화관광재단 관계자 여러분께 깊이 감사드립니다. 또한 어려운 여건에서도 흔쾌히 출판하여 주신 학연문화사 권혁재 사장님과 편집을 맡아주신 조혜진 선생께도 감사 말씀을 드립니다.

2019. 10.

마한연구원장 임영진

목　　차

梁職貢圖 馬韓諸國의 역사고고학적 의의

林永珍 전남대학교

Ⅰ. 머리말

職貢은 중국 周代 봉건제에서 열국 제후들이 천자에게 공납한 것으로부터 시작되었던 의례적이고 의무적인 주변 제국의 조공이며 職貢圖는 이를 기념하기 위해 작성된 것이다. 현재 남아있는 직공도는 청대에 이르기까지 적지 않은데 그 가운데 가장 오래된 것은 6세기 남조대의 梁職貢圖로 알려져 있다[1].

梁職貢圖는 양 무제의 일곱째 아들 蕭繹이 작성한 것이지만 원본은 확인된 바 없으며, 이와 관련된 것으로『梁職貢圖北宋摹本』,『唐閻立本王會圖』,『南唐顧德謙摹梁元帝蕃客入朝圖』,『清張庚諸蕃職貢圖』등 4종이 알려져 있다. 이 가운데 사신도가 있는『梁職貢圖北宋摹本』,『唐閻立本王會圖』,『南唐顧德謙摹梁元帝蕃客入朝圖』의 사신들이 그림에 따라 그 용모와 복색 등에서 차이가 크기 때문에 각각 모사하였던 원본이 달랐을 가능성이 있다고 보거나[2], 모두 소역의 梁職貢圖를 모사하되 원본을 충실하게 전하는 것도 있지만 수요자의 요구에 따라 변개되고 변형된 모본 사이의 교착도 존재하며 1077년 모사되었던『梁職貢圖北宋摹本』이 소역의 원본에 가장 충실한 것으로 본다[3].

〈그림 1〉 梁職貢圖北宋摹本(1077년)

---

* 이 글은 2018년 마한연구원 국제학술회의(〈중국 양직공도 마한제국〉) 발표문을 보완한 것임.

1) 김종완, 2001,「양직공도의 성립 배경」,『중국고중세사연구』8, 중국고중세사학회; 정은주, 2015,「중국 역대 직공도의 韓人圖像과 그 인식」,『한문학논집』42, 근역한문학회.

2) 이도학, 2008,「양직공도의 백제 사신도와 제기」,『백제문화 해외조사보고서Ⅵ』, 국립공주박물관, 106쪽.

3) 윤용구, 2012,「양직공도의 유전과 모본」,『목간과 문자』9, 한국목간학회, 126쪽.

『梁職貢圖北宋摹本』(이하 양직공도라 칭함)은 우리의 『삼국사기』나 중국의 『삼국지』, 일본의 『일본서기』 등에 해당하는 역사서는 아니지만 남아있는 12국 사신의 용모와 13국의 기록 내용들이 당시 실상을 반영하고 있다는 점에서 후대에 저술된 역사서보다 더 귀중한 자료로 평가된다. 특히 백제 사신에 부기된 傍小國 관련 기사는 백제사 연구에 있어 대단히 중요한 자료로 평가되어 왔다[4]. 구체적인 평가에 있어서는 백제 사신이 언급한 내용을 그대로 옮겨 적었을 가능성이 높기 때문에 백제의 입장이 그대로 대변된 것이라는 견해[5]와 그 이전부터 가지고 있던 지식에 사신을 통해 새로 얻은 지식이 합쳐진 것이라는 견해[6]가 있지만 백제에 대한 지식은 비교적 정확하였다고 본다[7].

양직공도에 기재된 백제 방소국들은 당시 백제에 병합되지 않았던 여러 나라들에 해당하는데 그 가운데 마한에 해당하는 소국들이 섞여 있다. 그 시기에 대해서는 몇가지 견해가 있지만 무령왕 21년(521)경까지 수집된 정보로 보는 견해에 따르면[8] 521년 당시 전남지역을 중심으로 마지막 마한 소국들이 발전하고 있었음을 알 수 있다. 이는 『일본서기』의 불확실한 기사를 바탕으로 백제가 전남지역 마지막 마한 제국을 병합한 시기를 근초고왕 24년(369)으로 보는 기존 통설[9]과 150년 이상의 차이를 보여주고 있다.

양직공도 백제 방소국 가운데 전남지역에 위치하고 있었던 것으로 인정되는 소국들은 마한사 연구에 있어 매우 중요한 자료임에 틀림이 없지만 그에 대한 연구

---

4) 이홍직, 1971, 「양직공도논고—특히 백제국사신 図経을 중심으로」, 『한국고대사의 연구』, 신구문화사.
5) 김기섭, 1997, 「백제의 요서경략설 재검토」, 『한국 고대의 고고와 역사』, 학연문화사, 322쪽.
6) 강종훈, 1992, 「백제 대륙진출설의 제문제」, 『한국고대사논총』 4, 408쪽.
7) 유원재, 1989, 「'百濟略有遼西' 기사의 분석」, 『백제연구』 20, 132쪽.
8) 이용현, 2013, 「양직공도 止迷의 위치」, 『전남지역 마한 소국과 백제』, 학연문화사, 283쪽.
9) 이병도, 1959, 『한국사—고대편』, 을유문화사, 361쪽.

는 미진한 실정이다. 이 글에서는 양직공도 백제 방소국에 포함되어 있는 마한 소국들이 가지고 있는 역사고고학적 의의에 대해 살펴보고자 한다.

Ⅱ. 梁職貢圖 백제 旁小國과 馬韓諸國의 관계

양직공도 백제 사신에 부기되어 있는 제기 내용은 다음과 같다.

> 百濟舊來夷馬韓之屬 晉末駒驪略有遼東樂浪亦有遼西晉平縣 自晋已來常修蕃貢 義熙中其王餘腆 宋元嘉中其王餘毗 齊永明中其王餘太 皆受中國官爵 梁初以太爲征東將軍尋爲高句驪所破 普通二年其王餘隆遣使奉表云累破高麗 所治城日固麻 謂邑日檐魯於中國郡縣 有二十二檐魯分子弟宗族爲之 旁小國有叛波卓多羅前羅斯羅止迷麻連上巳文下枕羅等附之 言語衣服略同高麗 行不張拱拜不申足 以帽爲冠 襦日複袗袴日褌 其言參諸夏 亦秦韓之遺俗

모두 189자인 이 기사 가운데 『양사』 「백제전」을 비롯한 다른 어떤 기록에서도 찾아볼 볼 수 없는 것이 '旁小國有叛波卓多羅前羅斯羅止迷麻連上巳文下枕羅等附之'이다. 각 소국의 위치에 대해서는 논의가 계속되어야 할 것이지만 그 가운데 止迷, 麻連, 下枕羅는 전남지역에 해당한다고 보는 것이 일반적이다. 맨 뒤에 나열된 下枕羅 다음에 '等'을 부기한 것을 보면 그 외에 더 많은 방소국들이 있었음을 알 수 있으며 실제로 가야 제국 가운데 누락된 것이 있으므로 마한 제국 가운데 생략된 것도 적지 않을 것이다.

양직공도 백제 방소국 기사를 통해서는 521년 당시까지 전남지역을 중심으로 백제에 병합되지 않은 마한 소국들이 상당수 존재하였음을 알 수 있으며 이것만으

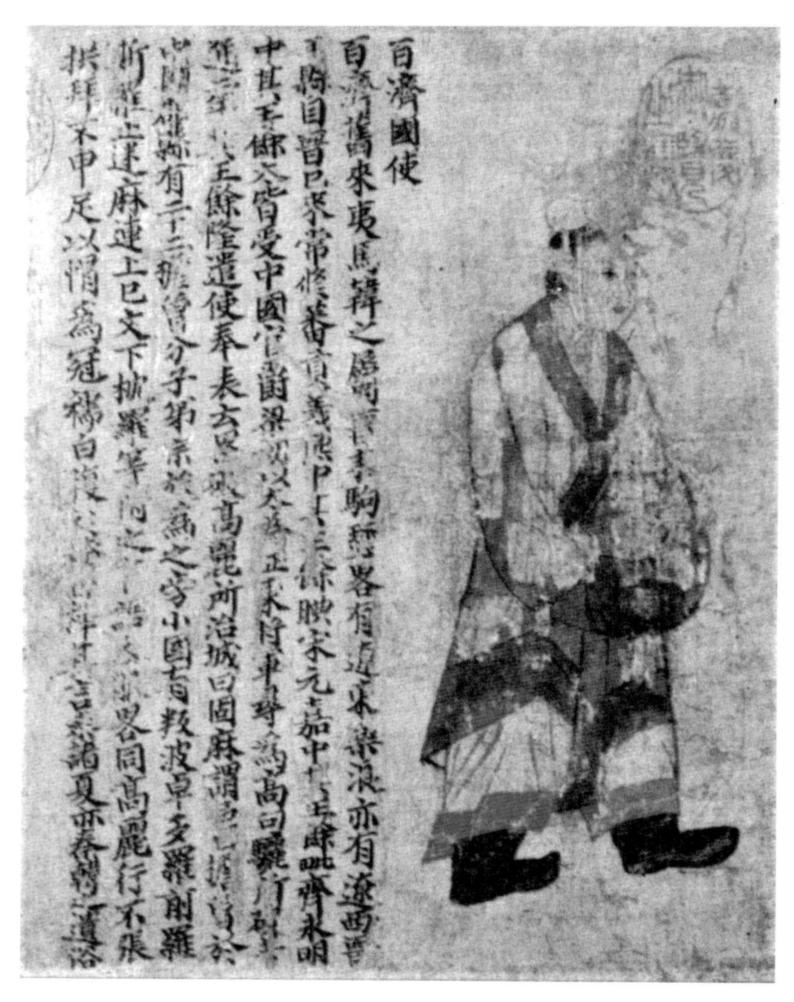

〈그림 2〉 양직공도 백제국사

로도 『일본서기』를 바탕으로 한 369년 백제 근초고왕 잔존 마한 병합설은 설득력을 잃게 된다고 할 수 있을 것이다. 한편으로는 521년까지 백제에 병합되지 않았던 마한 소국들이 얼마나 되는지, 또한 이 소국들은 언제 백제에 병합되었는지에 대한 궁금증을 야기한다.

이 문제에 있어서는 양직공도에 당시 백제 도읍인 固麻 외에 중국 군현과 같은 22담로가 있었음이 명기되어 있는 점을 주목할 필요가 있다. 이 내용은 양직공도 뿐만 아니라 『양서』에도 나와 있기 때문에 잘 알려져 왔지만 22담로의 공간적 범위는 충청, 전라지역에 해당한다고 보는 것이 일반적이었다. 이는 전남지역이 백제 영역이 된 해가 369년이라는 기존 통설과 백제가 475년 고구려에 차령 이북의 경기지역을 빼앗겼던 역사적 사실을 바탕으로 충청, 전라지역에 22담로가 있었다고 보는 것이다. 이후 백제는 경기지역을 회복하지 못한 채 신라에 병합되었는데 당시 37군을 가지고 있었으므로 521년에 22담로였던 것이 660년 이전의 어느 시기에 37군으로 변했던 것으로 보는 것이다. 이는 백제 영역에 변화가 없는 상태에서 기존 22담로가 새로이 37군으로 재편되었다고 보는 것인데 과연 언제, 어떤 배경에서 그렇게 재편되었는지에 대한 설명은 찾아보기 어렵다.

필자는 호남지역 석실묘의 구조적 차이를 토대로 하여 마지막 마한 소국들은 전북 서남부 고창 일대와 전남지역을 기반으로 6세기 초까지 영산강식 석실을 사용하면서 단절없이 발전하다가 6세기 중엽경 백제에 병합됨으로써 백제식 석실을 사용하게 된 것으로 보았으며 이를 22담로와 37군의 관계로 설명한 바 있다. 백제 행정조직은 521년 충청과 전북지역에 있었던 22담로에 6세기 중엽경 상기 마지막 마한 소국이 편입되면서 15개 지역이 더해짐으로써 37개군으로 늘어난 것으로 본 것이다[10]. 더해진 15개 지역은 전북 서남부와 전남지역의 15개 마한 소국들에 해당할 것이고, 더해진 시기는 521년에서 사비 천도가 이루어진 538년 사이에 해당할 것이며, 구체적으로는 530년경이라고 보았다[11].

---

10) 임영진, 1997, 「호남지역 석실분과 백제의 관계」, 『호남고고학의 제문제』, 한국고고학회.
11) 임영진, 2013, 「전남지역 마한 제국의 사회 성격과 백제」, 『백제학보』11, 30쪽.

이와같이 백제 지방 행정조직이 22담로에서 37군으로 바뀐 것을 동일한 영역에 대한 행정구역의 재편이 아니라 15개 행정구역에 해당하는 새로운 영역이 추가됨으로써 37군으로 바뀐 것으로 본 견해는 당시 인구 수준을 감안해 보면 이해하기 쉬울 것이다. 『삼국지』를 보면 마한의 대국은 만여호, 소국은 수천가라고 하였는데 마한 50여국의 총 호수가 10만여호라고 하였으므로 각 소국을 평균 2000호로 잡고 1호당 5인 거주를 상정하면 평균 10000명이 되고 마한 54국은 총 50만명 정도로 추산된다. 그 공간은 경기, 충청, 전라지역이고 그 시기는 3세기 중후엽이지만 조선시대 전체 인구가 1392년 5,549,000명, 1400년 5,730,000명으로 추산되어 있는 것을 감안하면[12] 양직공도 시기의 백제는 100만명 남짓이었을 것이다. 백제 담로의 규모는 마한 소국의 규모를 크게 넘지는 않았을 것인데 그와같은 상황에서 22담로를 37군으로 재편하였다면 최소 15개 담로를 각각 2개군씩 분할했다고 보아야 하겠지만 이는 상정하기 어려운 일이다.

특히 신라가 통일 후 전국을 9주5소경으로 재편하면서 백제 37군을 웅주 13군, 전주 10군, 무주 13군으로 재편한 점을 주목하였다. 웅주와 전주를 합하면 23군으로서 521년의 백제 22담로와 상통하기 때문에 당시 22담로는 충청과 전북을 벗어나지 않았을 가능성이 높다고 보았고, 나머지 15개군은 고고학적으로 6세기초까지 백제와 구분되어 있었던 전북 고창 일대와 전남지역에 해당하는 소국들로 본 것이다. 전북 서남부 지역에 1~2개 군이 있었다고 하면 전남에는 13~14개 군이 있었던 셈이 되는데 이는 통일신라 무주 관할지역에 13개군이 있었다는 사실과도 부합하는 것이다[13].

그러므로 백제 22담로와 37군의 관계는 동일한 영역에서 이루어진 시기적인 차이가 아니라 서로 다른 시기의 영역 차이에 해당하는 것이라고 할 수 있을 것이다.

---

12) 한국인구학회편, 2016, 「<표 3-4> 연도별 조선시대 인구 추정치」, 『인구대사전』, 통계청, 999쪽.

13) 임영진, 1997, 「호남지역 석실분과 백제의 관계」, 『호남고고학의 제문제』, 한국고고학회, 59쪽.

이는 기존의 행정구역이 분할되어 새로운 행정구역이 늘어난 것이 아님을 의미하는 것이며 3세기 중후엽『삼국지』에 반영된 마한 54개국이 6세기 중엽을 지나 7세기 후엽에도 기본 행정구역으로 유지되었을 가능성이 높았음을 말해주는 것이다.

이와같은 해석이 타당하다면 마한 54개 소국 가운데 충청권, 전북권, 전남권에 위치한 37개 소국을 제외한 나머지 17개 소국은 한강유역을 중심으로한 경기지역에 자리잡고 있었던 셈이 될 것이다. 백제가 웅진으로 천도한 시기 동안 한강유역을 장악하지 못하였던 것으로 보는 견해[14]와 고구려가 한강유역을 장악한 다음 16개 행정단위로 편제한 것으로 보는 견해[15]를 감안하면, 나머지 마한 17개 소국은 한강유역을 중심으로 한 경기지역에 있었던 것으로 볼 수 있을 것이다[16].

〈표 1〉 마한 54국과 백제 22담로, 37군의 관계

<table>
<tr><td colspan="12">(250) (300) (370) 475 (530)</td></tr>
<tr><td>경기</td><td rowspan="4">마한
54국</td><td>경기</td><td>백제</td><td>경기</td><td rowspan="2">백제</td><td>경기</td><td rowspan="3">백제</td><td>경기</td><td>고구려</td><td>경기</td><td>고구려</td></tr>
<tr><td>충청</td><td>충청</td><td rowspan="3">마한
(37국)</td><td>충정</td><td>충청</td><td>충청</td><td rowspan="2">백제
(22담로)</td><td>충청</td><td rowspan="3">백제
(37군)</td></tr>
<tr><td>전북</td><td>전북</td><td>전북</td><td rowspan="2">마한
(25국)</td><td>전북</td><td>전북</td><td>전북</td></tr>
<tr><td>전남</td><td>전남</td><td>전남</td><td>전남</td><td>마한
(15국)</td><td>전남</td><td>마한
(15국)</td><td>전남</td></tr>
</table>

---

14) 최종택, 2008,「고고자료를 통해 본 백제 웅진도읍기 한강유역 영유설 재고」,『백제연구』47, 충남대백제연구소, 154쪽.

15) 노태돈, 2005,「고구려의 한성지역 병탄과 그 지배 양태」,『향토서울』66, 서울시사편찬위원회, 187쪽.

16) 임영진, 2010,「묘제를 통해서 본 마한의 지역성과 변천 과정」,『백제학보』3, 42쪽.

그러므로 마한 54개 소국들은 백제 건국 이후 단계적으로 백제에 병합되어 나갔지만 병합된 뒤에도 그 중심지에 큰 변화가 일어났을 가능성은 그다지 높지 않을 것으로 판단된다. 무력에 의한 일방적인 병합이 이루어졌다고 하더라도 지배층의 교체나 지배구조의 재편을 넘어 기존 중심지의 변화가 수반되었을 가능성은 낮다고 볼 수 있는 것이다. 특히 고대 사회의 단위 행정구역은 인구밀도와 자연지세에 맞추어 상당한 간격을 두고 이격되어 있었을 것이므로 단위 행정구역 자체를 분할하여 새로운 행정 단위를 만드는 일은 쉽사리 일어나기 어려운 일이었을 것이다.

결론적으로, 양직공도 백제 방소국 기사를 통해 521년 당시 마한에 해당하는 소국들이 전남지역을 중심으로 남아 있었음을 알 수 있으며, 양직공도 백제 22담로 기사를 바탕으로 그 소국들의 수가 15개 정도였음을 추산해 볼 수 있을 것이다.

Ⅲ. 고고학 자료로 본 전남지역 馬韓諸國의 위치

필자는 530년경 백제에 병합되었다고 본 마지막 15개 마한 소국들의 위치 문제는 남아있는 문헌자료만으로 해결하기 어렵기 때문에 고고학 자료를 통해 풀어보고자 한 바 있다. 전북 고창 일대는 전남지역과 함께 6세기초까지 기존 마한 사회가 지속되었던 지역으로서 1개 소국이 있었다고 보고, 나머지 14개 소국들은 전남지역 마한 관련 고고학 자료들의 분포상을 토대로 비정하였다. 물론 제한되거나 편중되어 있는 고고학 자료의 성격상 현재까지 확인된 자료만으로 14개 소국들을 구별해 내야하는 제약이 있지만 문헌자료를 중심으로 한 소국 비정의 한계를 극복할 수 있는 대안이 될 수 있을 것이며 그 결과는 다음 표와 같다[17].

---

17) 임영진, 2013, 「고고학 자료로 본 전남지역 마한 소국의 수와 위치 시론」, 『백제학보』9.

〈표 2〉 14개 전남지역 마한제국 추정지역

구분	권역	주요 고고학 자료			비고(기존 비정지)	
		목관 · 옹관묘	석실묘	주거지	천관우설(문헌)	이영문설(지석묘)
1	**와탄천권** (영광)	영광 군동 · 수동	영광 옥녀봉 · 월계	영광 군동 · 마전 · 운당	莫盧國	영광
2	**함평만권** (무안 · 함평)	무안 맥포, 함평 중랑	무안 사창 · 태봉	무안 평림 · 용교, 함평 소명 · 중랑		
3	**삼포강권** (나주 · 영암)	나주 반남, 영암 시종	나주 흥덕리, 영암 내동리	영암 신연리		
4	**영암천권** (영암)	영암 금계리 · 선황리	영암 남산리 · 조감	영암 선황리	一難國	영암 월출산일대
5	**고막천권** (나주 · 함평)	나주 복암리, 함평 월야	나주 복암 · 동곡, 함평 석계	나주 복암리	臨素半國? 臣雲新國?	함평 나산 일대 나주 다시 일대
6	**극락강권** (광주)	광주 평동 · 하남동	광주 각화 · 월계 · 명화동	광주 동림 · 산정 · 선암 · 쌍촌 · 하남		
7	**영산강상류권** (담양)	담양 태목리 · 서옥	담양 제월 · 고성리	담양 태목리 · 성산리		
8	**지석천권** (나주 · 화순)	화순 연양리	화순 능주	나주 도민동 · 신평, 화순 운포	如來卑離國	화순 지석천일대
9	**백포만권** (해남)	해남 분토 · 신금	해남 조산 · 용두리	해남 신금 · 분토	狗溪國	해남 마산면일대
10	**도암만권** (강진 · 장흥)	장흥 신풍 · 상방촌	강진 벌정리, 장흥 충열리	강진 양유동, 장흥 상방촌	乾馬國	장흥
11	**여자만권** (보성)	보성 구주	보성 수당	보성 조성리	不斯濆邪國	
12	**고흥반도권** (고흥)	고흥 석봉리	고흥 안동 · 야막 · 동촌	고흥 방사 · 신양 · 한동	楚離國	고흥
13	**순천만권** (순천)	순천 운평리	순천 옥전동	순천 덕암동 · 송산 · 운평리		
14	**광양만권** (여수 · 광양)	광양 도월리	여수 여산	광양 도월리 · 칠성리	爰池國	여수
(장성지역)		장성 환교	장성 영천 · 학성리	장성 환교 · 장산리	古臘國	
(곡성지역)			곡성 봉산리 · 보정			
(보성강권)				순천 대곡리	不雲國	보성 복내면, 순천 송광면
(신안지역)			신안 도창 · 안좌			
(진도지역)					楚山塗卑離國	진도

필자가 고고학 자료를 통해 비정해 본 전남지역 소국들은 섬진강, 보성강 유역에서는 찾아보기 어렵다. 전남 동부지역은 조사 자료의 부족 때문에 14개 밀집 분포권에 포함시키기 어려운 점이 있었지만 호남 동부지역 주거지와 호남 서부지역 주거지를 비교해 보면 동질성과 함께 이질성을 보여주기 때문에 호남 동부지역을 '문화적 점이지대'로 규정하는 견해나[18] 4세기대에 이르러 마한 중심권의 사주식 주거지가 파급되고 있기 때문에 마한 문화의 확산 과정을 알 수 있다고

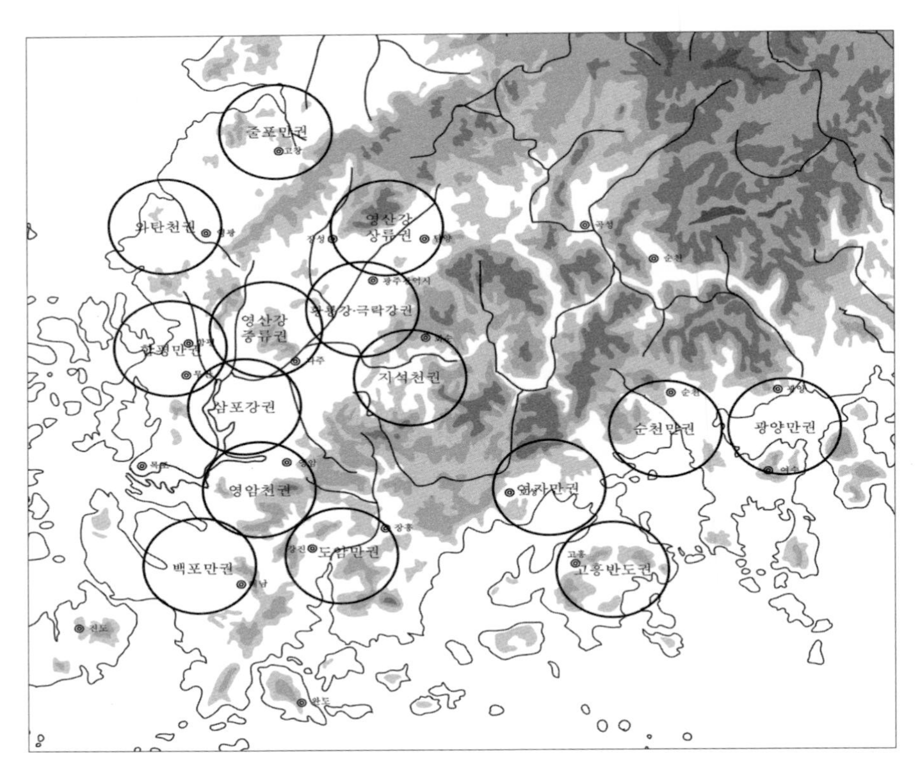

〈그림 3〉 마지막 15개 마한 소국 분포 추정도

18) 김승옥, 2000, 「주거지」, 『호남지역의 철기문화』, 호남고고학회.

보는 견해[19], 섬진강유역에서는 마한의 특징적인 이중구연호가 4세기후반경부터 나타나고 보성강유역에서는 장란형토기에 이중구연 요소를 채택한 것으로 보는 견해[20] 등을 감안하여 보면 납득할 수 있을 것이다.

섬진강이나 보성강 유역은 4세기중엽경 백제 근초고왕의 전북지역 병합시 마한 세력 일부가 이주하였을 가능성을 배제하기 어렵지만 주거지나 토기의 파급 정도로 보아 독자적인 소국을 구성할 정도는 아니었던 것으로 생각된다. 또한 6세기 중엽경부터 백제식 석실묘들이 나타나는 장성지역, 곡성지역, 신안지역 등은 전남지역이 백제에 병합된 다음 백제에 의해 중시된 곳으로 판단되지만 그 규모는 기존의 중심권에 비해 크게 두드러지지는 못하였던 것으로 보인다[21].

Ⅳ. 梁職貢圖 馬韓諸國의 위치

양직공도에 기재된 백제 방소국 가운데에는 마한에 해당하는 소국들이 섞여 있는 것으로 보는 것이 일반적이며 나열 순서에 있어서는 신라를 중앙에 배치하고 그 앞에 가야제국을, 그 뒤에 마한제국을 둔 것으로 보고 있다[22]. 즉 '叛波, 卓, 多羅, 前羅, 斯羅, 止迷, 麻連, 上巳文, 下枕羅 等' 가운데 신라에 해당하는 斯羅[23]를 중심으로 叛波, 卓, 多羅, 前羅 등 앞의 나라들은 가야권에 해당하는 것으로, 止迷,

---

19) 이동희, 2005, 『전남동부지역 복합사회 형성과정의 고고학적연구』, 성균관대 박사학위논문, 136쪽.

20) 서현주, 2001, 「이중구연토기 소고」, 『백제연구』33.

21) 임영진, 2013, 「고고학 자료로 본 전남지역 마한 소국의 수와 위치 시론」, 『백제학보』9.

22) 李鎔賢, 1999, 「『梁職貢図』百済使條の旁小国」, 『朝鮮史研究会論文集』 24.

23) 김선숙, 2017, 「『양직공도』·『양서』의 신라 국호 이칭에 대한 검토」, 『국학연구』 32, 한국국학진흥원.

麻連, 上巳文, 下枕羅 등 뒤의 나라들은 마한에 해당하는 것으로 보는 것이다.

한국에 처음으로 양직공도를 소개하였던 이홍직은 止迷의 迷는 분명치 않아 '逮' 같이 보이기도 하며 麻連과 함께 『일본서기』에도 보이지 않아 비정하기 어렵다고 하였으며, 上巳文은 백제가 일본에 주장한 '己文帶沙'의 己文인데 섬진강 하류의 帶沙에 대응하여 상류에 있기 때문에 上巳文이라는 명칭을 가진 것으로 보았고, 下枕羅는 강진으로 비정하였다[24]. 이근우는 止迷가 『진서』「장화전」의 新彌國 등의 異寫일 가능성이 높고, 麻連은 임나4현 牟婁와 마찬가지로 강진 혹은 장흥으로 보았다. 下枕羅는 上巳文과 上下로 연칭된 점에서 강진, 해남 지역이 짝을 이루면서 枕彌나 耽羅와 같은 실체로서 문주왕 2년조와 동성왕 20년조의 耽羅國을 제주도가 아니라 강진지역, 즉 耽牟羅로 보았다. 또한 上巳文, 下枕羅, 麻連 등이 6세기초에 백제 영토가 되었지만 양직공도 방소국에 포함된 것은 막 자신들의 영토에 포함되었거나 그다지 시간이 경과하지 않았기 때문이라고 하였다[25]. 김태식은 광양시에 馬龍里라 불리는 지명이 남아 있고 이것이 麻連과 통한다는 점에서 麻連을 섬진강 서안의 광양시에 비정하였고[26] 김기섭 역시 백제의 馬老縣, 즉 전남 광양지역으로 보았다[27]. 곽장근은 上巳文을 4세기 후반부터 가야 문화를 토대로 발전하였던 남강 상류지역의 己文 가운데 고분군 최대 중심지를 이루었던 남원 두락리를 비롯한 남원 동부지역으로 비정하였다[28]. 이용현은 止迷와 麻連을 영산강유역으로, 上巳文을 섬진강유역의 己汶으로, 下枕羅를 제주도의 忱彌多禮로 보았으며[29] 보다 구체적으로 麻連을 영산강 서부 연안지대로서 이른바 임나4현 가운데 牟婁에 해

---

24) 이홍직, 1971, 『한국 고대사의 연구』, 신구문화사, 417~418쪽.
25) 이근우, 1997, 「웅진시대 백제의 남방경역에 대하여」, 『백제연구』 27, 53~63쪽.
26) 김태식, 1997, 「백제의 가야지역 관계사」, 『백제의 중앙과 지방』, 충남대백제연구소, 63쪽.
27) 김기섭, 2000, 『백제와 근초고왕』, 학연문화사, 171~173쪽.
28) 곽장근, 1999, 『호남 동부지역 석곽묘 연구』, 서경문화사, 289쪽.
29) 李鎔賢, 1999, 「『梁職貢図』百済使條の旁小国」, 『朝鮮史研究会論文集』 24.

당하는 것으로, 止迷를 나주 鳳凰에 가까운 영산강 지역 및 그 연장선상에 있는 서남해안 지역으로 비정하였다[30]. 이도학은 止迷는 『일본서기』 신공기에 나오는 忱彌多禮와 음이 유사하므로 해남으로 보고, 麻連은 『삼국지』 변진 항에 나오는 馬延國과 닮았으므로 밀양으로, 上巳文은 임실로 보았으며, 下枕羅는 강진으로 지목하지만 명확하지 않다고 하였다[31].

이와같은 견해들은 종합하여 보면 止迷, 麻連, 上巳文, 下枕羅 가운데 上巳文은 섬진강 상류지역의 己汶으로 보는 것이 일반적이지만 다른 소국에 대해서는 견해가 다양하다. 섬진강 상류에 해당하는 上巳文에 대해서는 재론이 필요하지만 나머지 3국은 마한에 해당한다면 521년 당시 공존하였다고 보았던 15개국 가운데 비교적 큰 세력이기 때문에 특기되었을 것이며 각각 소권역을 대표하는 세력이었을 가능성이 높을 것이다.

필자는 전남지역 마지막 마한 제국을 남해안권, 서해안권, 영산강유역권으로 구분하고 백제의 병합이 상기 권역 순으로 3단계에 걸쳐 이루어진 것으로 본 바 있다. 즉 마지막 마한 제국은 전북 서남부에서 전남 서부로 연결되는 서해안권, 나주를 중심으로한 영산강내해권, 고흥반도를 중심으로한 남해안권 등 크게 3개 권역으로 구분되어 발전하다가 백제 웅진기에 3단계에 걸쳐 병합되었던 것으로 본 것이다. 남해안권은 백제와 왜의 교류 항로에서 백제의 기대에 어긋나는 장해세력으로 부상함에 따라 가장 먼저 정복되었던 忱彌多禮가 중심이고, 이에 따른 압박으로 인하여 서해안 항로를 끼고 있는 比利辟中布彌支半古四邑이 스스로 항복하였다고 보았다. 그 결과 영산강내해권의 마한 제국들은 내해에 고립되었을 뿐만 아니라 그동안 교류하여 왔던 규슈지역이 磐井戰爭을 끝으로 529년 大和 정권에 병

30) 이용현, 2013, 「양직공도 止迷의 위치」, 『전남지역 마한 소국과 백제』, 학연문화사, 301쪽.
31) 이도학, 2008, 「양직공도의 백제 사신도와 제기」, 『백제문화 해외조사보고서VI』, 국립공주박물관, 114쪽.

합되는 국제 정세의 변화 속에서 남진하는 백제에 군사적으로 맞서기 보다는 평화적인 방법을 택하여 자신들의 기득권을 유지하고자 하였을 것으로 파악하였다[32].

그러므로 전남 서해안권, 남해안권, 영산강내해권은 止迷, 麻連, 下枕羅 3국이 대표하였을 가능성이 높다고 보는 것이 합리적인 추론일 것이다. 이 가운데 특별히 '上巳文, 下枕羅'에 上下 표시를 한 것은 양자가 가까이 있었기 때문일 것이라고 보는 것이 일반적이므로 上巳文이 섬진강 상류에 위치하였다면 下枕羅는 섬진강 하류지역이거나 그다지 멀지 않은 곳이어야 할 것이다. 고고학 자료로 보아 전자는 대부분의 연구자들이 인정하는 남원일대의 己文일 것이고, 후자는 남해안권에서 가장 두드러진 자료를 가지고 있는 고흥지역에 해당할 것이다[33]. '止迷, 麻連'은 각각 서해안권과 영산강내해권에 해당할 것인데 그 순서가 세력 규모를 반영한다면 '止迷'는 영산강내해권의 나주지역, '麻連'은 서해안권의 고창지역에 해당할 것이다. 고창 봉덕리, 나주 신촌리, 고흥 길두리는 모두 금동관이나 금동신발이 출토된 지역으로서 각각 서해안권, 영산강내해권, 남해안권을 대표하는 세력에 해당할 가능성은 충분하다고 할 수 있을 것이다.

기존 연구에 있어서는 한자 지명에 대한 발음상의 유사성을 바탕으로 연구가 이루어지는 경향이 있지만 마한 54국의 위치 비정에 대한 대표적인 연구 사례를 보듯이[34] 동일한 소국에 대해서도 연구자에 따라 비정 위치가 큰 차이를 보여주고 있다. 지명학 전문가에 따르면 고대 기록 속의 한자 지명을 당시 어떻게 읽었는지 정확하게 알기 어렵기 때문에 지금의 읽기방식으로 비교하는 것은 큰 의미가 없다고 한다[35]. 이와같은 점을 감안하여 보면 止迷, 麻連, 下枕羅의 위치에 대한 필자의

---

32) 임영진, 2013, 「전남지역 마한 제국의 사회 성격과 백제」, 『백제학보』11, 30쪽.
33) 임영진, 2010, 「침미다례의 위치에 대한 고고학적 고찰」, 『백제문화』43.
34) 이병도, 1976, 『한국고대사연구』, 박영사; 천관우, 1989, 『고조선사 · 삼한사연구』, 일조각.
35) 손희하, 2014, 「"'卑離' · '夫里' 그리고 'buri'"에 대한 토론」, 『전남지역 마한제국의 사회성격과

견해는 다소 생소하겠지만 고고학 자료를 토대로 한 중립적이고 합리적인 견해라고 할 수 있을 것이다.

Ⅴ. 梁職貢圖 馬韓諸國의 역사고고학적 의의

문헌기록이 충분하지 않은 고대사회를 연구하는데 있어서는 고고학적 연구가 필요하다. 그러나 고고학 자료는 그 자체만으로 역사적 사실을 밝혀낼 수 없다. 역사적 사실을 기록한 자료가 아니기 때문이다. 이는 문헌기록이 전혀 없는 선사시대를 문헌사적으로 연구할 수 없는 것과 다를 바 없다.

그동안 고분, 주거지, 토기 등 고고학 자료를 중심으로 전남지역 마한 사회의 백제 편입 시기와 과정에 대한 논의들이 이루어진 바 있다. 문헌 기록이나 그 연구 성과를 바탕으로 한 것이면서도 기존 문헌사학계와 다른 견해들이 나오기도 하였다. 전남지역 마지막 마한 제국이 백제에 병합된 시기를 근초고왕 24년(369)으로 보는 기존 통설은 고고학 자료로 설명되기 어렵다는 점에서 병합 시기를 5세기말에서 6세기중엽 사이로 보아야 한다는 견해들이 대표적인 예가 될 것이다. 하지만 여전히 기존 통설을 고수하는 연구자들이 적지 않은데 이는 고고학 자료가 가지고 있는 한계라 할 수 있는 역사적 불확정성 때문이기도 할 것이다.

369년 백제 근초고왕의 전남지역 병합설은 불확실한 『일본서기』 신공기 49년조를 근거로 제기된 것이기 때문에 문헌사학계에서도 여러 연구자들에 의해 문제점이 지적되고 새로운 해석이 나온 바 있다. 실제 연대 문제에 있어 그 기사는 신공기 46 · 47 · 50 · 52년조 기사와 밀접한 관련을 가지고 있으며 『일본서기』 상의 연대는

백제』, 학연문화사.

246-252년에 해당하지만 이러한 기사를 백제의 왕력과 비교해 보면 대략 120년의 차이가 발생한다는 점에서 기년을 2주갑 내려 보아야 된다는 것이 일반적인 견해이고[36], 木滿致와 관련하여 木羅斤資의 활동 시기가 그다지 올라갈 수 없다는 입장에서 3주갑을 내려야 한다는 견해를 내는 연구자도 있다[37]. 내용에 있어서는 픽션이거나 후대 백제측의 현실과 기대감이 표출된 것일 뿐이라고 보거나[38] 양직공도 방소국과 마찬가지로 백제의 천하관이 반영된 것으로서 후대의 관념에서 비롯된 것으로 보기도 한다[39]. 복속지역에 대해서는 기록 내용을 그대로 인정하여 야마토 정권이 임나가라 지역을 직할 영역으로 삼고 신라와 백제를 신속시켰다고 보는 견해에서부터[40] 백제가 마한 잔여 세력과 가야 세력을 복속시켰다는 견해[41], 마한의 잔여세력에 국한시키되, 구체적으로는 전남지역[42], 전 · 남북 서해안지역[43], 충남 · 전북지역[44]을 복속시켰다고 보기도 한다. 개로왕대에 안성천 이남에서 노령 이북까지 시행되었던 왕 · 후제가 동성왕대에 전남지역으로 확대되었다는 견해[45], 강진 · 해남 지역에 해상교역 루트를 확보하였고 영산강유역에는 영향력을 행사하는

---

36) 이병도, 1976, 「근초고왕 척경고」, 『한국고대사연구』, 박영사, 512~514쪽; 천관우, 1979, 「마한제국의 위치 시론」, 『동양학』 9, 216~230쪽; 이기동, 1987, 「마한영역에서의 백제의 성장」, 『마한 · 백제문화』 10, 65~66쪽; 노중국, 1988, 『백제정치사연구』, 일조각, 118~120쪽.

37) 山尾幸久, 1983, 『日本古代王權形成史論』, 岩波書店, 204~209쪽.

38) 연민수, 1996, 「일본서기 신공기의 사료비판」, 『일본학』 15.

39) 정재윤, 2008, 「백제의 섬진강 유역 진출에 대한 고찰」, 『백제와 섬진강』, 서경문화사, 238쪽.

40) 末松保和, 1949, 『任那興亡史』, 大八洲出版(1956, 再版, 吉川弘文館), 46~63쪽.

41) 천관우, 1977, 「복원 가야사(중)」, 『문학과 지성』, 8-3, 915~918쪽; 노중국, 1988, 『백제정치사연구』, 일조각, 121쪽.

42) 전영래, 1985, 「백제 남방경역의 변천」, 『천관우선생환력기념한국사학논총』.

43) 김기섭, 1995, 「근초고왕대 남해안 진출설에 대한 재검토」, 『백제문화』 24.

44) 이영식, 1995, 「백제의 가야진출과정」, 『한국고대사논총』 7, 가락국사적개발연구원, 200쪽; 이근우, 1997, 「웅진시대 백제의 남방경역에 대하여」, 『백제연구』 27, 47~48쪽.

45) 문안식, 2007, 「고흥 길두리고분 출토 금동관과 백제의 왕 · 후제」, 『한국상고사학보』 55.

정도였다는 견해도 있다[46]. 또한 마한 연맹장이었던 백제 근초고왕이 남아있는 마한 세력을 병합하였지만 영산강유역은 신라나 가야 7국의 경우와 마찬가지로 일회성 강습에 불과하여 통일된 지배망을 구축하기 어려웠을 것이라는 견해도[47] 있다.

최근에는 『진서』 新彌와 『양직공도』 止迷를 같은 것으로서 전남지역으로 보고 신미국이 3세기 후반 국제무대에 등장한 이후 6세기 전반에 백제의 부용으로 나타나는 것은 백제의 마한 복속과 전남지역의 영역화 추세에 부합한다는 견해가 나왔고[48] 비슷한 맥락에서 이를 港市國家로 규정하고 해남 북일면에 위치하였던 것으로 본 견해도 나왔다[49]. 또한 중국 서안 大唐西市博物館 소장 백제유민 陳法子 묘지명이 국내에 소개되었는데 이 묘지명에는 진법자의 증조 진춘이 백제 성왕 3년(525년) 무렵에 태어나 태학의 장관을 지냈고 조부 진덕지는 麻連大郡將을 지낸 것으로 기술되어 있어[50] 麻連이 양직공도에 백제 방소국으로 소개되었을 시점에는 아직 백제의 영역이 아니었음을 알 수 있다는 견해도 나왔다[51].

다른 한편으로는 『진서』 新彌(新彌諸國)는 『일본서기』 忱彌多禮나 통일신라 浸溟縣과 상통하므로 해남 군곡리 일대에 해당한다고 보면서 마한과 구분되는 별도의 세력이라고 보는 견해도 있다[52]. 백제인 · 마한인 · 왜인이 아닌 독자적인 문화

---

46) 이도학, 1995, 『백제 고대국가 연구』, 일지사, 187~188쪽; 김영심, 1997, 「백제 지방통치체제 연구」, 서울대학교 박사학위논문, 28~29쪽; 김태식, 1996, 「백제의 가야지역 관계사」, 『백제의 중앙과 지방』, 충남대 백제연구소, 52~55쪽.

47) 이기동, 1996, 「백제사회의 지역공동체와 국가권력」, 『백제연구』 26, 187쪽.

48) 전진국, 2017, 「『晋書』에 보이는 마한의 대외교류와 백제의 성장」, 『백제학보』 20, 115쪽.

49) 이동희, 2018, 「해남반도와 가야 · 신라의 교류, 그리고 港市國家 止迷」, 『해남반도 마한 고대사회 재조명』, 해남군 · 백제학회 · 대한문화재연구원, 182쪽.

50) 김영관, 2014, 「백제 유민 陳法子 묘지명 연구」, 『백제문화』50, 119쪽.

51) 김선숙, 2017, 「『양직공도』 · 『양서』의 신라 국호 異稱에 대한 검토」, 『국학연구』 32, 한국국학진흥원. 29쪽.

52) 강봉룡, 2010, 「고대 동아시아 연안항로와 영산강 · 낙동강유역의 동향」, 『도서문화』 36.

를 갖는 토착집단으로 보는 견해도[53] 이와 상통하는 견해일 것이며, 심지어 왜의 영역이었다고 보는 견해[54]도 있다.

현재 전해지고 있는 부정확한 문헌 기록에 대해서는 다양한 시각에서 여러가지 해석들이 나오는 것이 당연한 것이고 오히려 다양한 견해들이 고대 사회의 진면목을 이해하는데 도움이 될 것이다. 그러나 누구도 부정할 없는 역사적 사실로 확인되어 있는 기록이 있다면 개별적인 다양한 해석들은 그것을 전제로 하여 보다 세부적으로 이루어지는 것이 바람직한 연구 방향일 것이다.

양직공도는 중국 자료이고 정식 역사서는 아니지만 다른 어느 기록에서도 찾아볼 수 없는 백제 방소국 자료를 통해 521년 당시 백제 남쪽에 마한 제국들이 존재하였음을 말해주고 있다. 만약 이병도박사께서 양직공도 백제 방소국을 아셨다면 369년 백제 근초고왕 전남지역 마한 잔읍 병합설을 제기하였을지 의문이다.

양직공도 백제 방소국 자료와 고고학 자료를 감안해 보면 마지막 마한 제국들은 15개국에 해당하며 전북 변산반도 남쪽의 고창지역에서부터 전남 서해안지역, 영산강내해지역, 전남 남해안지역에 분포되어 있다가 양직공도 백제 방소국 시기인 521년부터 538년의 사비 천도 이전 사이에 백제에 편입됨으로써 백제의 지방행정조직은 22담로에서 37군으로 바뀐 것으로 보는 것이 합리적일 것이다. 이와같은 해석은 양직공도가 없었다면 나오기 어려웠을 것이라는 점에서 마한사 연구에 있어 양직공도가 가지고 있는 역사고고학적 의의는 지대하다고 할 수 있을 것이다.

---

53) 최성락, 2000, 「전남지역 고대문화의 성격」, 『국사관논총』 91.

54) 설성경, 1998, 「한 · 일 국학 갈등의 원천을 해체한다-한반도 내의 '왜'의 존재 가능성을 중심으로-」, 『제287회 국학연구발표회 발표요지』, 연세대 국학연구소; 이덕일 · 이희근, 1999, 『우리 역사의 수수께끼』, 김영사.

●●

양 원제 蕭繹의『직공도』

林華東 중국 · 浙江省社会科学院

번역/顧幼靜 중국 · 浙江省博物館

Ⅰ. 머리말

Ⅱ. 양 소역『직공도』의 제작과 전세 과정

Ⅲ. 양 소역『직공도』의 내용

Ⅵ. 맺음말-백제와 남조의 관계

Ⅰ. 머리말

중국국가박물관이 소장하고 있는 梁나라(502~557)『직공도』는 모사품이고 일부분만 남은 것이지만 매우 귀중하다. 이『직공도』는 최초의 두루마리 그림으로서 외국 사신을 잘 묘사해서 당시의 우방 관계와 풍속을 연구하는데 있어서 중요한 것이다.

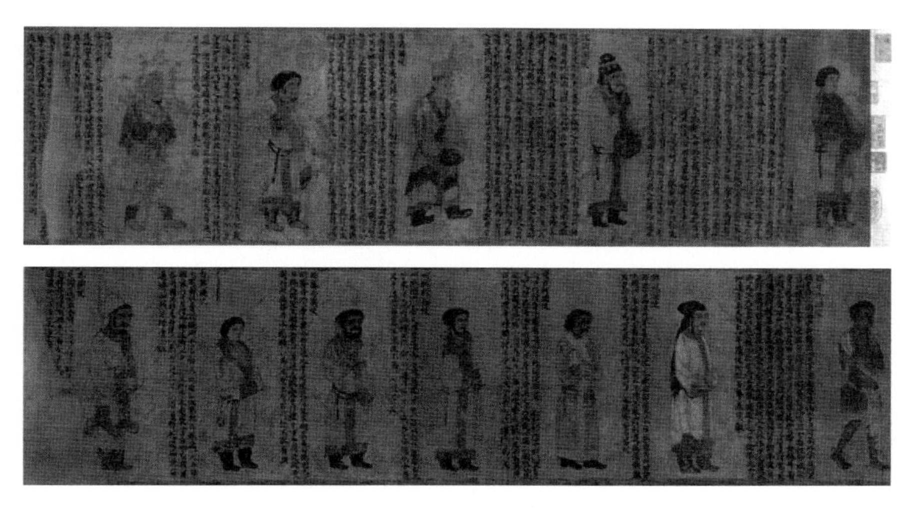

그림 1. 중국국가박물관 소장 梁職貢圖

중국에서는 秦漢 이전부터 제후국들이 조공하는 의무가 있었는데 이를 職貢이라고 한다. 漢 이후에는 조공의 의무가 사방에 있는 외번으로까지 확대되었다. 조공한 나라의 수는 조공을 받는 왕조의 정통성과 직결되기 때문에 남북조 시기에는 남북 쌍방이 각자의 정통성을 강조하기 위해 직공을 중요시하였다. 따라서 화가들도 국가의 강성을 선양하기 위해『직공도』를 많이 그렸고 이와같은 풍속은 후세까

*이 글은 2018년 마한연구원 국제학술회의(<중국 양직공도 마한제국>)에서 발표한 것임.

지 계속해서 영향을 끼쳤다.

양원제의 『직공도』는 가장 이른 시기에 해당하는 것으로서 그동안 문헌기록으로만 알려진 것이었다. 당나라 歐陽詢의 『藝文類聚』「梁元帝職貢圖序」에 따르면 양무제의 제7자인 湘東王 蕭繹이 형주자사 재임중에 荊州를 방문한 외국 사신들의 용모를 관찰하고 풍속을 물어 제작하였는데 수도였던 建康만 방문하고 형주에 오지 않은 사신에 대해서는 따로 조사하여 제작하였다고 한다. 또한 『역대명화기』에는 양원제 소역이 형주자사로 있을 때 『職貢圖』와 『蕃客入朝圖』를 그렸다고 기록되어 있다.

1960년 김유낙 선생은 양원제의 『직공도』가 중국남경박물관에 소장되어 있다는 사실을 밝혀냈다. 그는 이 그림의 화풍으로 보아 당나라 보다는 이르며, 외국 사신 그림 옆에 기록되어 있는 題記 내용이 『양서』「제이전」과 일치하고 가장 늦은 연대가 양대에 해당한다는 점에서 이 그림을 양원제 소역의 『직공도』라고 파악하였다. 또한 이것은 원본이 아니라 北宋 熙寧 10년(1077)에 모사된 것임을 밝혔다. 1988년에는 榎一雄 선생이 『石渠寶笈』에 소개되어 있는 『唐閻立本王會圖』와 『石渠寶笈續編』에 수록되어 있는 『南唐顧德謙摹梁元帝蕃客入朝圖』가 대만고궁박물원에 소장되어 있음을 밝혀냈다. 2011년에는 趙燦鵬 선생이 청대 張庚 선생이 연대를 알 수 없는 직공도의 사신 그림과 제기를 1739년에 모사한 것을 葛嗣浵(1867~1935) 선생이 제기만 기록한 「清張庚諸蕃職貢圖卷」을 발견하여 소개하였다.

양원제의 『직공도』는 원본이 전해오지 않지만 모사본 4종이 확인된 셈인데 각각 사신들의 수나 용모 묘사, 제기 내용 등에서 차이가 있기 때문에 연구자 사이에 견해 차이가 있다. 이 가운데 백제사신 제기에 방소국들이 유일하게 기재되어 있는 중국국가박물관 소장 양원제 소역의 『직공도』가 중요하므로 이에 대해 소개하고자 한다.

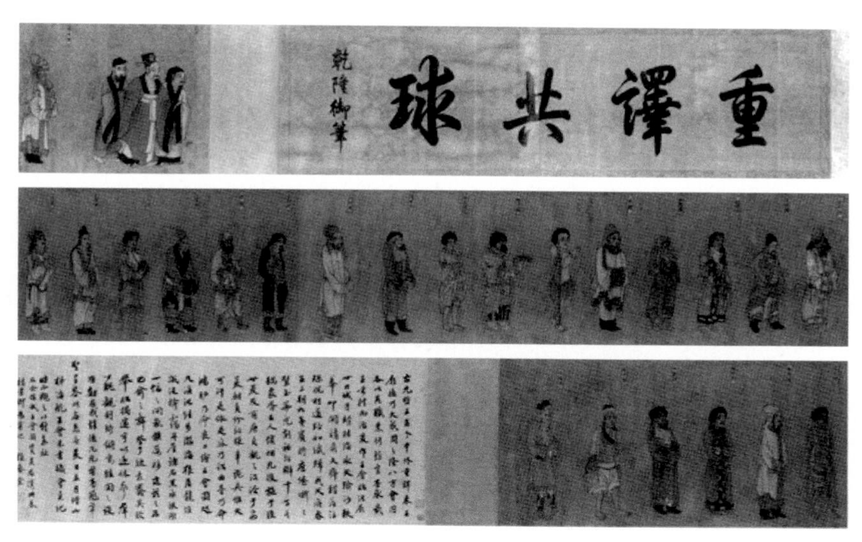

그림 2. 唐閻立本王會圖

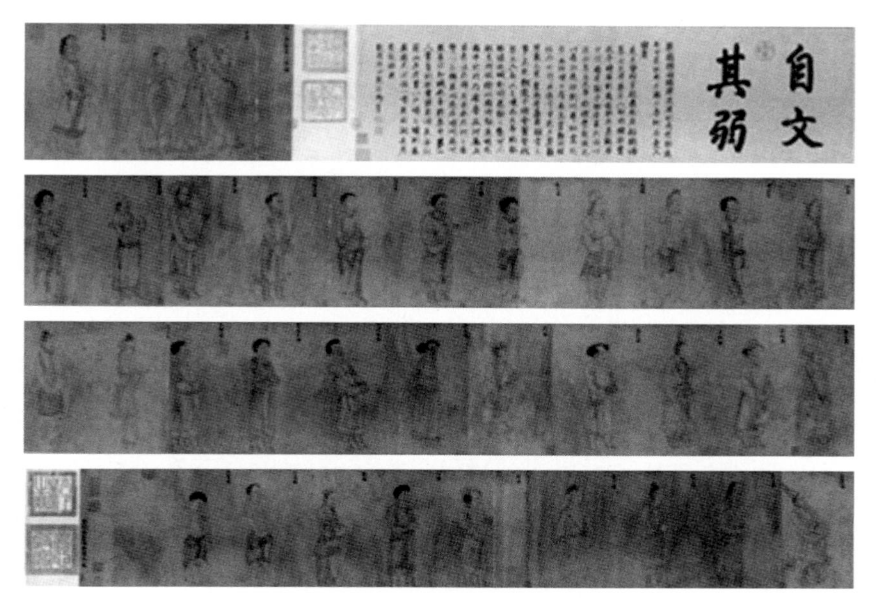

그림 3. 南唐顧德謙摹梁元帝蕃客入朝圖

Ⅱ. 양 소역『직공도』의 제작과 전세 과정

중국국가박물관에 소장되어 있는 양 원제 소역의『직공도』는 높이 25cm, 길이 198cm이며, 여러차례 다시 표구된 비단 채색화이지만 전체가 아니라 일부분만 남은 것이다. 역사적 사실을 주제로 하여 옆으로 접은 두루마리 그림이며 그 내용은 외국 사신이 양 황제에게 공물을 드리는 장면을 묘사하고 제기를 부가한 것이다. 지금 남아있는 것은 북송대 모사본이며 모두 12인이 있다. 오른쪽에서 왼쪽 순으로 활국, 페르시아, 百濟, 구자, 왜국, 랑아수국, 등치국, 주고가국, 가발탄국, 호밀단국, 白題國, 말국 사신이 그려져 있다. 각 사신 옆에는 그 국가의 이름, 위치, 지리환경, 풍속, 남조 양나라와의 관계, 조공역사 등이 기록된 제기가 있다. 제기의 제목과 머리말, 활국 이전의 부분들은 다 없어졌고 말국 이후 부분도 남아 있지 않다. 왜국 제기도 전반부만 남아 있고 후반부는 탕창국에 해당하는데 탕창국 사신의 그림은 없어졌다. 다른 그림과 제기도 대부분 흐릿해서 분명하지 않지만 그 내용은『양서』「제이전」기록과 기본적으로 일치한다.

문헌기록에 따르면 남조에서 당나라 때까지『직공도』를 그렸던 화가는 양원제 소역, 강승보, 염입덕과 염입본 형제가 있다. 양원제의『직공도』는 1권이고『구당서』「경적상」과『신당서』「예문이」등에 기록되어 있다. 강승보의 그림은 가장 길고 당대 장언원의『역대명화기』와 배효원의『정관공사화사』에 3권이 있다고 기록되어 있는데 후대까지 전해지지 않았다. 문헌에 따르면 강승보가 그렸던『직공도』는 陳의 연호가 있어 중국국가박물관에 수장된 이 그림과 다르다. 염씨 형제가 그렸던 그림은 1권 뿐이고, 당대 주경현의『당조명화록』에 염입덕 작품으로 기록되어 있지만 염입본의 기사에도 "직공, 의장 등 그림은 염입덕과 같다"고 기록되어 있다. 그래서 형제 두 사람이 협력하여 작성한 것으로 추정된다. 양원제와 염씨 형제의 작품은 널리 전해져서 구분하기 어렵다.

김유낙 선생이 남아 있는 『직공도』의 내용, 예술풍격과 기술에 대해서 최초로 연구하였다. 기록된 나라 이름은 대부분 『송서』와 『남제서』에 보이지 않지만 『양서』 「제이전」에 있는 것과 완전히 일치한다. 제기에 있는 연대도 양나라까지만 있고, 양나라에 관한 기사는 연호만 쓰고 황제의 이름이 없다. 가장 늦은 연호는 대통2년(528)이라서 이 『직공도』의 완성 시기는 양무제 대통2년 이후에 해당한다. 이를 보면 이 그림은 바로 양원제 소역의 작품이다. 당나라 초기 염씨 형제의 작품이라면 당나라 초기에 이미 없어진 나라나 관계를 맺지 않는 나라가 있을 수 없을 것이다.

문헌에 따르면 양원제가 형주자사로 재임할 때(526~539년) 제작하기 시작했다. 그는 대동5년(539) 칠월에 '안우장군호군장군'으로 임명되어 남경성을 지켰다. 대동6년(540) 12월에 다시 '사지절도독강주제군사진남장군'이 되어 남경을 떠났다. 남경에 있는 기간 동안 완성했고 서문을 썼다. 즉 이 『직공도』는 남조 양나라 소역이 526년에서 541년 사이에 그렸던 것이고 중국에서 가장 빠른 『직공도』에 해당한다.

왕소 선생의 연구에 따르면 소역의 『직공도』는 15년 동안 계속해서 제작한 것이다. 『직공도』는 『번객입조도』라고도 한다. 『번객입조도』는 널리 유전하여 송대 이전의 이천의 『화품』, 주밀의 『운연과안록』 권상, 그리고 화가를 알 수 없는 『열생소장서화별록』에 수록되어 있다. 송대 작자가 알려지지 않은 『조란파소장서화목록』에도 수록되어 있는데 주석에는 이 그림이 바로 "『명화기』에 기록된 『직공도』"라고 하였다. 『직공도』라고 하지만 『양서』, 『남사』에 있는 「원제기」에서는 『貢職圖』라고 하였다. 특히 양원제 자신이 쓴 『금루자』 권5 「저서편」에도 『공직도』라고 하였고 '一秩一卷' 주석이 있는데 『직공도』의 명칭, 권의 순서가 모두 다른 것이다. 이는 『蕃客入朝圖』나 『職貢圖』와 다른 양원제의 또 한 점의 『貢職圖』가 있었음을 말하는 것이다.

사실 이 3점의 그림은 같은 그림의 서로 다른 단계이다. 즉 『번객입조도』는 가장 이른 것이고 소역이 처음 형주자사 재임시(526~539년) 만든 것이다. 『직공도』는 그 이후에 보완된 것인데 대략 대동6년(540) 남경에 근무할 때이다. 『공직도』는 마지막 완성된 것으로 승성3년(554) 봄 자신이 황제가 되었을 때일 것이다.

양원제는 명성과 지위가 높은 인물로서 밑그림이나 완성된 그림을 불문하고 그가 그렸던 그림이면 당시 많은 사람들이 서로 다투어 베꼈을 것이다. 그의 원도는 아마 建康에서 일어난 후경의 난과 서위가 江陵에 침입할 때 이미 훼손되었을 것이다. 모사본은 그 전에 이미 널리 퍼졌고 서로 다른 단계에 모사된 그림이 있었기 때문에 국가 수나 판본이 다른 것이다. 왕소 선생은 3가지 그림은 다 같은 그림이라고 하였다. 그림을 완성하기 전에 이미 모사하는 사람이 있어서 그림 이름이나 소국 수량 등이 서로 다른 여러가지의 모사본 나타났다. 순서대로 『번객입조도』, 『직공도』, 『공직도』는 그릴 때의 3가지 단계지만 남아 있는 모사본의 이름이 혼란해서 사실 35개국이 있으면 최후에 완성된 『공직도』라고 하였다. 왕소 선생의 견해는 일정한 근거가 있어서 중요시하여야 한다.

그 외에 송대 이천의 『화품』에서도 양원제가 그렸던 『번객입조도』에 대해 기록하고 있다. "양원제가 자사로 형주에 재임할 때 그렸던 초본이며, 노국과 35개 이상의 나라들의 사신을 묘사했으며, 주변의 번국들이 모여서 조공하는 장면에 서로 다른 모습을 보인다." 당시 이천은 그림에 있는 나라 이름과 제기가 문헌과 다르다고 지적했다. 그 그림은 후세에 모방해서 위조한 것으로 추정된다.

Ⅲ. 양 소역 『직공도』의 내용

양원제 『직공도』는 세월이 지나 원본이 사라졌고 북송 시기에 이미 모본만 남았다. 다만 김유낙 선생은 중국국가박물관에 소장된 모본이 원본을 충실하게 따른 것이라고 주장한다. 『석거보급』에 있는 「소송제기」와 현재 남아 있는 『직공도』에 있는 문자를 비교하고, 避諱와 관련된 글자의 '결필' 현상에 의거하여 지금 남아 있는 이 『직공도』는 북송 희녕년간에 제작된 것이라고 보았다. 그래서 잠중면 선생이 내린 수나라에서 당나라 때의 모본이라는 판단은 정확하지 않을 것이다. 김유낙 선생의 분석이 더 적절하여 학계의 일치된 동조를 받고 있다. 『직공도』도 남조 화풍의 대표로 보고 있어 원본과 거의 같은 학술 가치를 가진 것으로 중요시하고 있다.

『예문유취』에 따르면 양원제 소역의 『직공도』에 제목과 서문이 있다. 『석거보급』 권32의 기록에 의하면 청대까지 25개국 사신의 도상이 남아 있고 뒤에 「찬」과 「발」이 있다. 청대 초기 '초림서옥' 주인인 양청표의 친구 오승이 저술한 『대관록』의 기록에 따르면, 『직공도』 원본은 "비단본이고, 높이 8촌, 길이 1장 2촌이다. 채색이고 인물 높이는 6촌이다. 조공하러 온 사신은 26개 나라인데 차림새가 서로 구별되고, 수염이 곱슬거리거나 눈동자가 파란색으로 각 나라가 다르다. 각 사신 뒤에 그 나라 이름, 지리환경, 풍속 등을 작은 해서체 문자로 주석했다. 글자는 엄정하여 당나라 양식이다. 문자가 많아서 여기서 다 싣지 않고 나라 이름만 싣는다. 제1국 앞부분은 이미 훼손되고 뒤에 있는 제기 14열이 남아 있다. 제2국은 페르시아, 3은 백제, 4는 구자, 5는 왜국, 6은 고구려, 7은 우전, 8은 신라, 9는 탕창국, 10은 랑아수국, 11은 등치국, 그 다음은 주고가국, 가발탄국, 호밀단국, 백제국(白題國), 말국, 중천축, 사자국, 북천축, 걸판타, 무흥번, 고창국, 천문만, 건평정, 임강만이다. 각국 사신들은 순서대로 그렸고 기록되었다". 아쉬운 것은 오승이 당시 본 『직공도』에는 26개국이 있는데 청 건륭 이후에 13개국의 사신 그림과 제기가 또 사라졌다.

지금 남아 있는 『직공도』에는 8개의 도장이 찍혀 있다. 순서대로 초림서옥, 건륭어람지보, 석거보급, 삼희당정감보, 의자손, 어서방감장보, 가경어람지보, 선통어람지보이다. 그중에서 '초림서옥'은 감상가 양청표가 강희6년에 하북성 정정현에서 창건한 것이다. 역사학자들은 『직공도』는 바로 청대 강희년간에 양청표에게서 가져와 청나라 궁정에 수장되어 건륭제, 가경제, 부의를 거쳤다고 본다. 양인

개 선생의 『국보침부록』에서 이 그림은 "옛 모본 가운데 좋은 것이지만 파손되었으며, 정동국 부인을 거쳐 전해져서 상해시문관회가 남경박물원 대신 구입하여 다시 1960년대초에 중국역사박물관에 들어갔다"라고 하였다. 이는 바로 중국국가박물관이 『직공도』를 수장하게 된 과정이다.

그림의 저자인 소역(508~554)은 자는 세성으로, 양무제의 7번째 아들이고 552년 황제가 되었는데 바로 양원제다. 그는 똑똑하고, 근면하여 저작이 많다. 시문도 잘하고 서화도 잘하며 특히 인물 초상화가 뛰어났다. 남조 진나라의 요최는 이렇게 평가했다. "소역은 천명이 있는 분이고 어렸을 때부터 재주가 많아 그림을 배울 때 깊게 이해할 수 있다. 자연을 잘 묘사해서 다른 사람이 따르지 못한다".

『예문유취』 권55에 「직공도序」가 수록되어 있다. 이에 따르면, 소역은 자기가 재능이 적지만 양나라 상류지역의 군사와 정치를 관리하였다. 형주는 외국인들이 모이는 곳으로서 항상 사신을 관찰하여 풍속을 물어보았다. 형주에 가지 않고 수도 건강만 간 사신이라면 따로 만나보고 견문을 넓혀 『직공도』를 작성하였다고 기록되어 있다. 서문을 통해서 소역이 회화를 창작할 때 진지하여 사신의 용모를 살펴보는 동시에 풍속도 알아보고 나서 그리기 시작하였음을 알 수 있다. 따라서 소역이 그렸던 그림과 옆에 있는 명문 제기는 믿을 수 있는 자료이다.

그 가운데 한국 학자들이 가장 관심을 가지고 있는 백제 사신의 제기는 많지 않다. 언어와 옷이 고구려와 비슷하지만 약간 차이가 있고 절을 할 때에는 발을 굽히지 않는다. 모자를 관처럼 사용하고 내복[襦]을 복삼이라고 하고 바지[袴]를 선이라고 한다. 허신의 『설문해자』에서는 "유(襦)는 짧은 옷이다". 유희의 『석명』에서 "삼(衫)은 삼(芟)이고 소매의 끝이 없는 옷이다. 옷이 속이 있는 것은 複이라고 하고, 속이 없는 것은 禅이라고 한다." 『양서』에서는 "그 나라 사람은 키가 크고 옷이 깨끗하다. 왜국과 가깝고 문신하는 사람이 많다. 지금 언어와 옷이 고구려와 비슷하다. 절을 할 때 두 다리가 모두 땅에 닿는데 이점에서 고구려와 다르다. 모자를 관이라고 하고 내복[襦]를 복삼이라고 하며 바지[袴]를 선이라고 한다. 언어는 중원과 비슷하고, 진한의 유속이 있다". 이러한 기록은 그림에 있는 기록과 서로 보완할 수 있다. 특히 문자 기록에 있는 백제 국왕 "여전", "여태"는『양서』에서 "여영"과 "모태"로 착각했고,『양서』에 기록된 "모도"는 사실 "여도"일 것이다. 그리고 그림에 기록된 백제 근처의 여러 소국들의 이름도 역사 기록의 부족을 보완하는 매우 중요한 자료이다.

양원제 소역의『직공도』는 한꺼번에 그린 것이 아니라 15년 걸려 완성된 것이다. 화면의 전체 구조와 인물 표현은 성공적이고 예술성이 뛰어나다. 가로로 펼쳐지는 횡권식 그림에 각국 사신은 전부 대열을 지어 행진하는 것처럼 옆으로 비스듬히 서서 두 손을 앞에 모으고 있다. 황제가 열병하러 온 것을 기다리는 모양이다. 소역의 회화는 사실적이고 인물들이 다 좌측방향을 취하고 단정하고 비율이 정확하며 차림새 특징이 뚜렷하다. 인물의 성격을 충분히 드러내고 있다. 밀화의 화법으로 인물의 머리 부분 특징과 복식의 차이를 자세히 표현하여 형태와 기색이 모두 잘 나타난다. 선이 유창하고 색깔이 단아하며 간결하게 각국 사신의 형태와 차이를 묘사한다. 화가의 훌륭한 관찰력과 표현력을 볼 수 있다. 역사 기록에 따르면 양무제가 소역의『번객입조도』를 보고 대단하다고 칭찬했다고 한다. 남조 진나라의 요최는 소역의 그림에는 "화법이 6가지가 있고, 인물초상화를 잘 그리고 관찰력이 높아서 기법이 익숙하다"고 하였다. 또한 순욱(荀勖), 위협(衛協), 원천(袁蒨), 육탐미(陸探微) 등과도 비교할 수 없다고 한다. 당 이정수는『남사』「양분기하」에서도 소역이 "서예와 회화를 잘하고 공자의 화상을 그리고 칭찬의 문장을 써서 당시 사람들이 三絶이라고 칭찬하였다"고 하였다.

이상 소역의 직공도의 내용과 전세 과정에 대해서 소개하였다. 이제『직공도』가운데 백제와 중국 남조의 관계 문제를 소개하겠다. 즉 당시 중국과 한국의 문화교류, 그리고 역사배경에 대해 검토하겠다.

Ⅵ. 맺음말-백제와 남조의 관계

잘 아시다시피 대한민국은 중국과 인접한 역사가 긴 나라이다. 일찍부터 중국 문화의 강한 영향을 받고 중국 문화가 일본으로 전파해 나가는 다리가 되었다. 대체로 한대에서 육조시기에 한반도에서 많은 소국이 서로 싸우고 있다. 나중에 북쪽의 고구려, 서남부의 백제, 동남쪽의 신라 등 3국이 비교적 큰 나라가 되었다. 그 중에서 백제는 『당회요』에서 "백가제해" 때문에 백제라고 한다고 기록되어 있다. 『구당서』「동이전-백제」에 의하면 백제는 원래 부여의 일부이고 마한의 땅에 위치한다고 하였다.

마한은 『후한서』「동이전」에서 다시 삼한, 즉 마한, 진한, 변한을 이루는 것으로 기록되어 있다. 마한의 땅은 원래 한반도 서남부에 해당한다. 고구려가 부여에 패해서 고구려 왕자 온조가 부하를 이끌고 마한의 땅에 왔다. 서울 지역의 위례성을 수도로 정해 백제를 건국하였다. 그 이후에는 점차 마한을 병합하였다. 백제는 한성시기(?~475년), 웅진시기(475~538년), 사비시기(538~660년)에 걸쳐 성쇠를 되풀이 하다가 신라로 통일되었다. 지적해야 한 것은 백제는 원래 마한의 땅에서 건국되었다는 점이다. 마한은 삼한 중 영역이 가장 넓어서 전성기에는 지금의 경기도, 충청도, 전라도를 포함한다.

문헌에 따르면 백제는 중국 남조시기의 송, 제, 양, 진에 사신을 여러차례 파견하였고 조공무역이 활발했다. 두 지역에 모두 백번 정도의 교류가 기록되어 밀접한 관계를 보여주고 있다. 백제는 서북쪽에 고구려가 있고 건강(남경)이 수도로 정착된 중국 남조는 북쪽이 북위에게 막혀있어 두 지역 사이의 교류는 주로 해로를 통해서 이루어졌다. 한국 강원도 부론면 법천리에서 출토된 중국 월주요 청자 양형기, 청주에서 출토된 동진 월주요 계수호, 충청남도 천안시 성남면 화성리에서 출토된 동진 월주요 청자 반구호, 천안 용원리 9호 석곽묘에서 출토된 동진 덕청요 계수호, 서울 석촌동 8호 토광묘에서 출토된 남조 월주요 청자 사계관, 그리고 황해도에서 출토된 동진 월주요 청자호자 등은 백제와 중국 육조 각국의 문화교류를 증명할 수있다.

『직공도』에서는 백제와 남조 양 사이의 문화교류가 우호적이고 밀접한 관계에서 이루어졌음을 볼 수 있다. 백제가 더욱 깊고 많은 중국 문화의 영향을 받았다. 양 보통2년(521)에 백제왕 여륭이 양나라에 사신을 파견하여 교류하였는데 양무제가 "행도독백제제군사진동대장군" 칭호를 주었다. 여륭이 죽어나서 그 아들 명례가 왕위를 계승했는데 이는 한국 문헌에 나오는 성왕이다. 『양서』「제이열전」에는 성왕이 왕이 되자마자 양무제로부터 "위지절도독백제제군사수동장군백제왕"을 책봉 받았다. 그 이후에도 밀접한 교류를 유지했다. 성왕이 양 대통6년(534), 대동7년(541)에 계속 사신을 보내 조공했다. 양무제에게 불교 경전『열반』과 유가 경전『모시』, 그리고 박사, 장인, 화가 등을 파견해 달라고 요청하였다. 이와같은 요청은 양무제의 허락을 받아서 중국 강남과 백제 사이에 대규모 문화교류의 계기가 되었다. 1971년 7월에 발굴된 무녕왕릉은 무덤의 구조와 벽돌이 모두 중국 남경지역의 육조무덤과 비슷하고 부장품 중에서도 청동거울이나 월주요 청자 등은 중국 남조에서 건너간 것이다. 돌에 조각된 묘지에 한자를 쓰고 간지로 기년해서 밀접한 문화교류를 엿 볼 수 있다.

이상의 소개를 통해서 백제와 중국 남조 양나라 사이의 빈번한 교류와 우호관계를 잘 알 수 있다. 양원제 소역이 그렸던『직공도』의 백제국 사신은 두 나라 사이의 밀접한 관계를 잘 보여주는 축도이자 유일하게 기록되어 있는 방소국들은 당시 백제와 그 인접국가 사이의 관계에 대해 알 수 있게 한다.

〈참고문헌〉

金维诺,「〈职贡图〉的时代与作者—读画札记」,『文物』1960年 第7期。

岑仲勉,「现存的〈职贡图〉是梁元帝原本吗」,『中山大学学报』1961年 第6期。

榎一雄,「故宮博物院所藏の梁職貢圖について」,『東洋文庫彙報』19, 1988。

王素,「梁元帝〈职贡图〉新探—兼说滑及高昌国史的几个问题」,『文物』1992年 第2期。

范毓周,「六朝时期中国与百济的友好往来与文化交流」,『江苏社会科学』1994年 第5期。

于春英,「百济与南北朝朝贡关系研究」,『东北史地』2010年 第6期。

赵灿鹏,『南朝梁元帝「职贡图」题记佚文的新发现』,『文史』2011年 第1辑。

朱浒,「"夷歌成章, 胡人遥集"—从〈职贡图〉看南朝胡人图像与政治的关系」,『美术与设计』2015年 第1期。

●●

梁元帝萧绎《职贡图》阐释

林華東 中國 · 浙江省社会科学院

Ⅰ. 序言

Ⅱ.. 梁萧绎《职贡图》的製作與傳世過程

Ⅲ. 梁萧绎《职贡图》的內容

Ⅵ. 結束語-百濟與南朝的關係

Ⅰ. 序言

中国国家博物馆收藏的南朝梁(502~557)《职贡图》，虽仅为摹本残卷，然亦珍若拱璧。此图开卷轴画先河，既是外族使者形象的写真，而又对揭示友邦史实与风俗大有脾益，意义重大。

在中国先秦之时，素有藩国历行贡献之职，史称"职贡"。汉晋以降，逐渐扩大到"四夷"。因"职贡"的盛衰与多寡往往视为正统与否的标志，南北朝分裂时期，南北双方互争正统，更加重视职贡。其时的画家为请恩邀宠，歌功颂德，同时，也为了宣扬国家的强盛，也好作《职贡图》，其后相袭成风，对后世影响深远。

梁元帝的《职贡图》为此类绘画中最早的，目前仅凭文献记录得知。依唐代欧阳询的《艺文类聚》中《梁元帝职贡图序》，梁武帝第七子湘东王萧绎赴任荆州时观察到荆州访问的外国使臣的容貌，询问其风俗，对访问建康的外国使臣，另做采访，绘制了此图("臣以不佞，推毂上游，夷歌成章，胡人遥集，款开蹶角，沿泝荆门，瞻其容貌，讯其风俗。如有来朝京辇，不涉汉南，别加访采，以广闻见，名为《职贡图》云尔。")。另外，《历代名画记》中记载萧绎任荆州刺史时绘制了《职贡图》和《番客入朝图》。

1960年金维诺先生在中国南京博物馆发现了梁元帝的《职贡图》。他认为此画从风格与技艺看，应早于唐代，其所列国名和《梁书 · 诸夷传》完全相符，且题记文字中所记年代止于梁，正是梁元帝萧绎的作品无疑。当然，此图并非原作，而是北宋熙宁10年(1077)的摹本。1988年，榎一雄先生在台湾故宫博物院发现了《石渠宝笈》中提到的《唐阎立本王会图》与《石渠宝笈续编》中收录的《南唐顾德谦摹梁元帝番客入朝图》。2011年赵灿鹏先生发现并介绍了葛嗣浵先生(1867~1935)记录中提到的《清张庚诸番职贡图卷》，即清代张庚先生1739年所摹年代不详的职贡图使臣画像及题记。

梁元帝的《职贡图》原本未能传世，现在确认的4种摹本在使臣数量、容貌、题记内容等方面均有差异，致使研究者产生意见分歧。然而，中国国家博物馆藏梁元帝《职贡图》中百济使臣的题记中的提到的周边小国是其唯一的记载，意义重大。故不避谫陋，草成此文，就《职贡图》作一介绍阐释，忝列论坛一隅，藉以求教于方家。

Ⅱ. 梁萧绎《职贡图》的製作與傳世過程

中国国家博物馆珍藏的《职贡图》，纵25、横198厘米，是属多次经过重新装裱的设色绢本残卷。它是以历史史实为题材而制作的横卷若干人物卷轴画，内容是古代外国使者(番客)向梁皇室进献礼物(贡品)时的工笔人物形象，并附有题记。现存为北宋摹本，上绘各国使者十二国图像，自右至左依次为滑国、波斯国、百济国、龟兹、倭国、狼牙修国、邓至国、周古柯国、呵跋檀国、胡蜜丹国、白题国和末国的使者。每位使者旁边均有简短题记，记述了该国国名、方位、山川道里、风土人情及与南朝梁的关系以及历来朝贡情况。其榜题、序文和滑国之前行已佚，末国的后段也残，而其中的倭国只存前半，后半属宕昌国，使者图像佚，其余图像或题记多已漫漶不清。然所绘内容及题记都和《梁书 · 诸夷传》基本相符，有的则更翔实。

查之史籍，自南朝迄唐代，绘有《职贡图》的画家有梁元帝萧绎、江僧宝和阎立德、阎立本兄弟。梁元帝的《职贡图》仅一卷，《旧唐书 · 经籍上》和《新唐书 · 艺文二》等书均有著录。江僧宝的图最长，著录于唐张彦远《历代名画记》和裴孝源《贞观公私画史》，标为三卷，然后世鲜见流传，尤其是按史书所记江氏所画《职贡图》是署有陈朝年号的，与此明显不同。而阎氏兄弟的图仅有一卷，唐朱景玄《唐朝名画录》系于立德名下，记立本事迹时称“职贡、卤簿等图，与立德皆同制之”，似是兄弟俩合作的。唯梁元帝和阎氏兄弟的图流传较广，且难以分辨。

金维诺先生率先就此《职贡图》残卷内容及其风格与技艺，尤其是其所列国名大多不见于《宋书》和《南齐书》，而和《梁书·诸夷传》完全相符，且题记文字中所记年代止于梁，记述梁朝史实也都只用年号，而无冠以朝代，文中最晚的年号是"大通二年"(528)，从而断定这卷《职贡图》原本应绘成于梁武帝大通二年以后，正是梁元帝萧绎的作品无疑。倘若是初唐时阎立本或兄弟俩所画，则不可能有唐初已不存在的国家或未通好的使者。依史籍可知，他在任荆州刺史时(公元526~539年)就已开始创作，至大同五年(539)七月"入为安右将军护军将军，领石头戍军事。六年(540)(十二月)出使持节都督江州诸军事镇南将军江州刺史"之时，即他在京城这段时间完成并写上序文的。也就是说这卷《职贡图》原本是南朝梁元帝萧绎于公元526至公元541年期间所画，为中国最早的《职贡图》。

不过，据王素先生研究，萧绎的《职贡图》是陆陆续续，长达十五年才绘制完成的。《职贡图》又名《番客入朝图》，《番客入朝图》流传亦广，宋李荐《画品》、周密《云烟过眼录》卷上、阙名《悦生所藏书画别录》均曾著录。宋阙名《赵兰坡所藏书画目录》亦著录，注云："即《名画记》所藏《职贡图》。"而所谓《职贡图》，《梁书》、《南史》的《元帝纪》均作《贡职图》。特别是梁元帝自撰《金楼子》卷五《著书篇》亦作《贡职图》，并注明"一秩一卷"，与《职贡图》名称、卷秩均有异。也就是说，梁元帝还有一幅与《番客入朝图》、《职贡图》不尽相同的《贡职图》。

而这三幅图实际是一图的三个不同阶段图，即《番客入朝图》是最早的底图，约创作于萧绎第一次任荆州刺史时(公元526~539年)；《职贡图》是稍后的增补图，创作于大同六年(公元540年)任京官之时；《贡职图》是最后的完成图，创作于承圣三年(公元554年)春他当皇帝时。

以梁元帝在当时的名气和地位，他创作的每一幅图，不论是底图、增补图还是完成图，都会有很多人争相临摹。他的原图尽管有可能早在侯景乱建康和西魏侵江陵的浩劫中毁灭，原图的摹本却实际上在此之前已广为流传，从而引发了不同版本或歧义，图上登注的国家数目也不相同。王氏指出：以前常将三幅图混淆，唐以后流传的《番客入朝图》和《职贡图》，实际多是《贡职图》，中国国家博物馆珍藏的也是《贡职图》。其中《番客入朝图》登记的国家最少，《职贡图》次之，《贡职图》最多。传统认为《职贡图》登记有三十五国，其实只能是《贡职图》登记的国家数目。王说自有一定的依据，理应值得重视。

此外，在宋朝李荐《画品》中也著录有梁元帝画的《番客入朝图》，说是"梁元帝为荆州刺史日所画粉本，鲁国而上三十有五国皆写其使者，欲见胡越一家要荒种落共来王之职，其状貌各不同。"当时李荐就已指出该图所列国名与题记与史书不符，应是后世传摹或伪造的本子，此不赘述。

Ⅲ. 梁萧绎《职贡图》的内容

此卷《职贡图》其后历经岁月的洗礼，原本已佚，至迟流传至北宋时已是摹本。不过，金氏认定此摹本尚忠实于原画，进而以《石渠宝笈》记载的"苏颂题记"和现存《职贡图》中题记文字的"缺笔"避讳为依据，主张这卷现存摹本的绘制年代应为北宋 熙宁年间。岑仲勉先生则认为是隋至初唐时的摹本，恐误。金氏对此剖析入微，论证谨严，他的这一真知卓见已成定论，素为学界奉为圭臬。《职贡图》也由此成为"南朝画风"的代表，并被赋予了等同于原本的史学研究价值，意义重大乃不言而喻。

然按《艺文类聚》所载，梁元帝萧绎的《职贡图》原应有榜题和序文，又据《石渠宝笈》卷三十二所记，清朝时尚存有二十五国使者图像，且卷后有"赞"、"跋"。迨至清朝早期，据与"蕉林书屋"主人梁清标过从甚密的吴升所著《大观录》记载，《职贡图》原画为"绢本，高八寸，长一丈二寸。大设色，人物高可六寸。绘入朝番客凡二十六国，冠裳结束殊俗异制。虬髯碧眼奇形诡态，国国不同，每一番客后疏其国名，采录其道里、山川、风土，皆小楷书，端严谨重，具唐人法度。字繁不录，止录国名。第一国前已损失，止存后书十四行；第二国为波斯；三为百济国；四为龟兹；五为倭国；六为高句骊；七为于阗；八为新罗；九为宕昌；十为狼牙修；十一邓至国；下为周古柯、呵跋檀、胡蜜丹、白题国、末国、中天竺、师子国、北天竺、朅盘陀、武兴番、高昌国、天门蛮、建平蜒、临江蛮。诸番客则以次而绘而采录焉"。遗憾的是，吴升当时所见的《职贡图》尚存"番客凡二十六国"，至乾隆年间以后，另外的十三国使者图像和赞、跋等均已不知去向了。

如今所见的《职贡图》摹本残卷上还印有八方收藏印，依次为：蕉林书屋、乾隆御览之宝、石渠宝笈、三希堂精鉴宝、宜子孙、御书房鉴藏宝、嘉庆御览之宝、宣统御览之宝。其中的"蕉林书屋"是由鉴赏家梁清标于康熙六年创建于河北正定县。史家由此推测此《职贡图》是在清康熙年间自梁清标手中传出，后历经乾隆、嘉庆、溥仪之手又被清代宫廷收藏过。杨仁恺先生在《国宝沉浮录》中记云，"旧摹本嘉者。残。郑洞国夫人经手转让。上海市文管会代南京博物院收购，六十年代初支援中国历史博物馆建馆"。此即是今日中国国家博物馆收藏此图的来历。

此卷作者萧绎(公元508~554年)，字世诚，是梁武帝的第七子，于公元552年继位，是为梁元帝。他天资聪颖，勤奋好学，著述颇丰，既善诗文，而又擅长书画，尤以人物肖像画最为出色。陈朝时人姚最曾评价他说"天挺命世，幼禀生知，学穷性表，心师造化，非复景行所能希涉"。

而《艺文类聚》卷五十五也载有萧绎《职贡图序》，曰："臣以不佞，推毂上游，夷歌成章，胡人遥集，款开蹶角，沿泝荆门，瞻其容貌，讯其风俗。如有来朝京辇，不涉汉南，别加访采，以广闻见，名为《职贡图》云尔。"显然，萧绎作此图卷是十分认真的，他不仅亲历亲为，"瞻其容貌，讯其风俗"，同时又"别加访采，以广闻见，"然后再下笔绘制，因而，其所绘图像和题记是忠实可信的。

如韩国学者最为关注的《职贡图》"百济国使"题记，可惜保存下来的文字不多，仅存有“言语、衣服略同高骊，行不张拱，拜不申足。以帽为冠，襦曰复衫，袴曰禅”等文字。查许慎《说文解字》云：“襦，短衣也”；刘熙在《释名》注：“衫，芟也。衣服无袖端也，有里曰複，无里曰禅。”与《梁书》所记“其人形长，衣服净洁。其国近倭，颇有文身者。今言语服章略与高骊同，行不张拱，拜不申足则异。呼帽为冠，襦曰复衫，袴曰禅，其言参诸夏，并秦韩之遗俗”，可相互补正。尤其是题记中的百济国王“余腆”、“余太”，《梁书》误为“余映”、“牟太”；而《梁书》上所记的“牟都”，其实也应是“余都”之误。此外，诸如百济附近的小国名称等等，也都可补正史书之不足，弥足珍贵自不待言。

纵观梁元帝萧绎的《职贡图》，创作过程虽非一气呵成，先后历时达十五年之久，但总体构思、布局和人物形象的刻画都是很成功的，艺术特色也十分显明。全图作横卷展开形式，所画各国使者全部采用队列行进式的侧向叉手站立姿态，宛如等候皇帝检阅接见之状。萧绎作画注重写实，人物皆左向侧身，形象饱满，造型庄重，比例准确，服饰特点明显，且设色合理。并着重用工笔刻画人物的头部特征和服饰变化，以突出主体，达到形神兼备的艺术效果。全图采用优美流畅的线条和谈雅的色彩，精练简洁地描绘出各国使者的人物形象、种族差异及其服饰特点，反映出画家具有很强的洞察力和表现力，绘画艺术水平很高。史载当年萧绎作《番客入朝图》时，梁武帝见到后“极称善”。陈朝时姚最评价萧绎画作是“画法有六法，真仙为难。工于象人，特尽其妙，心敏手运，不加点治；”“足使荀、卫搁笔，袁陆韬翰。唐朝李延寿在《南史 · 梁本纪下》中则称萧绎“工书善画，自图仲尼像，为之赞而书之，时人谓之三绝”。评介是非常高的。

萧绎《职贡图》内容及其流传过程上文已作了介绍，至此，我想就大家关心的《职贡图》中所列“百济国”与中国南朝的关系问题，也就是说当时的中韩文化交往及其历史背景再作点讨论。

VI. 結束語-百濟與南朝的關係

我们知道, 大韩民国是历史悠久的国家, 与中国毗邻的地理区位, 使之很早就受到中国文化的强烈影响, 同时也成为中国文化向日本传播的文化桥梁。大致在中国汉至六朝之时, 朝鲜半岛小国林立, 争战不休, 后来主要形成有三个王国, 即其北部有高丽(又称高句骊), 西南部有百济, 而其东北部则有新罗。其中的"百济"依《唐会要》所云是"百家济海, 因号百济焉。"据《旧唐书 · 东夷传 · 百济》记, "百济国, 本亦扶余之别种, 尝为马韩之故地。"文中的"马韩"也就是《后汉书 · 东夷传》记载中的"三韩"(则 马韩、辰韩、弁韩)之首。史载马韩的地盘原来位于朝鲜半岛西南部, 高句骊被扶余人征服后,高句骊王子温祚率部迁徙到马韩之地, 在首尔地区建都慰礼城, 创建起百济王国, 并蚕灭了马韩。百济先后历经汉城时代(?~公元475年)、熊津时代(公元475~538年)和泗泌时代(公元538~589年)的兴衰历程, 最后为新罗统一。我们有必要指出的是, 百济国原是建立在马韩故地之上的, 而马韩在三韩中领地最为广阔, 其全盛时的疆域曾包括整个汉江流域和今日南韩京畿道、忠清道、全罗道。

史称百济王国向中国南朝时的宋、齐、梁、陈, 派遣使者或朝贡通商十分频繁, 两地(国)相互交往很密切, 先后交往总数已近百次之多。然由于百济之西北有高句骊, 中国南朝都城建康(南京)之北则有北魏所阻, 因而百济与南朝的交流主要是由海上交通来实现的。今日韩国江原道原城郡富论面法泉里出土西晋时的中国越窑青瓷羊形烛台、清州出土东晋越窑青瓷鸡首壶、忠清南道天原(安)郡城南面花城里出土的东晋越窑青瓷盘口壶、天安龙院里9号石椁墓出土东晋德清窑鸡首壶、首尔石村洞8号土坑墓出土南朝时的越窑青瓷四系罐, 以及传为黄海道出土的东晋时越窑青瓷虎子等等, 都是百济与中国六朝王国友好文化交流的见证。

就《职贡图》中反映出百济与南朝萧梁王国的文化交流而言, 也是相当密切而又十分友好的，百济文化受到中国文化影响更深更为显著。史载梁普通二年(公元521年)，百济王余隆遣使奉表结好于梁，梁武帝即下诏称："行都督百济诸军事、镇东大将军、百济王余隆，守藩海外，远修贡职。"余隆死后，继位者为其子明礼，即韩国文献中的圣王。《梁书·诸夷列传》记圣王继位之始，即受到梁武帝的册封，诏命"为持节，督百济诸军事、绥东将军、百济王。"此后往来频繁，圣王于梁大通六年(公元534年)、大同七年(公元541年)曾"累遣使献方物，"并向梁武帝请求派佛教典籍《涅盘》经义、儒家经典《毛诗》博士和工匠、画师等到百济传播中国文化技艺。这一请求获得梁武帝的允准，从而成为中国江南与百济之间较大规模的友好文化交流活动。1971年7月韩国发掘的武宁王陵表明，不仅其砖筑墓室结构及墓砖纹饰都与中国南京地区六朝墓相同，而且随葬品中的铜镜和越窑青瓷器都是由中国南朝带去的，甚至连石刻墓志铭也用汉字，且采用了中国的干支纪年，足见其文化交流之密切程度。

综上所揭，我们不难发现百济与中国南朝萧梁王朝往来频繁，关系密切友好，梁元帝萧绎所绘《职贡图》中的"百济国使"正是这密切文化交流的缩影，同时也是现存唯一对周边小国的记录，从中可以看出百济和其邻国的关系。

〈参考文献〉

金维诺,「〈职贡图〉的时代与作者—读画札记」,『文物』1960年 第7期。

岑仲勉,「现存的〈职贡图〉是梁元帝原本吗」,『中山大学学报』1961年 第6期。

榎一雄,「故宮博物院所藏の梁職貢圖について」,『東洋文庫彙報』19, 1988。

王素,「梁元帝〈职贡图〉新探—兼说滑及高昌国史的几个问题」,『文物』1992年 第2期。

范毓周,「六朝时期中国与百济的友好往来与文化交流」,『江苏社会科学』1994年 第5期。

于春英,「百济与南北朝朝贡关系研究」,『东北史地』2010年 第6期。

赵灿鹏,『南朝梁元帝「职贡图」题记佚文的新发现』,『文史』2011年 第1辑。

朱浒,「"夷歌成章, 胡人遥集"—从〈职贡图〉看南朝胡人图像与政治的关系」,『美术与设计』2015年 第1期。

「梁職貢圖」와 백제 · 고구려 · 신라의 題記

尹龍九 인천도시공사

Ⅰ. 「양직공도」의 발견과 연구동향

Ⅱ. 「양직공도」의 사신도와 제기

Ⅲ. 백제 · 고구려 · 신라의 제기와 『양서』

Ⅰ. 「양직공도」의 발견과 연구동향

「梁職貢圖」는 梁武帝의 第7子 蕭繹(후에 元帝, 508~554)이 荊州刺史 재임시(526~539)에 주변제국 使臣의 용모를 자필로 묘사한 두루마리 그림('畵卷'혹은 '卷軸畵')이다. 문헌으로만 전해지던 「양직공도」가 南京博物院에 남아 있다는 사실은 1960년 중국의 미술사가 金維諾에 의해 처음 알려졌다. 곧 북송 熙寧 10년(1077)에 張次律 소장본 「양직공도」를 모사하고, 蘇頌(1020~1101)이 교정한 彩色絹本의 殘卷으로 추정되었다[1].

남경박물원 소장 북송대 모사본(이하 '北宋模本'으로 약함)에는 12개국 사신도와 해당국의 기원과 지리풍속 및 梁에 이르는 교섭기사가 적힌 13개국의 題記가 붙어있다. 특히 해당국의 題記에는 『梁書』 諸夷傳에 누락된 기사가 적지 않아 남조 梁代의 대외관계사는 물론이고 회화사, 복식사 등 다방면에서 높은 관심과 연구가 진행되었다.

「양직공도」는 '북송모본' 존재가 1960년 金維諾에 의해 알려진지 20여년이 지난 1987년 臺北의 故宮博物院에 또 다른 모본 2종('高德謙模本', '傳閻立本모본')이 있다는 사실이 榎一雄에 의해 소개되었다[2]. 뒤 이어 2011년에는 연대미상의 「양직공도」를 1739년 畵論家 張庚(1685~1760)이 모사하였고, 이를 19세기 말 葛嗣浵이 題記만을 재록한 「清張庚諸番職貢圖卷」이 趙燦鵬에 의해 확인되었다[3]. 이 때문에 「양직공도」 연구는 1960년 북송모본 발견 이후 새로운 모본이 발견될 때마다 새로운 전기를 맞아왔다. 본장에서는 본격적인 연구사 정리는 뒤로 미루고, 매 분기 주요 논점과 경향만을 살펴보기로 한다.

---

* 이 글은 2018년 마한연구원 국제학술회의(<중국 양직공도 마한제국>)에서 발표한 것임.

1) 金維諾, 1960, 「職貢圖之時代與作者」, 『文物』 1960年 第7期, 114~118쪽.

2) 榎一雄, 1988, 「故宮博物院所藏の梁職貢圖について」, 『東洋文庫書報』 19, 東洋文庫, 60~63쪽.

3) 趙燦鵬, 2011, 「南朝梁元帝《職貢圖》題記佚文的新發現」, 『文史』 94, 北京, 中華書局, 111~118쪽.

제1기 : 1960~1986

1960년 미술사가인 金維諾은 남경박물관에 唐閻立本(혹은 閻立德)의 그림으로 전해오던「직공도」(북송모본)의 原圖는 蕭繹이 540년경에 완성한「양직공도」로 보았다. 그것은 사신도가 당 이전의 화법이며, 題記의 내용이『양서』諸夷傳과 대체로 부합하며, 교섭기사가 梁代를 하한으로 하고 있다는 점 등을 근거로 들었다. 하지만 이듬해 岑仲勉은 題記에 오탈자가 많은 것은 原圖의 모사가 아니며, 그 저본은 隋唐代 模本으로 추정하였다[4].

이후「양직공도」연구는 西域과 중앙아시아를 중심으로 동서교섭사를 전공한 일본의 榎一雄에 의해 주도되었다. 북송모본에 대한 상세한 서지학적 분석으로부터, 당송에서 명청대에 이르는「양직공도」의 전승(流傳) 양태를 추적하였다.

이를 통해「양직공도」는 蕭繹의 창작은 아니고, 이에 앞서 梁에 入朝한 20국의 사신을 그린 裴子野(469~530)의「方國使圖」를 저본으로 增補한 것이며[5] 그 완성은 늦어도 539년경으로 추정하였다.「양직공도」의 전승(流傳)을 검토하는 과정에서 남송대 傅欽甫 소장의 직공도를 所見하고 남긴 樓鑰(1137~1213)의 문집(『攻媿集』卷75,「傅欽甫所藏職貢圖」)에서 20개국의 題記 가운데 梁과의 교섭기사 등을 발췌('姑紀略論')한 題記를 찾아내기도 하였다[6]. 여기에는 북송모본에 없는 백제와 왜국의 기사가 남아 있어 주목을 요한다[7].

榎一雄을 비롯한 일본의 연구자들은 북송모본에 수록된 '倭國使圖'에 대해 지대

4) 岑仲勉, 1961,「現存的職貢圖是梁元帝原本嗎」,『中山大學學報』(社會科學) 1961年 第3期(1981,『金石論叢』, 上海古籍出版社, 476~483쪽).

5) 榎一雄, 1964,「滑國に關する梁職貢圖の記事について」,『東方學』27, 126쪽(1994,『榎一雄著作集』7).

6) 榎一雄, 1969,「梁職貢圖の流傳について」,『鎌田博士還曆記念歷史學論叢』, 176~183쪽(『榎一雄著作集』7, 175~189쪽).

7) 尹龍九, 2012,「현존《梁職貢圖》百濟國記 三例」,『百濟文化』46, 공주대학교 백제문화연구소, 241~268쪽.

한 관심을 보였다. 12개 사신도 가운데 百濟使圖를 비롯하여 의관을 정제하고 단정한 모습의 10개국과 왜국사는 낭아수국 사신과 함께 맨발에 천을 둘둘 감아 묶은 모습을 보여주고 있다. 그 제기 또한 남조대 왜국의 사정이 아니라 『三國志』 倭人傳을 축약한 것이었다. 요컨대 양과의 교섭이 없었던 왜국에 대한 사정을 모른 채 『삼국지』 단계의 傳聞에 왜국사신도를 그렸다고 이해하였다[8].

「양직공도」와 북송모본에 실린 「百濟國使圖」에 대한 관심은 북한 연구자에 의해 시작되었다. 특히 金維諾에 앞서 「百濟國使圖」의 존재만은 북한의 미술사가 김용준이 처음 소개하였다[9]. 물론 蕭繹의 「양직공도」 摹本이라는 사실을 摘示하지는 않았다. 그러나 그가 1958년 南京博物院을 방문하고, 「百濟國使圖」와 그에 旁題된 「百濟國記」를 모사하여 百濟服飾의 새로운 자료로 제시한 것은 학계에 북송모본의 존재를 처음 보고한 것으로[10] 평가되어 마땅하다. 이와 별개로 榎一雄을 비롯한 일본에서의 연구가 본격화되던 시기 李弘稙에 의해 백제의 사신도와 題記가 분석되었다. 특히 題記 가운데 叛波 등 9개의 '旁小國'의 위치를 비정하여 이후 연구의 토대가 되었다[11].

제2기 : 1987~2010

1987년 榎一雄은 대만 고궁박물관에 五代南唐의 高德謙이 33개국의 사신도를 모사한 흑백(白描)의 직공도('고덕겸 모본')의 존재를 처음 알리더니[12] 이듬해에는

8) 西嶋定生, 1963, 「職貢圖卷 · 倭國使」, 『世界美術大系』 8(中國美術 1), 講談社; 上田正昭, 1964, 「職貢圖倭人の風俗」, 『風俗』 3-4(1968 修訂改題, 「職貢圖の倭國使について」, 『日本古代國家論究』, 東京, 塙書房, 477~480쪽); 榎一雄, 1985, 「描かれた倭人の使節—北京博物館蔵〈職貢圖卷〉」, 『歷史と旅』 第12卷 第2號(『榎一雄著作集』 7, 162~174쪽).

9) 김용준, 1959, 「백제 복식에 관한 자료」, 『문화유산』 1959년 제6기, 64~66쪽.

10) 정찬영, 1962, 「량 원제의《직공도》에 대하여」, 『문화유산』 1962년 제6기, 56~59쪽.

11) 李弘稙, 1965, 「梁職貢圖論考」, 『高麗大學校開校60週年紀念論文集(人文科學篇)』, 295~325쪽 (1971, 『韓國古代史의 硏究』, 新丘文化社, 385~425쪽).

12) 榎一雄, 1987, 「梁職貢圖の起源」, 『東方學會創立四十周年記念 東方學論集』(『榎一雄著作集』 7,

25개국의 사신도만 있는 채색의 '唐閻立本王會圖'의 존재를 발표하였다[13].

대만 고궁박물관의 모본 2종은 1999년 深津行德에 의해 상세한 조사 결과가 발표되었다[14]. 곧 대만 고궁박물관의 사신도 2종은 북송모본과는 서로 다른「양직공도」모본이며, 북송모본의 사신도가 옷에 붉은 색을 일률적으로 칠하여 획일적인데 반해 '唐閻立本王會圖' 인물과 복식 묘사에 있어서 매우 상세하다고 보았다. 이는 처음 알려진 북송모본이 題記에 주안점이 두어진 반면, 대만 고궁박물원의 종의 모본은 使臣圖에 장점이 있다는 것으로 해석되었다.

深津行德의 보고서 말미에는 북송모본을 비롯하여 고덕겸모본, 염입본왕회도 등 새로운 모본 2종의 선명한 채색도판이 실려 있어 사신도와 제기에 묘사된 화법, 복식 등에 대한 새로운 연구의 계기가 되었다. 얼마안가 郭懷宇는 사신도의 옷차림과 제기의 복식 기사가 대부분 부합하지 않는다는 점을 지적하면서, 북송모본을 통해 남조의 卷軸人物畵風을 논하기 어렵다고 보았다[15].

한편 이 시기 북송모본에 대한 문헌적 연구에 진전이 있었다. 하나는 蕭繹의「양직공도」의 제작시기에 관한 王素의 연구였다. 그는 蕭繹이 그린 직공도의 명칭이 문헌에 따라「蕃客入朝圖」,「職貢圖」,「貢職圖」등 3가지 나타나는 것을 근거로 하여「양직공도」가 3단계를 거쳐 완성되었다고 보았다. 1단계(번객입조도)는 형주자사 재임시 제작(526~536), 2단계(직공도)는 양무제 재위 40년(540)을 기념하여

83~105쪽).

13) 榎一雄, 1988,「故宮博物院所藏の梁職貢圖について」,『東洋文庫書報』19, 東洋文庫, 60~63쪽.

14) 深津行德, 1999,「臺灣故宮博物院所藏『梁職貢圖』模本について」,『朝鮮半島に流入した諸文化要素の研究 2』(學習院大學東洋學研究所 調查研究報告 44), 41~99쪽. 논문 말미에 南京博物院舊藏本 梁職貢圖 北宋摹本을 비롯하여, 台北 國立故宮博物院의 所藏「唐閻立本王會圖」와,「南唐顧德謙摹蕃客入朝圖」등 3종의 梁職貢圖 摹本의 선명한 채색도판이 수록되어 있다.

15) 郭懷宇, 2011,「《職貢圖》的時代風格再研究」,『美術』2011年 第2期, 中國美術家協會, 112~115쪽.

그린 증보판, 3단계(공직도)는 북경모본에 수록된 渴盤陁國이 무제 中大同元年(546)에 처음 梁에 입공한 사실에 근거하여 소역이 元帝로 즉위한 554년 최종적으로 완성되었다는 것이다[16].

또 하나는 「양직공도」의 제작과 관련하여 余太山은 북송모본에 수록된 滑國을 비롯한 10국의 사신도와 관련 題記는 裴子野의 「方國使圖」를 기초로 작성되었다는 것을 분명히 하였다[17]. 「양직공도」가 蕭繹의 창작은 아니고, 「方國使圖」를 저본으로 增補한 것이라는 榎一雄 연구를 재확인 한 것이다. 王素의 주장대로 3단계를 거쳐 「양직공도」가 완성되었는지는 분명치 않지만, 梁代에 여러 차례 직공도 제작이 있었음은 짐작할 수 있는 대목이다.

한국과의 관계에서는 대만 고궁박물관의 새로운 모본을 통해 고구려사도가 실제 인물을 보고 묘사한 것 같이 사실적이고, 그것이 『翰苑』에 인용된 「양직공도」 고구려 복식에 대한 기록과 부합하는데도 정작 『양서』 고구려전에 반영되지 않은 점에 의문을 제기하였다[18].

백제국 제기의 '旁小國' 문제에 대해서는 李鎔賢의 연구가 주목된다. 특히 榎一雄의 연구를 받아들여 裴子野의 「方國使圖」를 백제국 제기의 原史料로 이해하면서, 그 「방국사도」는 梁 天監15년(516)에서 普通6년(525)사이에 편찬된 것으로 추정되고 있다[19]. 또한 6세기 들어 가야 방면 진출을 본격화하면서 자국중심의 華夷

16) 王素, 1992, 「梁元帝《職貢圖》新探」, 『文物』 1992年 第2期, 72~80쪽.

17) 余太山, 1998, 「《梁書 · 西北諸戎傳》與《梁職貢圖》-兼說今存《梁職貢圖》殘卷與裴子野《方國使圖》的關係」, 『燕京學報』 新5期, 北京大學出版社, 61~62쪽(2003, 『兩漢魏晋南北朝正史西域傳研究』, 中華書局, 26~64쪽).

18) 李成市, 1988, 「〈梁職貢圖〉の高句麗使圖について」, 『東アジア史上の國際關係と文化交流』(昭和61 · 62年度文部省科學研究費補助金總合研究(A) 研究調査報告書), 21쪽.

19) 李鎔賢, 1999, 「《梁職貢圖》百濟國使條の〈旁小國〉」, 『朝鮮史研究會論文集』 37, 朝鮮史研究會, 177쪽.

觀인 '旁小國觀'도 구체화되었음을 강조하였다.

한편 李鎔賢의 연구와 함께 「양직공도」가 형주자사 蕭繹에 의해 만들어진 배경에는 형주지역이 長江 상류를 통해 들어오는 西域諸國의 교통로 상에 위치한 지리적 장점이 배경이라는 점, 그리고 백제국 제기와 『양서』 백제전을 상세하게 비교한 연구도 이 문제 이해 폭을 크게 넓혀 주었다[20]. 2010년 북한의 손영종이 백제국 제기의 9개 '방소국'에 대한 위치 비정을 시도한 글이 발표되었다[21]. 1965년 정찬영의 연구 이후 45년 만이다. 위치 비정에 있어 기존 견해를 염두에 두지 않고 지리지와 언어풀이로 이루어져 참고할 부분이 있다.

제3기 : 2011~현재

2011년 趙燦鵬은 「양직공도」의 또 다른 모본이 존재한다는 사실을 발표하였다[22]. 그것은 1739년 書論家 張庚(1685~1760)이[23] 연대 미상의 白描 『職貢圖』에 수록된 (이하 '張庚摹本'으로 약함) 18人의 사신도와 제기를 모사하였는데, 19세기 말 葛

20) 金鍾完, 2000, 「《梁職貢圖》百濟國記의 文獻的 檢討」, 『東아시아 歷史의 還流』, 知識産業社, 25~52쪽; 金鍾完, 2001, 「梁職貢圖의 성립 배경」, 『魏晋隋唐史硏究』 8, 魏晋隋唐史學會, 29~67쪽.

21) 손영종, 2010, 「《백제국사》그림에 보이는 백제 주변의 소국들에 대하여」, 『력사과학』 2010년 제4호, 40~43쪽. 반파는 성주 벽진면(고령군 성산면), 탁은 함안 칠북면 덕촌리(탁순은 창령군 덕촌리), 다라는 합천, 전라는 김해 진례, 사라는 신라가 아니라 마한 54국 하나인 駟盧國이며 남원 사등촌, 지미는 산청(혹은 진양) 지수면, 마련은 산음현(산청군) 마연동산(대동여지도의 산청 마연산), 상기문은 남원, 곡성, 구례 일대로, 하침라는 하동군 도무리(혹은 사천군 두음산)에 비정하였다.

22) 趙燦鵬, 2011, 「南朝梁元帝《職貢圖》題記佚文的新發現」, 『文史』 94, 北京, 中華書局, 111~118쪽.

23) 張庚(1685~1760), 중국 청대 중기의 문인화가. 초명(初名)은 도(燾), 자는 부삼(溥三)이다. 후에 경(庚)으로 개명하고 자를 포산(浦山), 공지간(公之干). 호를 미가거사(彌伽居士) 또는 과전(瓜田), 백저촌상자(白苧村桑者)라 칭하였다. 왕휘 문하의 우산파 화가이고, 산수화를 비롯하여 진순풍의 화훼화와 白描에 의한 세밀한 인물화도 그렸다. 書論書로 『國朝畵徵錄』, 『國朝畵徵續錄』, 『浦山論畵』등을 남겼다.

嗣滮(1867~1935)이 그 題記만을 재록한 「清張庚諸番職貢圖卷」(『愛日吟盧書畫續錄』卷5, 1914)을 조찬붕이 발견한 것이다. 그는 또 大藏經 소재 주석서에서 그 동안 알려지지 않은 「魯國」과 「白木條國」의 「양직공도」 제기 佚文을 찾아냄으로써, 직공도 연구의 활력을 불어넣었다[24].

'張庚摹本'의 행방은 여전히 알 수 없지만, 葛嗣滮이 재록한 「양직공도」 제기가 공개된 이후 동아시아 학계 전반에서 관련 연구가 활발하게 전개되었다. 무엇보다도 북경모본의 기록과 다른 백제의 제기와 함께 고구려와 신라의 제기가 남아있어 한국고대사 연구에 있어서도 주목하지 않을 수 없었다.

'장경모본'이 소개된지 2개월도 안된 2011년 4월, 일본에서는 鈴木靖民의 주도 아래 '職貢圖硏究會'가 첫 발표회를 시작하였으며, 같은 해 한국에서도 새로운 자료의 출현을 알리면서 흐름에 부응하였다[25].

장경모본은 渴盤阤를 비롯한 7개국의 새로운 제기를 비롯하여, 찢겨져 전모를 모르던 왜국과 宕昌國 제기가 복원되었으며, 이미 알려진 경우에도 북송모본과의 내용이 다른 부분이 많아 사료적 가치가 높게 평가되었다. '장경모본'의 발견에 따라 일본의 '직공도연구회'는 2012년 1월 일본 國學院大學에서 '国際シンポジウム("梁職貢図と倭 — 5 · 6世紀の東ユーラシア世界")'이 개최되었다. 그 결과는 「양직공도」 연구의 방향을 제시하였다[26].

---

24) 趙燦鵬, 2011, 「南朝梁元帝《職貢圖》題記佚文續拾」, 『文史』 97, .237~242쪽.

25) 윤용구, 2011, 「새로 발견된〈양직공도〉제기-백제국 · 왜국 · 고구려국 · 사라국기의 기초적 검토」, 제107회 신라사학회 학술발표회(2011.8.20, 서강대 정하상관); 2011, 「현존〈양직공도〉 백제국기 三例」, 무녕왕릉발견40주년기념 국제학술회의(2011.10.29, 공주박물관).

26) 荊木美行, 2015, 「新刊紹介 : 鈴木靖民 · 金子修一編, 《梁職貢図と東部ユーラシア世界》」, 『唐代史硏究』 18, 당대사연구회, 192~197쪽. 학술회의 발표문을 결집한 단행본에는 3부로 나누어, 총 18편의 양직공도 관련 논고가 수록되었다.
第一部　東部ユーラシア世界の構造
東部ユーラシア世界史と東アジア世界史—梁の国際関係 · 国際秩序 · 国際意識を中心とし

먼저 장경모본의 출현은 「양직공도」의 여러 모본을 收藏하거나 所見한 문헌기록을 재구성하고, 題記와 『양서』 제이전의 사료적 성격을 새로운 관점에서 볼 수 있는 계기가 되었다. 또한 「양직공도」를 통해 6세기 전반, 서쪽으로는 지중해와 아시아를 포괄하는 국제관계를 구축하려는 이해를 촉진하였다. 이른바 '東部유라시아 세계'라는 새로운 국제관계망을 통해 책봉체제에 바탕한 '고대동아시아 세계론'의 한계를 극복하고자 하는 것이다[27].

최근 중국에서 「양직공도」에서 청대에 이르기까지 만들어진 '직공도'를 통한 중국

て一 /鈴木靖民
梁職貢図と西域諸国—新出清張庚模本「諸番職貢図巻」がもたらす問題— /王素(菊地大・速水大　訳)
梁への道—「職貢図」とユーラシア交通— /石見清裕
「梁職貢図」の国名記載順 /中村和樹
南朝梁の外交とその特質 /金子ひろみ
「梁職貢図」と『梁書』諸夷伝の上表文—仏教東伝の準備的考察— /新川登亀男
第二部　テキストとしての職貢図
「梁職貢図」流伝と模本 /尹龍九(近藤剛・訳)
台湾故宮博物院所蔵「南唐顧徳謙模梁元帝蕃客入朝図」について /深津行徳
「梁職貢図」逸文の集成と略解 /澤本光弘・植田喜兵成智
木下杢太郎と芥川龍之介が見た北京の職貢図 /片山章雄
第三部　梁と「蕃夷」の国際関係
中国における倭人情報—「梁職貢図」の前後— /河内春人
孫呉・東晋と東南アジア諸国 /菊地大
倭の五王の冊封と劉宋遣使—倭王武を中心に— /廣瀬憲雄
「梁職貢図」と東南アジア国書 /河上麻由子
「梁職貢図」高句麗・百済・新羅の題記について /李成市
新出「梁職貢図」題記逸文の朝鮮関係記事二、三をめぐって /赤羽目匡由
「魯国」か「虜国」か /堀内淳一
北朝の国書 /金子修一

27) 鈴木靖民, 2012, 「東アジア世界史と東部ユーラシア世界史：梁の国際関係・国際秩序・国際意識を中心に」, 『専修大学社会知性開発研究センター東アジア世界史研究センター年報』 6, 143~163쪽; 河上麻由子, 2015, 「職貢圖とその世界観」, 『東洋史研究』 74-1, 東洋史研究会, 1~38쪽.

적 세계관 연구와[28] 南海諸國에 대한 관심의 제고[29]도 같은 맥락에서 진행되고 있다. 題記에 대해서는 새로운 자료의 출현에 따른 다각도의 연구가 진행되고 있다[30]. 그러나 「양직공도」의 流傳 과정에서 나타난 模本別 題記의 특성과 底本의 문제, 제기를 『양서』 제이전에서 어떻게 刪削했는지 등은 보다 많은 연구가 요청된다.

Ⅱ. 「양직공도」의 사신도와 제기

앞서 본대로 蕭繹이 그린 「양직공도」의 원본은 남아있지 않지만, 모사본 4종이 전해지고 있다. 먼저 1960년 발견된 北宋摹本이다. 12개국의 사신도와 13개국의 제기가 남아있다. 다른 두 점은 1987년 알려진 「南唐顧德謙摹梁元帝蕃客入朝圖」와 「唐閻立本王會圖」이다(이하 '高德謙模本', '傳閻立本 模本'이라 약함). 여기에는 題記 없이 각기 33국과 25개국의 使臣圖와 이어서 國名만 이름표처럼 旁題되어 있다. 끝으로 2011년 소개된 '張庚摹本'(「淸張庚諸番職貢圖」)이다. 18개국의 題記만이 전하고, 사신도에 대해서는 크기와 '一國畵一人'씩 18인의 그림이 종이에 白描(묵본)로 그렸다는 기록을 남겼다.

---

28) 张勇革, 2011, 「萧绎与阎立本《职贡图》的比较研究」, 『新课程学习 · 中』 2011年 11期, 168~169쪽; 李孟彧, 2015, 「从《职贡图》卷到《乾陵王宾像》看初唐时期的对外交流」, 『荣宝斋』 2015年 12期, 124~129쪽; 杨德忠, 2018, 「元代的职贡图与帝国威望之认证」, 『美术学报』 2018年 2期, 21~31쪽; 葛兆光, 2018, 「想象天下帝国-以(传)李公麟《万方职贡图》为中心」, 『复旦学报(社会科学版)』 2018年 3期, 36~48쪽. 최근 중국측 연구 동향은 王文源, 2017, 「梁职贡图研究综述」, 『散文百家(新语文活页)』 2017年 8期, 23~24쪽 참조.

29) 권오영, 2017, 「狼牙脩國과 海南諸國의 세계」, 『백제학보』 20, 백제학회, 213~237쪽.

30) 王素, 2012, 「梁元帝《職貢図》'龜茲國使'題記疏證」, 『龜茲學研究』 第5輯, 139~145쪽; 米婷婷, 2016, 「梁职贡图摹本源流初探」, 《中国艺术研究院》碩士學位論文.

표 1.「양직공도」 모본 4종의 속성

명칭	연대/모사자	素材/색상	크기(本幅)	내용	특이 사항
고덕겸 모본	五代南唐/ 顧德謙	紙/白描	26.8cm×531.5cm	33국 使臣圖(無名 사신 2인 포함) 國名 旁題 외 題記 없음	8片의 그림이 하나로 연접되어 있음.
북송 모본	北宋 熙寧10년 (1077) / 蘇頌	絹/彩色	25cm×405.4cm (現 25cm×198cm)	25國 使臣圖 및 題記 (現 12국 사신도,13국題記 傳存)	溥儀 出宮時 (1924년) 竊取 賣却, 南京博物院 購入 前 소실
염입본 모본	詳 (明末 印記)	絹/彩色	28.1cm×238.1cm	24국 使臣圖 國名 旁題 외 題記 없음	唐 閻立德의 眞蹟으로 보기 어려움.
장경 모본	淸乾隆4년 (1739) / 張庚	紙/白描	28.2cm×406.9cm	18국 使臣圖 및 題記 (現 18국 題記만이 傳存)	'張庚摹本'所在不明

*명칭 略號

고덕겸모본 : 南唐顧德謙摹梁元帝蕃客入朝圖　　염입본모본 : 唐閻立本王會圖

북경모본 : 南京博物院 舊藏 北宋摹本　　장경모본 : 淸張庚諸番職貢圖

4종의「양직공도」 모본에 보이는 사신도와 제기는 사신의 수효, 배열순서, 용모와 복장, 그림의 소재, 채색여부, 화법이 모두 다르다. 특히 2~3폭씩 남아있는 동일 국가의 사신도의 경우를 보면 사신의 용모, 연령, 복장에서 차이가 두드러진다. 백제를 비롯하여 고구려 · 신라 · 왜 등 동이제국의 사신도도 마찬가지다. 여기에 唐宋 이래「양직공도」를 所藏 · 所見한 기록까지 참조하면 사신도의 수효와 기재순서가 다른 모본은 근 20종에 달한다[31]. 작게는 9개국부터 많게는 35국까지 각기 다른 그림 소재, 채색 유무, 사신도의 배열순서에서 다양하다.

이는「양직공도」 전체 35국 내외의 原圖가 전존되면서 훼손되고, 그것이 재편집 과정 속에서 파생된 측면도 있지만, 처음부터 수요자의 취향과 요구에 따라 소재, 색상, 사신도의 배열 등의 요구에 따라 별도로 제작되기도 하였다[32]. 사신도와 마찬가지로 그에 旁題된 각국의 題記 또한 분량, 내용, 기재순서에 있어서 차이가 크게 나타난다. 먼저 장경모본은 渴盤他를 비롯하여 북송모본에 없는 7개국의 제기

31) 尹龍九, 2012,「《梁職貢圖》의 流傳과 摹本」,『木簡과 文字』9, 한국목간학회, 132~133쪽 표2.「梁職貢圖」소장 · 소견 일람 참조.

32) 尹龍九, 2012,「《梁職貢圖》의 流傳과 摹本」,『木簡과 文字』9, 한국목간학회, 125~168쪽.

가 기재되어 있고, 북송모본에는 훼손되어 일부만 남아있는 滑國, 倭國, 宕昌國 제기의 원 모습이 확인되고 있어 그 사료적 가치는 이미 지적된 바다[33].

이러한 외형상 차이만이 아니라 북송모본과 장경모본 모두에서 확인되는 滑國 등 11개 題記를 비교하면, 북송모본에 기사 내용이 많은 것이 3개국, 서로 비슷한 사례가 4개국, 장경모본이 많은 것이 4개국으로 나타난다. 또한 분량에 관계없이 북송모본에 없는 내용이 장경모본에 적지 않게 나타난다. 108字나 적은 波斯國의 경우 북송모본에 없는 토산물품이 확인된다.

기사 배열에 있어서도 張庚摹本은 地理風俗+交涉 기사 순으로 기록한 사례가 많은 반면, 北宋摹本에서는 그 반대로 된 것이 두드러진다. 또한 기록이 적은 사례의 경우도 역사지리+교섭+풍속의 대강을 요약한 경우, 歷史地理는 극히 간략히 하고 풍속(특히 服飾)+교섭 기사 중심으로 정리한 사례가 많다. 이는 張庚摹本이 사신도 인물 용모와 복식 표현에 주안점을 둔 것으로 생각된다. 반면 使臣國의 정치동향, 國書와 詔書의 내용, 국가조직 등의 내용은 삭제 혹은 축약하였다.

이처럼 사신도와 함께 題記 또한 내용과 기재방식이 다양하게 나타난다. 따라서 「양직공도」의 原圖가 채색의 粉本인지 아니면 흑백의 白描로 그려졌는지 알 수 없어도, 고덕겸모본과 같이 完帙에 가까운 것이 있는가 하면 지역별 사신도만을 나누어 제작한 모본도 상정할 수 있겠다. 이미 살펴본 대로 題記가 있는 것과 없는 모본이 있었으며, 그 題記 또한 使臣圖의 수효와 마찬가지로 原文에서부터 여러 분량의 抄錄本이 있었다고 여겨진다.

그러나 정작 「양직공도」의 이해의 걸림돌은 蕭繹의 「직공도」 외에도 梁武帝 초기에 활동한 江僧寶의 「職貢圖」, 裴子野(467?~530?)의 「方國使圖」가 있었던 점이다. 특히 「방국사도」에 수록된 20개국은 사신도와 함께 지리풍속 기사를 적은 題

33) 趙燦鵬, 2011, 「南朝梁元帝《職貢圖》題記佚文的新發現」, 『文史』 94, 北京, 中華書局, 111~118쪽.

記가 붙어 있다고 한다. 백제의 제기도「방국사도」에 수록되었을 것으로 보았다[34]. 江僧寶의「職貢圖(御像職貢圖) 三卷」경우 당대까지 전하고 있었다.

이밖에 이민족 사신과 貢獻 모습은 남조대 서역계 화공들에 의하여 수없이 그려졌다. 고구려의 경우만 하여도 陸探微((?~485) 가 그린「高麗赭白馬圖」·「孫夐著高麗衣圖」를 비롯하여, 顧寶光의「高麗鬪鴨圖」등이 唐代까지 전해지고 있었던 것이다[35]. 최근 模本의 저본을 검토한 연구에서 저본이 모두 다르다는 결론도 이러한 점에서 수긍이 가는 연구라 하겠다[36]. 다양한 모본의 전존 양태는 유전과정의 훼손과 재편집, 수요자의 요구에 따른 제작 외에 梁을 비롯한 南朝代 제작된 복수의 原圖에서 오는 측면도 있다는 점이다.

Ⅲ. 백제 · 고구려 · 신라의 제기와『양서』

1.「양직공도」모본과『梁書』諸夷傳

「양직공도」의 사신도에 뒤 이어 해당국의 사정과 사신의 용모, 중국과의 교섭기사를 적은 題記는 636년에 완성된『양서』제이전에 주된 자료로 활용되었다. 제기에 없는 내용이『양서』에 보이면 찬자 姚思兼이 다른 자료를 통해 보충한 것으로 알려져 왔다.[37] 여전히 유효한 사료 이해의 전제사항이다[38]. 하지만 현존「양직공

34) 余太山, 1998,「《梁書 · 西北諸戎傳》與《梁職貢圖》-兼說今存《梁職貢圖》殘卷與裴子野《方國使圖》的關係」,『燕京學報』新5期, 北京大學出版社, 61쪽.

35) 尹龍九, 2012,「《梁職貢圖》의 流傳과 摹本」,『木簡과 文字』9, 한국목간학회, 131쪽.

36) 米婷婷, 2016,「梁职贡图摹本源流初探」,《中国艺术研究院》碩士學位論文.

37) 金鍾完, 1981,「梁書 東夷傳의 文獻的 檢討」,『又石大論文集』3, 155~174쪽; 全海宗, 2000,「梁書 東夷傳의 硏究」,『學術院論文集』39(人文社會科學篇), 1~38쪽.

도」의 제기는 남조 梁代의 原典을 충실히 전하는 것이 아닌 발췌본이라는 사실을 염두에 둔다면 일률적인 설명은 쉽지 않다.

현전 제기와 제이전을 비교 할 때도 그 결과는 단순하지 않다. 우선 「양직공도」에 수록된 국가가 대부분 『양서』에 立傳되었지만, 魯國 · 白木條國 · 天門蠻은 빠져있다. 반면 있더라도 대폭 삭제한 경우도 있다. 북송모본과 장경모본에 100字 내외의 題記가 수록된 周古柯國 · 胡蜜檀國 · 呵跋檀의 경우는 30字 안팎으로 간략한 내용만이 『양서』에 전한다. 분량은 크게 늘었지만 題記의 내용을 도외시 하고 동 시대 사정이 아닌 전대의 기사로 채운 경우도 있다. 『삼국지』 동이전의 기사를 전재하다시피 한 고구려와 倭의 사례이다.

북송모본과 장경모본의 제기를 비교할 때도 마찬가지다. 龜茲國을 제외하면 분량에서는 장경모본은 북송모본과 비슷하거나 적은 것이 반반이다. 滑國 · 波斯國 · 百濟國의 장경모본의 제기는 북송모본에 비해 크게 축소되었다. 장경모본이 적은 것은 북경모본의 제기에 보이는 해당국의 정치상황, 國書와 詔書, 관료조직 같은 내용을 삭제 혹은 간략히 한 때문이다. 장경모본에 생략 혹은 축약한 부분은 諸夷傳에서도 찾기 어렵다.

백제의 旁小國에 관한 내용이 대표적인 사례이다. 하지만 생략한 이유는 장경모본과 諸夷傳이 같다고 생각되지 않는다. 滑國 · 波斯國 제기도 마찬가지지만, 장경모본은 使臣圖에 그려진 인물 이해에 주된 내용을 담고자 한듯하다. 반면 諸夷傳의 경우는 『양서』가 편찬되던 6세기 전반의 唐의 국제관계와 관련되어 있다고 생각된다. 이러한 사실은 「양직공도」 제기와 『양서』 諸夷傳의 입전 여부, 분량, 기재 내용의 차이에 대한 새롭고 종합적인 검토가 필요함을 말하는 것이다.

---

38) 金鍾完이 최근 백제국기와 양서 백제전을 정밀하게 비교한데서도 재확인 한바 있다(金鍾完, 2000, 51쪽).

2. 백제 · 고구려 · 신라의 제기

2011년 청대 장경모본을 통해 백제를 비롯하여 고구려, 신라(斯羅)의 제기를 확인하게 되었다.「양직공도」북송모본에는 백제국 제기만이 남아 있다. 본래는 高句麗와 新羅의 제기도 남아 있었던 것으로 추정된다.

청대 조사한 북송모본의 수록 목록에 고구려와 백제가 들어 있었을 뿐 아니라, 고덕겸모본, 傳염입본 모본에서 고구려와 신라사신도를 확인할 수 있기 때문이다. 북송모본의 고구려와 신라사신도와 제기는 民國初 폐위된 선통제 溥儀(1906~1967)에 의해 민간에 유출된 후 소실되었다.

북송모본의 백제국 제기가 189字인데 반해 장경모본의 것은 105字은 분량이 적다. 고구려는 133字, 斯羅는 91字 분량이다. 장경모본의 백제국 제기는 북송모본에 보이는 백제의 도성, 정치상황, 관료와 지방조직, 附庸化된 旁小國에 관한 기록이 빠져있기 때문이다. 장경모본은 간략한 교섭기사와 사신의 언어와 복장 등 용모에 대한 기록에 한정하고 있다. 이는 장경모본의 고구려와 사라의 제기도 마찬가지다.

먼저 고구려 제기를 살펴본다. 머리에 조우관을 비롯하여 가죽과 비단으로 만든 '豆禮韋沓'까지 상세한 복장을 설명하고 있다. 언급한대로『한원』에 인용된 고구려 제기에도 거의 유사한 기록이 확인된다. 장경모본의 사료적 신뢰성을 높이는 것에 그치지 않고, '傳閻立本王會圖' 고구려 사신의 복장과 耳飾까지 확인할 수 있다. 분량이 얼마 되지 않으나, 장경모본의 기록이 梁에 전해진 동시대 정보라는 사실을 알게 된다.

그런데 실제 인물을 묘사한 듯한 고구려 사신도가 존재하고 사료적 가치가 높은 題記의 내용이『양서』에 반영되지 못한 이유는 어디에 있을까.『양서』와 같은 시기 편찬된『진서』에 고구려전이 입전되지 못한 사정과 동일한 것으로 여겨진다. 곧『진서』에 고구려전이 없는 이유는 수당대 고구려를 옛 한군현의 屬國으로 수복해야할 郡縣故地로 여겼기 때문이었다.

그러데 6세기 초 梁代의 고구려는 남북조를 넘나들며 동아시아의 패자로 군림하고 있었다. 회복해야할 군현의 고지에 자리 잡고 있던 고구려를『진서』처럼 입전하지 않을 수 없다면, 요동과 낙랑군 방면으로 통해 영역을 확장하던 고구려를 군현 지배하의 정치체로 묘사한『위략』,『삼국지』고구려전의 기록으로 채웠던 것이 아닐까 생각된다. 다시 말해서 중단되었던『양서』편찬을 재개시킨 唐太宗의 高句麗에 대한 부정적 인식이 반영된 것으로 이해된다.

한편 신라에 대해서는 일찍이 당 道宣이 남긴『속고승전』에 20字 정도의 佚文이 전해져 왔다. 장경모본의 사라국 제기에는『속고승전』의 일문이 포함된 91字의 제기가 기재되어 있다. 북송모본이 없어 자세한 사항을 알기 어렵지만,『양서』신라전(328字)과 비교하면 1/3 수준이다. 제기에 없는『양서』신라전의 내용은『삼국지』진한전의 풍속기사, 신라의 중앙과 지방조직, 관등, 복식 기록이다. 하지만 장경모본 사라국 제기의 기재순서는『양서』신라전의 시작과 중간, 마지막이 모두 일치하며, 일치하는 부분은 字句까지 동일하다.

이렇게 볼 때『양서』신라전의 기록은 대부분「양직공도」를 원자료로 편찬되었다고 생각된다. 그것은 종전의 추측대로 신라가 백제사신을 따라 梁과 통교하면서 전해진 지식과 정보에 따랐을 것이다.

그동안『양서』백제전은「양직공도」를 기초로 하면서도, 唐代 요사겸이 편찬할 때 다른 사서의 내용을 보충하였을 것으로 이해되어 왔다. 그러나 북송모본과 장경모본 그리고 남송대 누약이 傅欽甫 소장의 직공도에서 백제국 제기를 발췌한 3종의 기록을 검토한 결과 거의 대부분이「양직공도」에 의거하였다고 이해되고 있다[39].

---

39) 尹龍九, 2012,「현존《梁職貢圖》百濟國記 三例」,『百濟文化』46, 공주대학교 백제문화연구소, 241~268쪽

표 2.「양직공도」百濟題記와『양서』

구분	北宋摹本『직공도』(189字)	南宋 樓鑰 소견『직공도』*(28字)	張庚摹本『직공도』**(105字)	『양서』 백제전 (494字)
A	百濟 舊來夷馬韓之屬.	百濟國, 東夷三韓, 馬韓有五十四國, 百濟其一也. (宋刻本) *百濟國, 在震旦之地, 共有五十四國, 百濟其一也. (四庫本)	百濟 舊東夷馬韓之屬也.	百濟者 其先東夷有三韓國 一曰馬韓 二曰辰韓 三曰弁韓 弁韓 · 辰韓各十二國 馬韓有五十四國 大國萬餘家, 小國數千家 總十餘萬戶 百濟即其一也. 後漸強大, 兼諸小國.
B				其國本與句驪在遼東之東.
C	晉末駒麗略有遼東, 樂浪亦有遼西晉平縣.			晉世句驪既略有遼東 百濟亦據有遼西晉平二郡地矣. 自置百濟郡
D	自晋已來常修蕃貢, 義熙中其王餘腆, 宋元嘉中其王餘毗, 齊永明中其王餘太, 皆受中國官爵. 梁初以太爲征東將軍.尋爲高句驪所破, 普通二年, 其王餘隆遣使奉表云,"累破高麗"	天監十一年, 遣使朝貢.	自晋已來常修蕃貢, 義熙中, 有百濟王夫餘腆, 宋元嘉中 有百濟王夫餘毗, 齊永明中 有百濟王夫餘太, 皆受中國官爵, 梁初以爲征東將軍.	晉太元中 王須 義熙中 王余映 宋元嘉中 王余毘 並遣獻生口. 余毘死 立子慶 慶死 子牟都立 都死 立子牟太. 齊永明中 除太都督百濟諸軍事鎮東大將軍百濟王. 天監元年 進太號征東將軍. 尋爲高句驪所破 衰弱者累年 遷居南韓地. 普通二年 王余隆始復遣使奉表稱"累破句驪 今始與通好 而百濟更爲强國."其年 高祖詔曰"行都督百濟諸軍事鎮東大將軍百濟王余隆 守藩海外 遠修貢職 乃誠款到 朕有嘉焉 宜率舊章 授茲榮命 可使持節都督百濟諸軍事寧東大將軍百濟王"(普通)五年 隆死. 詔復以其子明爲持節督百濟諸軍事綏東將軍百濟王.
E	所治城曰固麻, 謂邑檐魯, 於中國郡縣, 有二十二檐魯, 分子弟宗族爲之.			號所治城曰固麻, 謂邑曰擔魯, 如中國之言郡縣也. 其國有二十二簷魯, 皆以子弟宗族分據之.
F	旁小國有 叛波, 卓, 多羅, 前羅, 斯羅, 止迷, 麻連, 上巳文, 下枕羅等附之."			
G	言語衣服 略同高麗, 行不張拱 拜不申足, 以帽爲冠, 襦曰複杉 袴曰褌. 其言參諸夏亦秦韓之遺俗.		其言語衣服 略與高句驪等仝,其行不張拱 拜不申足則異,帽曰冠, 襦曰複袗, 袴曰褌.	其人形長衣服淨潔 其國近倭頗有文身者. 今言語服章, 略與高驪同 行不張拱 拜不申足則異 呼帽曰冠 襦曰復衫 袴曰褌 其言參諸夏 亦秦韓之遺俗云.
H			普通二年 奉表獻貢	中大通六年 大同七年 累遣使獻方物 並請涅盤等經義 · 毛詩博士 並工匠 · 畫師等, 敕並給之. 太清三年, 不知京師寇賊 猶遣使貢獻 既至 見城闕荒毁 並號慟涕泣 侯景怒 囚執之 及景平 方得還國.

* 樓鑰(1149~1209), 傅欽甫 소장 직공도 所見　** 張庚(1685~1760)이 潞城縣知縣 李橐 소장 직공도를 1739년 모사

표 3.『梁職貢圖』題記와『梁書』諸夷傳 等 기사대조

唐 道宣,『大唐內典錄』卷4	元 念常,『佛祖歷代通載』卷7	『宋書』夷蠻傳
魯國 「元氏之先, 北代雲中虜也, 世爲豪傑, 南去定襄四千餘里 按梁相東王繹貢職圖云 "本姓托跋, 鮮卑胡人也, 西晋之亂, 有托跋盧, 出居晋樓煩地, 晋卽封爲代王. 於後部落分散, 經六十餘年, 至盧孫拾翼犍, 或言涉珪. 魏史云, 即道武皇帝魏之太祖也.」 (50字)	魯國 「太祖道武皇帝珪...按《世祿》"其先出自黃帝之後, 昌意之子, 受封北國, 有大鮮卑山, 自以爲號. 西晋之亂, 有托跋盧, 出居樓煩, 晋封爲代王. 於後部落分散, 經六十餘年, 至盧孫什翼涉珪」 (60字)	索頭虜 姓託跋氏, 其先漢將李陵後也。陵降匈奴, 有數百千種, 各立名號, 索頭亦其一也。晉初, 索頭種有部落數萬家在雲中。惠帝末, 并州刺史東嬴公司馬騰於晉陽為匈奴所圍, 索頭單于猗駝遣軍助騰。懷帝永嘉三年, 駝弟盧率部落自雲中入雁門, 就并州刺史劉琨求樓煩等五縣, 琨不能制, 且欲倚盧為援, 乃上言：「盧兄駝有救騰之功, 舊勳宜錄, 請移五縣民於新興, 以其地處之。」琨又表封盧為代郡公。愍帝初, 又進盧為代王, 增食常山郡。其後盧國內大亂, 盧死, 子又幼弱, 部落分散。盧孫什翼鞬勇壯, 衆復附之, 號上洛公, 北有沙漠, 南據陰山, 衆數十萬。其後為苻堅所破, 執還長安, 後聽北歸。鞬死, 子開字涉珪代立。(239字)
吳越 景霄,『四分律行事鈔簡正記』卷15	宋 元照,『四分律行事鈔資持記』	唐 遁倫,『瑜伽論記』卷6
白木條國 「貢職圖者, 圖寫高(貢?)職使人, 及附諸國來貢物數. 圖云 "西方白木條國, 貢朱駿白馬一匹, 玉象一軀等"」 ※《比丘尼受戒錄》卷1,「天竺之東際白木調國」 (18字)	白木條國 「白木條已內, 皆屬五天境界。準應四方皆有分齊, 文略餘方。註引貢職圖, 梁湘東王撰, 一卷, 號百國貢職圖。此在彼東者, 謂此震旦又在白木條東；故指彼為西蕃也。」 (16字)	白木調國 「中。一請邊地五人受戒。佛聽阿涅波阿槃提國持律五人得受大戒。若有餘方亦聽。餘方者東方有國名白木調國。已外便聽。南方有塔名靖善。塔外便聽。西方有國山名一師梨仙人種山。外便聽。北方有國名柱。方國外便聽。其白木調者。宣律師云。梁時從西北來朝梁也。」 唐 大覺,『四分律行事鈔批』卷12末, 二衣總別篇 白木條國 「注云 按梁時貢賦圖云者。謂梁朝有白木條國人來。此方貢朱駿馬云從西來。據此一言。此屬白木條東定是邊也。言注此在彼東者。立謂。中國呼白木條為東。齊白木條東是邊地。此間武帝喚木條為西。明知此是邊方也。

北宋摹本『職貢圖』	張庚摹本『職貢圖』	『梁書』諸夷傳
	渴盤他, 於闐西小國也。在山谷中平地。城周圍十餘里, 國內凡十二城。風俗與于闐合。衣古貝布, 著長身小裏袍, 小口袴。深壅皮靴. 種大小麥, 資以爲糧。多牛馬, 出好氈. 渴盤他王今姓葛沙氏。大同元年, 遣使史蕃匿奉表貢獻。(86字)	渴盤他國, 于闐西小國也。西隣滑國, 南接罽賓國, 北連沙勒國。所治在山谷中。城周迴十餘里, 國有十二城。風俗與于闐相類。衣古貝布, 著長身小袖袍, 小口袴。地宜小麥, 資以為糧。多牛馬駱駝羊等。出好氈、金、玉。王姓葛沙氏。中大同元年, 遣使獻方物(96字)
	武興蕃, 本是仇池國。國王姓楊, 其國東連秦嶺, 西接宕昌, 南接梁漢, 北接岐州. 去長安九百里. 國有十萬戶, 世世分減, 今已半矣. 言語與中國略同, 著烏皁突騎帽, 長身小袖袍, 小口袴, 皮靴。種五穀。婚姻備六禮。知詩書。智慧。大同元年, 遣使符道安 · 楊瑍等送啓, 乞歸其國. (103字)	武興國, 本仇池。楊難當自立爲秦王, 宋文帝遣裴方明討之, 難當奔魏。其兄子文德又聚衆茄盧, 宋因授以爵位, 魏又攻之, 文德奔漢中。從弟僧嗣又自立, 復戍茄盧。卒, 文德弟文度立, 以弟文洪爲白水太守, 屯武興, 宋世以爲武都王。武興之國, 自於此矣。難當族弟廣香又攻殺文度, 自立爲陰平王、茄盧鎭主。卒, 子炅立。炅死, 子崇祖立。崇祖死, 子孟孫立。齊永明中, 魏氏南梁州刺史仇池公楊靈珍據泥切山歸款, 齊世以靈珍爲北梁州刺史、仇池公。文洪死, 以族人集始爲北秦州刺史、武都王。天監初, 以集始爲使持節、都督秦雍二州諸軍事、輔國將軍、平羌校尉、北秦州刺史、武都王, 靈珍爲冠軍將軍, 孟孫爲假節、督沙州刺史、陰平王。集始死, 子紹先襲爵位。二年, 以靈珍爲持節、督隴右諸軍事、左將軍、北梁州刺史、仇池王。十年, 孟孫死, 詔贈安沙將軍、北雍州刺史。子定襲封爵。紹先死, 子智慧立。大同元年, 剋復漢中, 智慧遣使上表, 求率四千戶歸國, 詔許焉, 即以爲東益州。其國東連秦嶺, 西接宕昌, 去宕昌八百里, 南去漢中四百里, 北去岐州三百里, 東去長安九百里。本有十萬戶, 世世分減。其大姓有苻氏、姜氏。言語與中國同。著烏皁突騎帽, 長身小袖袍, 小口袴, 皮鞾。地植九穀。婚姻備六禮。知書疏。種桑麻。出紬、絹、精布、漆、蠟、椒等。山出銅鐵。(440字)

北宋摹本『職貢圖』	張庚摹本『職貢圖』	『梁書』諸夷傳
	高昌國, 去益州一万二千里. 國人言語與魏略仝. 五經歷代史諸子集, 往往通讀. 面貌類高驪, 辮髮爲十條, 垂肩項之閒, 著長身小褏袍、縵襠袴。金革莫 靴, 無褰履. 女子頭髮辮而不垂肩, 著錦纈瓔珞環釧。婚姻六禮。其地高燥, 築土爲城, 架木爲屋, 覆土其上。寒暑與益州相似。有水田, 備植九穀, 人多噉麨羊牛。出良馬、蒲陶酒、石鹽。多草木, 交關用布帛. 有朝烏, 集王殿前地, 爲行列, 不畏人, 日出然後散去。大通中, 遣使獻烏鹽枕、蒲陶、良馬、氍毹等物。 (171字)	高昌國, 闞氏爲主, 其後爲河西王沮渠茂虔弟無諱襲破之, 其王闞爽奔于芮芮。無諱據之稱王, 一世而滅。國人又立麴氏爲王, 名嘉, 元魏授車騎將軍、司空公、都督秦州諸軍事、秦州刺史、金城郡開國公。在位二十四年卒, 諡曰昭武王。子子堅, 使持節、驃騎大將軍、散騎常侍、都督瓜州諸軍事、瓜州刺史、河西郡開國公、儀同三司高昌王嗣位。其國蓋車師之故地也。南接河南, 東連燉煌, 西次龜茲, 北隣敕勒。置四十六鎭, 交河、田地、高寧、臨川、橫截、柳婆、洿林、新興、由寧、始昌、篤進、白刀等, 皆其鎭名。官有四鎭將軍及雜號將軍, 長史, 司馬, 門下校郎, 中兵校郎, 通事舍人, 通事令史, 諮議, 校尉, 主簿。國人言語與中國略同。有五經、歷代史、諸子集。面貌類高驪, 辮髮垂之於背, 著長身小袖袍、縵襠袴。女子頭髮辮而不垂, 著錦纈瓔珞環釧。姻有六禮。其地高燥, 築土爲城, 架木爲屋, 土覆其上。寒暑與益州相似。備植九穀, 人多噉麨及羊牛肉。出良馬、蒲陶酒、石鹽。多草木, 草實如璽, 璽中絲如細纑, 名爲白疊子, 國人多取織以爲布。布甚軟白, 交市用焉。有朝烏者, 旦旦集王殿前, 爲行列, 不畏人, 日出然後散去。大同中, 子堅遣使獻鳴鹽枕、蒲陶、良馬、氍毹等物。 (402字)
	天門蠻者, 昔孫休分武陵天門郡, 時有怪石自開, 故以天門爲稱. 其種姓曰田, 曰覃, 主簿者最强盛, 金銀各數百石, 恃其富豪, 不肯賓興. 梁初以來, 方納質款, 輸租賦如平民, 遣子田慈入質. (72字)	

北宋摹本『職貢圖』	張庚摹本『職貢圖』	『梁書』諸夷傳
(上缺)...有功, 勇與八滑□□部, 索虜入居桑乾, 滑爲小國, 屬芮芮。齊時始走莫□而居, 後强大, 征其旁國, 破波斯、槃槃, 罽賓、(焉耆)、龜茲、疎勒、于闐、句般等國, 開地千里。其土溫暖, 多山川, 少林木, 有五穀, 國人以麵及羊肉爲粮. 獸有師子兩脚駱駝,野驢有角. 人善騎射, 着小袖長身袍, 金玉爲□帶, 如人被裘, 頭上刻木爲角, 長六尺, 金銀飾之. 少女子, 兄弟共妻. 無城郭,氈屋爲居, 東向開戶. 其王座金床, 隨太歲轉, 與妻並坐, 接賓客. 無文字, 以木爲契, 刻之約物數, 與旁國通, 則使旁國胡爲胡書, 羊皮爲紙. 無職官, 所降小國, 使其王爲奴隸, 事天神、每日則出戶祀神而後食。其跪一拜而止。止卽鳴王其手足, 賤者鳴(王衣). (葬)以木爲槨。父母死, 子截一耳, 葬已即吉。魏晋以來, 不通中國. (天)監十五年, 國王姓厭帶, 名夷栗陁, 始使蒲多達□□□□□莚, 名纈杯, 普通元年, 又遣富何了了, 獻黃師子白貂裘波斯(師)子錦. 王妻□□(亦)遣使康符眞, 同貢物. 其使人蕐頭剪髮, 着波斯錦褶□(錦)袴朱麖皮長壅鞾. 其言語則河南人重譯而通焉。(339字)	滑國 出自西域車師之別種也. 其土地溫暖, 多山川, 少樹木, 有五穀. 國人以麵及羊肉爲糧. 其獸有獅子兩脚駱駝,野驢有角, 人皆善騎射, 者小裹長袍, 用金玉絡帶, 女子被裹, 頭上刻木爲角. 長六尺, 以金玉銀飾之, 少女子兄弟共妻. 無城郭,氈屋爲居, 東向開戶, 其王座金牀, 隨太歲與妻並坐. 無文字, 以木爲契, 刻之以約物數. 葬以木爲槨. 父母死, 其子截一耳. 自魏晋以來, 不通中國. 天監十五年, 奉表獻貢. 普通元年, 獻黃獅子白貂裘波斯獅子錦. (172字)	滑國者, 車師之別種也。漢永建元年, 八滑從班勇擊北虜有功, 勇上八滑爲後部親漢侯。自魏、晋以來, 不通中國, 至天監十五年, 其王厭帶夷栗陁始遣使獻方物。普通元年, 又遣使獻黃師子、白貂裘、波斯錦等物。七年, 又奉表貢獻。元魏之居桑乾也, 滑猶爲小國, 屬芮芮。後稍疆大, 征其旁國波斯、盤盤、罽賓、焉耆、龜茲、疎勒、姑墨、于闐、句盤等國, 開地千餘里。土地溫暖, 多山川樹木, 有五穀。國人以麨及羊肉爲糧。其獸有師子、兩脚駱駝, 野驢有角。人皆善射, 著小袖長身袍, 用金玉爲帶。女人被裘, 頭上刻木爲角, 長六尺, 以金銀飾之。少女子, 兄弟共妻。無城郭, 氈屋爲居, 東向開戶。其王坐金床, 隨太歲轉, 與妻並坐接客。無文字, 以木爲契。與旁國通, 則使旁國胡爲胡書, 羊皮爲紙。無職官。事天神、火神, 每日則出戶祀神而後食。其跪一拜而止。葬以木爲槨。父母死, 其子截一耳, 葬訖即吉。其言語待河南人譯然後通。(326字)
波斯, 蓋波斯國王之後也. 王子祇他之子孫, 以王父字爲氏, 因爲國稱。釋道安西域諸國志, "揵陁越西,西海中, 有安息國, 揵陁越南, 波羅陁國, 波羅陁國西, 有波羅斯國." 城周回三十二里。高四丈, 皆築土爲基, 城門皆有樓觀。城內屋宇數百間, 城外有寺一二百。西十五里有土山, 湧泉下流向南, 山中有鷲鳥噉羊, 時時下地衡羊而去土人患之。有優鉢曇花。出龍駒馬。別有鹹池, 生珊瑚, 馬腦、虎白鬼, 眞珠、玫珂等寶, 土人不甚珍。交易用金銀。婚禮以金帛, 奴婢, 牛馬羊等。以四匹馬爲轝, 五彩爲蓋迎婦, 兄弟把手付度. 國東万五千里滑國, 西万里極婆羅門國,南万里有又婆羅門國, 北万里郎沉壞國。大通二年, 遣中經□□越奉表獻佛牙。(242字)	波斯國, 土產珊瑚樹, 遠長一二尺。又有琥珀、馬腦、眞珠、玫瑰等寶, 國中有優鉢曇花, 鮮麗可愛。市買交關, 並市金銀博換。俗人婚姻 : 下聘用金銀絲帛, 奴婢牛馬駱駝騾羊。其城, 周迴三十二里。城高四丈, 皆築土爲基, 並無磚礫, 城上有樓觀。內屋宇有數千間, 西去城十五里有山, 山有鷲鳥噉羊, 時時下地衡羊飛去,土人極以爲患。大通三年, 貢獻伏牙。(134字) 唐 道宣,『釋迦方志』遺跡篇第四之餘 梁貢職圖云 "去波斯北一萬里, 西南海島有西女國(非印度), 攝拂懍年別送男夫配焉." 彼圖又云 "波羅斯西一萬里, 極婆羅門國南一萬里, 又是婆羅門" (49字) ☞ 唐 道世,『法苑珠林』(卷39)에 인용된 「양직공도」에도 유사한 佚文이 있다.	波斯國, 其先有波斯匿王者, 子孫以王父字爲氏, 因爲國號。國有城, 周迴三十二里。城高四丈, 皆有樓觀。城內屋宇數百千間, 城外佛寺二三百所。西去城十五里有土山, 山非過高, 其勢連接甚遠, 中有鷲鳥噉羊, 土人極以爲患。國中有優鉢曇花, 鮮華可愛。出龍駒馬。鹹池生珊瑚樹, 長一二尺。亦有琥珀、馬腦、眞珠、玫珂等, 國內不以爲珍。市買用金銀。婚姻法 : 下聘訖, 女壻將數十人迎婦, 壻著金線錦袍, 師子錦袴, 戴天冠, 婦亦如之。婦兄弟便來捉手付度, 夫婦之禮, 於茲永畢。國東與滑國, 西及南俱與婆羅門國, 北與汎慄國接。中大通二年, 遣使獻佛牙。(211字)

北宋摹本『職貢圖』	張庚摹本『職貢圖』	『梁書』諸夷傳
百濟 舊來夷馬韓之屬. 晉末駒麗旣略有遼東, 樂浪亦有遼西晉平縣. 自晉已來常修蕃貢, 義熙中其王餘腆, 宋元嘉中其王餘毗, 齊永明中其王餘太, 皆受中國官爵. 梁初以太 爲征東將軍. 尋爲高句驪所破, 普通二年, 其王餘隆遣使奉表云, "累破高麗". 所治城曰固麻, 謂邑檐魯, 於中國郡縣, 有二十二檐魯, 分子弟宗族爲之. 旁小國有 叛波, 卓, 多羅, 前羅, 斯羅, 止迷, 麻連, 上巳文, 下枕羅等附之. 言語衣服略同高麗, 行不張拱拜不申足, 以帽爲冠, 襦曰複衫, 袴曰褌. 其言參諸夏, 亦秦韓之遺俗. (189字)	百濟 舊東夷馬韓之屬也. 自晋已來常修蕃貢, 義熙中, 有百濟王夫餘腆, 宋元嘉中 有百濟王夫餘毗, 齊永明中 有百濟王夫餘太, 皆受中國官爵, 梁初以爲征東將軍. 其言語衣服 略與高句驪等仝, 其行不張拱拜不申足則異, 帽曰冠, 襦曰複衫, 袴曰褌. 普通二年 奉表獻貢 (105字)	百濟者 其先東夷有三韓國 一曰馬韓 二曰辰韓 三曰弁韓 弁韓,辰韓各十二國 馬韓有五十四國 大國萬餘家 · 小國數千家 總十餘萬戶 百濟即其一也. 後漸强大 兼諸小國 其國本與句驪在遼東之東.晉世句驪既略有遼東 百濟亦據有遼西晉平二郡地矣. 自置百濟郡 晉太元中 王須 義熙中 王餘映 宋元嘉中 王餘毘 並遣獻生口. 餘毘死 立子慶 慶死 子牟都立 都死 立子牟太. 齊永明中 除太都督百濟諸軍事鎭東大將軍百濟王. 天監元年 進太號征東將軍. 尋爲高句驪所破 衰弱者累年 遷居南韓地. 普通二年 王余隆始復遣使奉表稱 累破句驪今始與通好而百濟更爲彊國. 其年高祖詔曰 行都督百濟諸軍事鎭東大將軍百濟王餘隆守藩海外 遠修貢職 迺誠款到 朕有嘉焉 宜率舊章 授茲榮命 可使持節都督百濟諸軍事寧東大將軍百濟王. 五年隆死 詔復以其子明爲持節督百濟諸軍事綏東將軍百濟王.號所治城曰固麻, 謂邑曰檐魯, 如中國之言郡縣也.其國有二十二檐魯, 皆以子弟宗族分據之. 其人形長衣服淨潔 其國近倭頗有文身者. 今言語服章, 略與高驪同 行不張拱 拜不申足則異 呼帽曰冠 襦曰複衫 袴曰褌 其言參諸夏 亦秦韓之遺俗云. 中大通六年 大同七年 累遣使獻方物 并請涅盤等經義 · 毛詩博士 並工匠 · 畫師等, 敕並給之. 太清三年, 不知京師寇賊 猶遣使貢獻 既至 見城闕荒毀 並號慟涕泣 侯景怒 囚執之 及景平 方得還國. (494字)
龜茲西域。所居曰延城, 漢以公主妻烏孫, 烏孫遣□□女至漢學鼓琴, 龜(玆)請爲妻, 其王降賓自以得旨漢外孫, 願(入)朝. 旣及京師, 賞賜印綬, 加其妻以公主之号, 錫車騎笳鼓. 旣歸, 慕漢制, 乃治宮室, 作□道□衛, 出入傳呼頗自强大, 歷魏晋至梁 歲來獻名馬. 普通二年, 遣使康石憶 · 丘波那奉表入朝。(111字)	龜玆者, 西域之舊。世所居曰延城, 漢時以公主妻烏孫主, 遣所產女至漢學鼓琴, 龜玆䇢之妻, 龜玆王絳賓 自以爲漢外孫, 願與俱入朝覲. 元康元年 來朝, 王及夫人, 皆賜印綬, 號曰公主, 賜以車騎旗鼓. 一年數來朝樂, 漢制度歸, 其國治宮室, 出入傳呼, 撞鐘擊鼓, 如漢家儀. 成帝哀帝時, 往來无數, 光武中, 魏初晋大康中, 與中國不通. 普通二年, 龜玆王尼瑞遣使奉表貢獻。(142字)	龜玆者, 西域之舊國也。後漢光武時, 其王名弘, 為莎車王賢所殺, 滅其族。賢使其子則羅為龜玆王, 國人又殺則羅。匈奴立龜玆貴人身毒為王, 由是屬匈奴。然龜玆在漢世常為大國, 所都曰延城。魏文帝初即位, 遣使貢獻。晉太康中, 遣子入侍。太元七年, 秦主苻堅遣將呂光伐西域, 至龜玆, 龜玆王帛純載寶出奔, 光入其城。城有三重, 外城與長安城等。室屋壯麗, 飾以琅玕金玉。光立帛純弟震爲王而歸, 自此與中國絶不通。普通二年, 王尼瑞摩珠那勝遣使奉表貢獻。(180字)

北宋摹本『職貢圖』	張庚摹本『職貢圖』	『梁書』諸夷傳
倭國 在帶方東南大海中 依山島居. 自帶方循海水, 乍南乍東, 對,其北岸歷三十餘國 .(可)万餘里. 倭王所□□. 在會稽東, 氣暖地溫, 出珍珠靑玉, 無牛馬虎豹羊(鵲). □□□□, 面文身, 以木綿帖葛衣, 橫幅無縫, (但結)....(單被, 穿)...(78字)	倭國 在東南大海中 依山島爲居. 地氣溫暖,出珍珠靑玉, 無牛馬虎豹羊鵲. 男子皆黥,面文身, 以木棉帖頭衣, 橫幅無縫, 但結束相連. 好沈水, 捕魚蛤.婦人只被髮, 衣如單被, 穿其中 貫頭衣之, 男女徒跣, 好以丹塗身. 種稻禾麻苧, 蠶桑,出紬布縑錦. 兵用矛盾木弓 箭用骨爲鏃. 其食以手, 其用籩豆. 死有棺無槨. 齊建元中 奉表貢獻. (126字)	倭者、自云太伯之後。俗皆文身。去帶方萬二千餘里、大抵在會稽之東、相去絶遠。從帶方至倭、循海水行、歷韓國、乍東乍南、七千餘里始度一海。海闊千餘里、名瀚海、至一支國。又度一海千餘里、名未盧國。又東南陸行五百里、至伊都國。又東南行百里、至奴國。又東行百里、至不彌國。又南水行二十日、至投馬國。又南水行十日、陸行一月日、至邪馬臺國、即倭王所居。其官有伊支馬、次曰彌馬獲支、次曰奴往鞮。民種禾稻紵麻、蠶桑織績。有薑、桂、橘、椒、蘇。出黑雉、真珠、青玉。有獸如牛、名山鼠。又有大蛇吞此獸。蛇皮堅不可斫、其上有孔、乍開乍閉、時或有光、射之中、蛇則死矣。物產略與儋耳、朱崖同。地溫暖、風俗不淫。男女皆露紒。富貴者以錦繡雜采爲帽、似中國胡公頭。食飲用籩豆。其死、有棺無槨、封土作冢。人性皆嗜酒。俗不知正歲、多壽考、多至八九十、或至百歲。其俗女多男少、貴者至四五妻、賤者猶兩三妻。婦人無婬妒。無盜竊、少諍訟。若犯法、輕者沒其妻子、重則滅其宗族。漢靈帝光和中、倭國亂、相攻伐歷年、乃共立一女子卑彌呼爲王。彌呼無夫婿、挾鬼道、能惑衆、故國人立之。有男弟佐治國。自爲王、少有見者、以婢千人自侍、唯使一男子出入傳教令。所處宮室、常有兵守衛。至魏景初三年、公孫淵誅後、卑彌呼始遣使朝貢、魏以爲親魏王、假金印紫綬。正始中、卑彌呼死、更立男王、國中不服、更相誅殺、復立卑彌呼宗女臺與爲王。其後復立男王、並受中國爵命。 晉安帝時、有倭王贊。贊死、立弟彌。彌死、立子濟。濟死、立子興。興死、立弟武。齊建元中、除武持節、督倭新羅任那伽羅秦韓慕韓六國諸軍事、鎮東大將軍。高祖即位、進武號征東大將軍。(558字)

『翰苑』蕃夷部 高麗條所引 「梁元帝職貢圖」	張庚摹本『職貢圖』	『梁書』諸夷傳
梁元帝職貢圖云 高驪婦人衣白, 男子衣紅錦 飾以金銀. 貴者冠幘, 而後以金銀爲鹿耳, 加之幘上. 賤者冠折風, 其形如古之弁, 穿耳以金鐶. 上衣曰衫, 下曰長袴. 腰有銀帶. 左佩礪, 右佩五子刀, 足履豆禮鞜. (72字)	高句驪 在晋東夷夫餘之別種也. 漢世居玄菟之高驪縣, 故以號焉. 光武初高句驪王遣使朝貢, 則始稱王. 其俗人性凶急惡 而潔淨自善. 婦人衣白 男子衣袺錦 飾以金銀. 貴者冠幘, 而無復以金銀爲鹿耳, 羽加之幘上. 賤者冠折風, 其形如古之弁, 穿耳以金環. 上衣曰表, 下衣曰長袴, 腰有銀帶. 頗習書, 其使至中國則多求經史. 建武中, 奉表貢獻. (133字)	高句驪者、其先出自東明。東明本北夷橐離王之子。離王出行、其侍兒於後任娠、離王還、欲殺之。侍兒曰：「前見天上有氣如大鷄子、來降我、因以有娠。」王囚之、後遂生男。王置之豕牢、豕以口氣噓之、不死、王以為神、乃聽收養。長而善射、王忌其猛、復欲殺之、東明乃奔走、南至淹滯水、以弓擊水、魚鱉皆浮為橋、東明乘之得渡、至夫餘而王焉。其後支別為句驪種也。其國、漢之玄菟郡也。在遼東之東、去遼東千里。漢、魏世、南與朝鮮、穢貊、東與沃沮、北與夫餘接。漢武帝元封四年、滅朝鮮、置玄菟郡、以高句驪爲縣以屬之。句驪地方可二千里、中有遼山、遼水所出。其王都於丸都之下、多大山深谷、無原澤、百姓依之以居、食澗水。雖土著、無良田、故其俗節食。好治宮室。於所居之左立大屋、祭鬼神、又祠零星、社稷。人性凶急、喜寇抄。其官、有相加、對盧、沛者、古鄒加、主簿、優台、使者、皁衣先人、尊卑各有等級。言語諸事、多與夫餘同；其性氣、衣服有異。本有五族、有消奴部、絶奴部、順奴部、雚奴部、桂婁部。本消奴部為王、微弱、桂婁部代之。漢時賜衣幘、朝服、鼓吹、常從玄菟郡受之。後稍驕、不復詣郡、但於東界築小城以受之、至今猶名此城爲幘溝婁。「溝婁」者、句驪名「城」也。其置官、有對盧則不置沛者、有沛者則不置對盧。其俗喜歌儛、國中邑落男女、每夜群聚歌戲。其人潔淸自喜、善藏釀、跪拜申一腳、行步皆走。以十月祭天大會、名曰東明。其公會衣服、皆錦繡金銀以自飾。大加、主簿頭所著似幘而無後；其小加著折風、形如弁。其國無牢獄、有罪者、則會諸加評議殺之、沒入妻子。其俗好淫、男女多相奔誘。已嫁娶、便稍作送終之衣。其死葬、有槨無棺。好厚葬、金銀財幣盡於送死。積石爲封、列植松柏。兄死妻嫂。其馬皆小、便登山。國人尙氣力、便弓矢刀矛。有鎧甲、習戰鬥、沃沮、東穢皆屬焉。王莽初、發高驪兵以伐胡、不欲行、強迫遣之、皆亡出塞為寇盜。州郡歸咎於句驪侯騶、嚴尤誘而斬之、王莽大悅、更名高句驪爲下句驪、當此時為侯矣。光武八年、高句驪王遣使朝貢、始稱王。至殤、安之間、其王名宮、數寇遼東、玄菟太守蔡風討之不能禁。宮死、子伯固立。順、和之間、復數犯遼東寇抄、靈帝建寧二年、玄菟太守耿臨討之、斬首虜數百級、伯固乃降屬遼東。公孫度之雄海東也、伯固與之通好。伯固死、子伊夷摸立。伊夷摸自伯固時已數寇遼東、又受亡胡五百餘戶。建安中、公孫康出軍擊之、破其國、焚燒邑落、降胡亦叛伊夷摸、伊夷摸更作新國。其後伊夷摸復擊玄菟、玄菟與遼東合擊、大破之。伊夷摸死、子位宮立。位宮有勇力、便鞍馬、善射獵。魏景初二年、遣太傅司馬宣王率衆討公孫淵、位宮遣主簿、大加將兵千人助軍。正始三年、位宮寇西安平、嘉平五年、幽州刺史毋丘儉將萬人出玄菟討位宮、位宮將步騎二萬人逆軍、大戰於沸流。位宮敗走、儉軍追至峴、懸車束馬、登丸都山、屠其所都、斬首虜萬餘級、位宮單將妻息遠竄。六年、儉復討之、位宮輕將諸加奔沃沮、儉使將軍王頎追之、絶沃沮千餘里、到肅愼南界、刻石紀功；又到丸都山、銘不耐城而還。其後、復通中夏。晉永嘉亂、鮮卑慕容廆據昌黎大棘城、元帝授平州刺史。句驪王乙弗利頻寇遼東、廆不能制。弗利死、子釗(劉)代立、康帝建元元年、慕容廆子晃(皝)率兵伐之、釗與戰、大敗、單馬奔走。晃乘勝追至丸都、焚其宮室、掠男子五萬餘口以歸。 孝武太元十年、句驪攻遼東、玄菟郡、後燕慕容垂遣弟農伐句驪、復二郡。垂死、子寶立、以句驪王安爲平州牧、封遼東、帶方二國王。安始置長史、司馬、參軍官、後略有遼東郡。至孫高璉、晉安帝義熙中、始奉表通貢職、歷宋、齊並授爵位、年百餘歲死。子雲、齊隆昌中、以爲使持節、散騎常侍、都督營平二州、征東大將軍、樂浪公。高祖即位、進雲車騎大將軍。天監七年、詔曰：「高驪王樂浪郡公雲、乃誠款著、貢驛相尋、宜隆秩命、式弘朝典。可撫東大將軍、開府儀同三司、持節、常侍、都督、王並如故。十一年、十五年、累遣使貢獻。十七年、雲死、子安立。普通元年、詔安纂襲封爵、持節、督營平二州諸軍事、寧東將軍。七年、安卒、子延立、遣使貢獻、詔以延襲爵。中大通四年、六年、大同元年、七年、累奉表獻方物。太淸二年、延卒、詔以其子襲延爵位。(1387字)

北宋摹本『職貢圖』	張庚摹本『職貢圖』	『梁書』諸夷傳
	于闐 漢西域之舊國也. 其國水有二源, 一出蔥嶺, 一出于闐, 地多水潦沙石. 氣溫, 有稻麥, 多葡萄. 有水出玉, 名曰玉河. 國人喜鑄銅器. 王居室, 加以朱畫, 王冠金幘, 婦女皆辮髮裘袴. 魏文帝時, 獻名馬, 天監九年, 獻織成氍毹, 十三年, 又獻婆羅等障, 十八年, 又獻琉璃甖. (102字)	于闐國, 西域之屬也。後漢建武末, 王俞爲莎車王賢所破, 徙爲驪歸王, 以其弟君得爲于闐王, 暴虐, 百姓患之。永平中, 其種人都末殺君得, 大人休莫霸又殺都末, 自立爲王。霸死, 兄子廣得立, 後擊虜莎車王賢以歸, 殺之, 遂爲彊國, 西北諸小國皆服從。其地多水潦沙石, 氣溫, 宜稻、麥、蒲桃。有水出玉, 名曰玉河。國人善鑄銅器。其治曰西山城。有屋室市井。菓蓏菜蔬與中國等。尤敬佛法。王所居室, 加以朱畫。王冠金幘, 如今胡公帽。與妻並坐接客。國中婦人皆辮髮, 衣裘袴。其人恭, 相見則跪, 其跪則一膝至地。書則以木爲筆札, 以玉爲印。國人得書, 戴於首而後開札。魏文帝時, 王山習獻名馬。天監九年, 遣使獻方物。十三年, 又獻波羅婆步鄣。十八年, 又獻瑠璃罌。大同七年, 又獻外國刻玉佛。(264字)
唐 道宣, 『續高僧傳』卷24「唐新羅國大僧統慈藏傳」所引「梁職貢圖」 「釋慈藏, 姓金氏, 新羅國人, 其先三韓之後也…梁職貢圖云, 其新羅國, 魏曰新盧, 宋曰新羅, 本東夷辰韓之國矣」(20字)	斯羅國 本東夷辰韓之小國也. 魏時曰新羅, 宋時曰斯羅, 其實一也. 或屬韓, 或屬倭. 國王不能自通使聘. 普通二年, 其王姓募名泰, 始使隨百濟 奉表獻方物. 其國有城號曰健年, 其俗與高麗相類, 無文字, 刻木爲範, 言語待百濟而後通焉. (91字)	新羅者, 其先本辰韓種也。辰韓亦曰秦韓, 相去萬里, 傳言秦世亡人避役來適馬韓, 馬韓亦割其東界居之, 以秦人, 故名之曰秦韓。其言語名物有似中國人, 名國爲邦, 弓爲弧, 賊爲寇, 行酒爲行觴。相呼皆爲徒, 不與馬韓同。又辰韓王常用馬韓人作之, 世相係, 辰韓不得自立爲王, 明其流移之人故也, 恒爲馬韓所制。辰韓始有六國, 稍分爲十二, 新羅則其一也。其國在百濟東南五千餘里。其地東濱大海, 南北與句驪, 百濟接。魏時曰新盧, 宋時曰新羅, 或曰斯羅。其國小, 不能自通使聘。普通二年, 王姓募名秦, 始遣使隨百濟奉獻方物。其俗呼城曰健牟羅, 其邑在內曰啄評, 在外曰邑勒, 亦中國之言郡縣也。國有六啄評, 五十二邑勒。土地肥美, 宜植五穀。多桑麻, 作縑布。服牛乘馬。男女有別。其官名, 有子賁旱支, 齊旱支, 謁旱支, 壹告支, 奇貝旱支。其冠曰遺子禮, 襦曰尉解, 袴曰柯半, 靴曰洗。其拜及行與高驪相類。無文字, 刻木爲信。語言待百濟而後通焉.(328字)

北宋摹本『職貢圖』	張庚摹本『職貢圖』	『梁書』諸夷傳
周古柯, 滑旁小國。普通元年, 隨滑使朝貢。□表曰, 一切所恭敬, 一切吉具足, 如天靜無雲, 滿月明曜, 天子身淸靜具足亦如此, 四海弘願, 以爲舟舟行, 揚州閻浮提第一廣大國, 人(民)布滿, 歡樂莊嚴, 如天上不異, 周古柯王頂禮弁拜, 問訊天子□□□, 今上金(椀)一, 琉璃椀一,馬一疋. (103字)	周古柯國, 滑旁小國也。普通元年, 使使隨滑使來朝貢。表曰, 一切所恭敬, 吉具足, 如天淨無雲, 滿月明耀, 天子身淸淨具足亦如此, 四海弘願, 以爲舟航, 揚州閻浮提夷一廣大國, 人民市滿, 歡樂莊嚴, 如天上不異, 周柯王頂禮, 問許天子念我, 上金碗一, 琉璃碗一,馬..(以下 闕) (101字)	周古柯國, 滑旁小國也。普通元年, 使使隨滑來獻方物。(21字)
呵跋檀, 滑旁小國。普通元年, 隨滑使入貢。其曰, 最所□恭敬吉天子, 東方大地, 呵跋檀王一問訊□一過, 乃百千(万)億, 天子安隱, 我今遣使, 手送此書, 書不空, 故上馬一疋, 銀□一故. (66字)	呵跋檀者, 滑旁小國也。普通元年, 使使隨滑使來朝貢。其表曰, 君所應恭敬吉天子, 東方大地, 呵跋檀王一問許非一過, 乃百千萬億, 天子安穩, 我今遣使, 手送此書, 書不空, 故上馬一匹, 銀器一枚. (75字)	呵跋檀國, 亦滑旁小國也。凡滑旁之國, 衣服容貌皆與滑同。普通元年, 使使隨滑使 來獻方物。(36字)
胡蜜丹, 滑旁小國也。普通元年, 使使隨滑使來朝。其表曰, 楊州天子, 出處大國聖主, 胡蜜王名(時亻業), 遥長跪合掌, 作禮千万, 今滑使到聖國, (因)附函啓, 並水精鍾一口, 馬一疋, 聖國若有所勅, 不敢有異. (77字)	胡蜜檀國, 滑旁小國也。普通元年, 使使隨滑使來朝貢。其表曰, 揚州天子, 日出處大國聖主, 胡蜜王名時僕, 遥長跪合掌, 行禮千万, 令滑使到聖國, 因附函啓, 並水精鐘一口, 馬一疋, 聖國若有所頒勅, 不敢有異. (80字)	胡蜜丹國, 亦滑旁小國也。普通元年, 使使隨滑使來獻方物。(23字)
(上缺)....貢方□, 齊永明中,...監十年, 梁彌博, 表獻甘草當歸. 詔....州安西軍護羌(授)尉河涼二州刺史隴西公. 衣物風俗與河南國略同. (46字)	宕昌國 在河南虜東南, 益州之西北, 隴西之地. 其王曰梁氏, 宋武帝世, 有宕昌王梁謹忽, 始獻方物, 齊永明中, 宕昌王梁彌機, 機死彌顔立, 並受中國爵號. 天監十年, 獻甘草當歸. 詔以爲使指節都督河涼二州刺史隴西公. 其風俗衣服與河南仝. (94字)	宕昌國, 在河南之東南, 益州之西北, 隴西之西, 羌種也。宋孝武世, 其王梁瓘忽始獻方物。天監四年, 王梁彌博來獻甘草、當歸, 詔以爲使持節、都督河涼二州諸軍事、安西將軍、東羌校尉、河涼二州刺史、隴西公、宕昌王, 佩以金章。彌博死, 子彌泰立, 大同七年, 復授以父爵位。其衣服、風俗與河南略同。(114字)
鄧至 居西涼州界, 善別種也。宋文帝世, 鄧至王象屈耽, 遣其所置里水鎭(將)象, 破羌上書, 獻駿馬。(天)監五年, 國王象舒彭, 遣屬僧崇, 獻黃耆四百斤 · 馬四疋。其俗呼帽曰突阿。其衣服與宕昌略同。(72字)	鄧至國, 居西涼州录, 羌別種也。宋文帝世, 王象屈耽遣, 其所置里水鎭將象, 破虜, 上書獻駿馬。天監五年, 鄧至王象舒彭, 遣屬僧崇, 獻黃耆四百斤 · 馬四疋。其俗呼帽曰突阿。其衣服與宕昌略同。(74字)	鄧至國, 居西涼州界, 羌別種也。世號持節、平北將軍、西涼州刺史。宋文帝時, 王象屈耽遣使獻馬。天監元年, 詔以鄧至王象舒彭爲督西涼州諸軍事, 號安北將軍。五年, 舒彭遣使獻黃耆四百斤 · 馬四匹。其俗呼帽曰突何。其衣服與宕昌同。(91字)
白題, 匈奴旁別種胡也. (漢)初□□與匈奴戰, 斬白題騎一人。今在滑國東六十日行, 西極波斯廿日□。土地出粟 · 麥 · 菓. 食衣物與滑國略同。國王姓支, 名使□穀. 普通三年, (白)濟道釋(氈)獨活使安遠憐伽, 到京師,貢獻。(78字)	白題國, 舊匈奴別種胡也. 漢初灌嬰與匈奴戰, 斬白題騎一人。今在滑國六日行, 西極波斯廿日行。土地出粟、麥、瓜果, 食物衣服略與滑同。王姓支史稽穀. 普通三年, 白題道釋氈獨活使安遠惱伽, 到京, 就貢獻。(80字)	白題國, 王姓支名史稽毅, 其先蓋匈奴之別種胡也。漢灌嬰與匈奴戰, 斬白題騎一人。今在滑國東。去滑六日行, 西極波斯。土地出粟、麥、瓜菓, 食物略與滑同。普通三年, 遣使獻方物。(69字)

狼牙修, 在南海中。去廣州二萬四千里。國界東西三十日行, 南北二十日行. 土氣恒暖, 草木常榮, 無雪霜, 多金銀婆律沈香. 男女悉袒而被髮, 古貝繞身。國王以雲霞布覆(臂), □□□, 着草屐□帶金繩。耳着金環, 女子被布, 加以瓔珞。疊塼爲城, 重門樓閣, 閣有三層, 王行駕象, 有幡旄旗鼓, 罩白蓋, 兵衛(甚)設。國人說, 自初立國, 四百餘年, 後胤衰弱, 王族有賢者, 百姓歸之, 王收□之, 而鏁自折, 王不敢誅斥之, 出境遂奔天竺, 天竺妻以長女。俄而狼牙修王死, 擧國迎立之。二十餘年死, 子婆伽達多立。天監十四年, 遣使阿撤多, 奉表貢獻. (198字)		狼牙脩國, 在南海中。其界東西三十日行, 南北二十日行, 去廣州二萬四千里。土氣物產, 與扶南略同, 偏多沉婆律香等。其俗男女皆袒而被髮, 以古貝為干縵。其王及貴臣乃加雲霞布覆胛, 以金繩為絡帶, 金鐶貫耳。女子則被布, 以瓔珞繞身。其國累塼為城, 重門樓閣。王出乘象, 有幡旄旗鼓, 罩白蓋, 兵衛甚設。國人說, 立國以來四百餘年, 後嗣衰弱, 王族有賢者, 國人歸之。王聞知, 乃加囚執, 其鏁無故自斷, 王以為神, 因不敢害, 乃斥逐出境, 遂奔天竺, 天竺妻以長女。俄而狼牙王死, 大臣迎還為王。二十餘年死, 子婆伽達多立。天監十四年, 遣使阿撤多奉表曰 : 「大吉天子足下 : 離淫怒癡, 哀愍眾生, 慈心無量。端嚴相好, 身光明朗, 如水中月, 普照十方。眉間白毫, 其白如雪, 其色照曜, 亦如月光。諸天善神之所供養, 以垂正法寶, 梵行眾增, 莊嚴都邑。城閣高峻, 如乾陁山。樓觀羅列, 道途平正。人民熾盛, 快樂安穩。著種種衣, 猶如天服。於一切國, 為極尊勝。天王愍念羣生, 民人安樂, 慈心深廣, 律儀清淨, 正法化治, 供養三寶, 名稱宣揚, 布滿世界, 百姓樂見, 如月初生。譬如梵王, 世界之主, 人天一切, 莫不歸依。敬禮大吉天子足下, 猶如現前, 忝承先業, 慶嘉無量。今遣使問訊大意。欲自往, 復畏大海風波不達。今奉薄獻, 願大家曲垂領納。」(433字)
末國, 漢世且末國□。(勝)兵万餘戶。…題接, 西與波斯接。土人剪髮, 着…騾驢。今王姓安, 名(末深盤)…。(34字)		末國, 漢世且末國也。勝兵萬餘戶。北與丁零, 東與白題, 西與波斯接。土人剪髮, 著氈帽, 小袖衣, 爲衫則開頸而縫前。多牛羊騾驢。其王安末深盤, 普通五年, 遣使來貢獻。(64字)

『梁職貢圖』'旁小國' 기사를 통해 본 520년대 백제의 주변국 인식

朴仲煥 국립중앙박물관

Ⅰ. 머리말

『梁職貢圖』는 梁에 來朝한 주변 여러나라 사신들의 그림에 그 나라에 대한 기록을 덧붙여 적어넣은 독특한 유형의 書畫자료이자 기록자료이다. 이 자료는 그림과 함께 그 그림에 덧붙여진 해설이 있다는 점에서 圖報的 성격을 갖는다. 해당 나라들에 대한 기록에는 그 나라의 지리적 정보와 역사, 문화, 사정들을 기록한 내용들이 들어있어 梁代 당시 중국 주변 여러나라들의 상황을 전해주고 있다. 『양직공도』 원자료의 채록은 梁나라 元帝였던 蕭繹이 帝位에 오르기 전 荊州刺史로 재임하고 있을 때인 526~539년 사이 이루어진 것으로서 그 내용이 梁書 집필의 원 사료가 되었다고 보는 견해가 있었다[1]. 방소국 기사에 백제의 지방통치제도로서 담로제가 등장하고 있기 때문에 『양직공도』 편찬 단계 이전에 백제에서는 담로제가 시행되고 있었다고 보아야 한다. 또 왕도의 위치를 '固麻'라고 표현하고 있기 때문에 기본적으로 웅진시대의 사실을 바탕으로 한 것임은 분명해 보인다. 『양직공도』의 내용이 512년에서 521년 사이 梁 조정에 도착한 백제 사신의 使行 때 채록된 것으로 보는 견해가 있었고[2] 526년에서 534년 사이에 작성된 것으로 보는 견해도 있다[3]. 『양직공도』 가운데 백제국의 사정을 담고 있는 百濟國使條의 내용이 무령왕 혹은 성왕 대에 해당한다는 것이다. 『梁書』에 의하면 『양직공도』가 작성되었던 6세기 초반의 시기에 백제가 양에 입조한 것은 무령왕 21년인 普通 2년(521), 보통 5년(524), 중대통 6년(534)이었다. 하지만 백제국사를 설명한 백제국사 題記는 실

---

* 이 글은 2018년 마한연구원 국제학술회의(〈중국 양직공도 마한제국〉) 발표문을 보완한 것임.

1) 榎一雄, 1963, 「梁職貢圖について」, 『東方學』 26; 榎一雄, 1969, 「〈梁職貢圖について〉の補記」, 『東方學』 27.

2) 洪思俊, 1981, 「梁代職貢圖에 나타난 百濟國使의 肖像에 對하여」, 『백제연구』 12, 173쪽.

3) 金英心, 1990, 「5~6세기 백제의 지방통치체제」, 『한국사론』 22, 서울대, 67쪽.

제 백제 사절의 관찰에 입각한 것이고 백제국사조에는 보통 2년(521) 이후의 백제와 양의 통교기사나 백제의 사정들이 수록되어 있지 않기 때문에 백제가 사신을 파견한 보통 2년(521) 이후 그 다음 백제 사신이 양에 파견된 보통 5년(524) 이전의 약 4년 사이에 작성된 것으로 보아야 한다고 보는 의견이 최근 제기되었다[4]. 『양직공도』 백제국사조의 방소국 관련 기사는 기본적으로 521년 백제사신이 양에 입조하였을 때 얻어진 정보를 바탕으로 기술된 것이지만 백제 사신의 주관적인 주장이 반영된 것이었다고 볼 수 있다[5]. 방소국 기사는 521년을 전후한 시기 즉 6세기 전반기의 상황을 그것도 백제가 희망하는 상황으로 그렸다는 것이다. 양직공도는 현재 중국 南京博物院과 臺灣 臺北의 故宮博物院에 각각 소장되어 있다. 양쪽 모두 梁代 당시의 것이 아닌 후대의 모사본들로 알려져 있다. 대만 고궁박물원 소장품은 그림만 남겨진 것이고 중국 남경박물원 소장품에는 그림과 글씨가 모두 남아있다. 기록자료까지 담고 있는 이 남경본에 대해서는 金維諾을 비롯한 다수 연구자의 연구가 있었다[6]. 金維諾의 고증에 따르자면 남경본의 원본은 梁 元帝 蕭繹이 만든 것으로 列國 使者 12人 및 題記가 남아 있는데 현재의 판본은 宋 熙寧 10년(1077)에 그려진 모사본이라고 한다[7]. 『양직공도』에는 비교적 뚜렷한 백제국사의 그림이 있고 그림 뒤에는 '百濟國使'라는 제목의 題記가 있으며 거기에 백제를 소개한 내용이 담겨있다[8].

4) 井上直樹, 2018, 「『양직공도』 백제 제기에 보이는 「방소국」 재고」, 『중국 양직공도 마한제국』 (2018년 마한연구원 국제학술회의 발표요지, 마한연구원), 102~104쪽.

5) 이용현, 2013. 「梁職貢圖 止迷의 위치」, 『전남지역 마한소국과 백제』, 학연문화사, 293쪽.

6) 金維諾, 1960, 「"職貢圖"的時代與作者」, 『文物』 1960년 第7期; 榎一雄, 1963, 「梁職貢圖について」, 『東方學』 26; 榎一雄, 1969, 「〈梁職貢圖について〉の補記」, 『東方學』 27; 이용현, 2013. 「梁職貢圖 止迷의 위치」, 『전남지역 마한소국과 백제』, 학연문화사.

7) 金維諾, 1960, 「"職貢圖"的時代與作者」, 『文物』 1960년 第7期, 14~17쪽.

8) 이 기록은 이하 『양직공도』 백제국사조 또는 약칭하여 '백제국사조'라고 부르고자 한다. 또한 이 『양직공도』 백제국사조에는 백제 주변의 여러 나라들을 백제의 방소국으로 소개한 방소국

『양직공도』 백제국사조의 방소국 기사는 『양직공도』의 내용을 적지 않게 참고하여 작성한 것으로 보이는 『梁書』에는 인용되어 있지 않을 뿐 아니라 중국 및 한국의 다른 어떤 기록에도 등장하지 않는 독특한 사료이다. 그러면서도 6세기 전반기 당시의 한반도 남부 일대의 상황을 이해하는데 참고가 될 중요한 내용들을 담고 있다. 하지만 백제국사가 이러한 주장을 하게 된 배경, 그리고 방소국 기사를 통하여 알 수 있는 백제의 주변 국가에 대한 인식 등의 문제는 아직 충분하게 밝혀졌다고 보기 어렵다. 6세기 전반기는 고구려와 백제와 신라 세 나라의 각축전이 격화되어 가던 시기였다. 또 이러한 삼국의 영역확장전쟁 과정에서 삼국의 영토에 포함되어있지 않은 한반도 남부 일대의 제 세력들의 존재 형태에 대한 해석도 아직 다양하다. 이 글에서는 6세기 전반기의 상황 특히 521년을 전후한 시기에 한반도 남부 일대의 제세력들의 상호 관계를 보여주는 하나의 창으로서 『양직공도』 백제국사조의 방소국 기사가 갖는 의미를 재검토해 보고자 한다. 우선 백제의 사신이 양의 조정에서 주변국들을 방소국으로 소개하게 된 배경을 검토해 보고자 한다. 백제국사는 양의 조정에서 방소국들을 소개하는 과정에서 일부 국가들의 명칭 즉 國名을 멸시나 적대의 감정이 담긴 것으로 왜곡하여 전하고 있다. 이 글에서는 그러한 방소국들의 명칭에 내포된 감정적 태도를 통하여 당시 백제의 사신이 주변국에 대해 어떠한 인식과 감정을 갖고 있었는지 살펴보고 그러한 인식과 감정적 태도의 배경이 무엇이었는가에 대해서도 살펴보고자 한다. 이러한 과정을 통하여 신라와 가야 그리고 섬진강 以西의 제세력들을 바라보는 당시 백제측의 인식의 일단을 발견할 수 있을 것으로 기대한다. 이러한 작업은 521년이라고 하는 특정한 시기에 백제가 자신의 주변세력을 어떻게 바라보고 있었는가에

기록이 나온다. 이를 이 글에서는 『양직공도』 백제국사조의 방소국 기사 혹은 약칭하여 방소국 기사로 부를 것이다.

대한 정보를 제공해 줄 수 있을 것이다. 그리고 그러한 정보는 당시의 시점에서 백제의 가야나 마한지역을 향한 영토 확장 과정의 추이를 이해하는 데도 도움이 될 수 있다.

Ⅱ. 백제의 對中國 외교와 방소국 기사

『양직공도』 백제국사조의 내용은 다음과 같다(<사진 1> 참조).

> 百濟舊來夷馬韓之屬, 晉末, 駒麗略有遼東樂浪亦有遼西晋平縣, 自晋已來, 常修蕃貢, 義熙中, 其王餘腆, 宋元嘉中, 其王餘毗, 齊永明中, 其王餘太. 皆受中國官爵. 梁初, 以太爲征東將軍. 尋爲高句驪所破. 普通二年, 其王餘隆, 遣使奉表云, 累破高麗. 所治城曰固麻. 謂邑曰檐魯. 於中國郡縣. 有二十二檐魯. 分子弟宗族, 爲之. 旁小國有叛波 · 卓 · 多羅 · 前羅 · 斯羅 · 止迷 · 麻連 · 上巳文 · 下枕羅等附之. 言語衣服, 略同高麗. 行不張拱, 拜不申足. 以帽爲冠, 襦曰複杉, 袴曰褌. 其言參諸夏, 亦秦韓之遺俗.

이 백제국사조의 구성 내용을 주제별로 나누어 보면 다음과 같이 구성되어 있음을 알 수 있다.

가. 백제의 기원과 유래

나. 晉末 고구려의 요동 점유와 백제의 遼西 晉平縣 소유 내용

다. 晉代 이래 梁代에 이르는 백제의 중국 입조 연혁

라. 고구려와 백제의 전쟁양상

마. 백제의 도성과 담로에 대한 내용

바. 백제의 旁小國 소개

사. 언어, 복식, 풍속

백제국사조의 내용 가운데 두드러지는 점은 백제와 관련된 서술을 제외하고 나면 고구려에 대한 언급이 자주 등장한다는 사실이다. 백제국사조의 내용을 다시 나열하고 그 가운데 고구려가 언급된 부분을 표시해 보면 다음의 밑줄친 부분과 같다.

百濟舊來夷馬韓之屬, 晉末, (ㄱ) <u>駒麗略有遼東</u>樂浪亦有遼西晋平縣, 自晋已來, 常修蕃貢, 義熙中, 其王餘腆, 宋元嘉中, 其王餘毗, 齊永明中, 其王餘太. 皆受中國官爵. 梁初, 以太爲征東將軍. (ㄴ) <u>尋爲高句驪所破</u>. 普通二年, 其王餘隆, (ㄷ) <u>遣使奉表云, 累破高麗</u>. 所治城日固麻. 謂邑日儋魯. 於中國郡縣. 有二十二儋魯. 分子弟宗族, 爲之. 旁小國有叛波 · 卓 · 多羅 · 前羅 · 斯羅 · 止迷 · 麻連 · 上巳文 · 下枕羅等附之. (ㄹ) <u>言語衣服, 略同高麗</u>. 行不張拱, 拜不申足. 以帽爲冠, 襦日複杉, 袴日褌. 其言參諸夏, 亦秦韓之遺俗.

위에서 보듯이 백제국사조 전체를 통하여 고구려는 모두 4차례나 언급되고 있어서 글 가운데에서 고구려가 매우 큰 비중을 차지하고 있다는 점을 알 수 있다. 고구려와 방소국 아홉나라 이야기를 제외하고 나면 백제국사조에 한반도 일대의 정치체의 이름으로 등장하는 것은 馬韓과 秦韓이 한번씩 나올 뿐이다. 따라서 백제국사조의 내용은 백제를 설명하면서도 고구려와 비교하여 설명하고 있다는 특징을 가지는 문건이라고 볼 수 있다. (ㄱ)의 경우 樂浪으로 표현된 백제의 遼西 晉平縣 소유 내용을 전하는 기사이지만 이 기사는 晉末 고구려의 요동 점유 사실을 먼저 적고 그에 대응하는 사건으로서 백제의 遼西 晉平縣 소유 내용을 적고 있다.

(ㄴ)과 (ㄷ)은 백제가 고구려의 공격을 받아 패배한 사실과 이에 대응하여 무령왕이 사신을 보내 고구려를 여러차례 격파했다고 주장했음을 전한 것이다. 이 역시 고구려와의 대결 구도 속에서 백제가 고구려와 대등한 국력을 갖고 있다는 것을 강조하는 백제측의 주장이 반영된 것이다. (ㄹ)의 경우 백제의 언어와 의복을 전하는 기록인데 이 또한 그것이 대략 고구려와 같다고 적었다. '略同高麗'에 이어지는 '行不張拱, 拜不申足. 以帽爲冠, 襦曰複杉, 袴曰褌'은 고구려와 유사하다는 백제의 문화를 소개하는 내용들이라고 할 수 있다. 이렇게 보면 백제국사조의 내용 가운데 백제 자체에 대한 기록을 단독으로 적은 것은 '가. 백제의 기원과 유래', '다. 晉代 이래 梁代에 이르는 백제의 중국 입조 연혁', '마. 백제의 도성과 지방행정구역에 대한 내용', '바, 백제의 방소국 소개'의 네가지 사항이며 '대외영토의 대고구려 비교', '백제의 대고구려 전쟁 패배', '백제의 고구려에 대한 세력회복', '언어 의복의 고구려와의 유사성' 등 나머지 네가지 사항은 고구려와의 비교라고 하는 관점에서 기록된 것이다. 특히 (ㄱ), (ㄴ), (ㄷ)의 경우 고구려와 백제의 대외 진출의 경쟁적 상황을 전하는 내용이거나 한강유역의 영유를 둘러싼 백제와 고구려의 대립을 전하는 내용이다. 이와 같은 백제국사조 기록에 반영된 고구려와의 비교적 관점은 백제 사신이 양의 조정에서 한반도 남부 일대의 정치세력들 모두를 자신들의 부용국이라고 주장했던 방소국 기록의 배경을 이해하는데 시사하는 바가 크다. 백제국사조에 반복적으로 나타나고 있는 백제와 고구려와의 비교적 관점은 521년 백제의 對梁 遣使의 가장 중요한 목적이 고구려와 대등한 대외적 위상을 획득하는 것이었음을 보여주고 있기 때문이다. 그 내용이 최종적으로 梁 조정에 의해 기록되었다고 해도 이러한 관점은 유지될 수 있다. 백제는 475년 한성이 함락된 이후 웅진으로 천도하여 새롭게 국가체제를 정비하고 북으로부터 지속되는 고구려의 위협을 막기 위해 신라와 공동 대응전선을 모색했다. 특히 백제국사조의 배경이 된 사신 파견이 있었던 521년 전후의 무령왕대와 그에 이어지는 성왕대는 백제의 대

고구려 군사활동이 활발했던 시기였다. 이 시기 백제 최고의 국가적 현안은 왕조 존립의 최대 위협이었던 고구려와의 대립과정에서 군사적으로 그리고 외교적으로 유리한 위치를 확보하는 일이었을 것이다. 다른 관점으로 보면 梁의 입장으로서는 백제의 사신이 오기 몇 년 전인 512년과 516년 고구려의 사신을 받아들인 바 있었고 고구려와의 사이에 조공-책봉관계를 맺었으므로 521년 당도한 백제의 사신으로부터 백제의 주장을 전해 듣고 이해할 때는 기본적으로 고구려와의 비교적 관점에서 파악할 수 밖에 없었을 것이라고 볼 수도 있다. 하지만 동성왕대 南齊에 대해 사신을 파견하던 때의 정황을 기록한 다음의 기사를 보면 대중국외교에서 보다 유리한 입장을 두고 고구려와 치열하게 경쟁하고 있던 백제의 외교적 動機를 읽을 수 있다.

> 봄 2월에 왕이 南齊의 祖 道成이 고구려 왕 巨璉을 驃騎大將軍으로 책봉했다는 말을 듣고는, 사신을 남제에 보내 표문을 올리고 속국이 되기를 청하자 남제에서 허락하다. 가을 7월에 내법좌평 沙若思를 남제에 보내 조공하게 했는데 사약사가 서해 가운데 이르렀을 때 고구려 군사와 마주쳐서 나가지 못하였다[9].

한성 함락과 웅진천도 이후 백제 대중외교의 최우선 관심사항이 고구려와의 외교경쟁이었음을 위의 기사에서 잘 볼 수 있다. 그리고 거기에는 고구려가 받은 책봉의 관작과 비교하여 그와 대등하거나 그 보다 고위의 관작을 책봉받는 것에 백제 외교의 관심이 집중되어 있었던 것임도 알 수 있다. 백제 외교의 이러한 관심은 앞서 인용한 백제국사조의 내용 속에서도 찾아볼 수 있다. 즉 백제국사조

9) 春二月 王聞南齊祖道成册高句麗巨璉爲驃騎大將軍 遣使上表請內屬 許之 秋七月 遣內法佐平沙若思如南齊朝貢 若思至西海中 遇高句麗兵 不進 (『삼국사기』 백제본기 제4 東城王 6년)

가운데는 '普通二年, 其王餘隆, 遣使奉表云, 累破高麗'라고 하여 특별히 고구려와의 전투에서 힘의 우위를 회복했음을 주장하고 있는 것이다. 한반도 남부의 유력한 주요 정치세력들을 모두 망라하여 이들을 방소국 아홉나라로 묶어서 梁의 조정에 소개하고 이들이 모두 백제의 부용국이었다고 주장한 방소국 기사의 내용 역시 이러한 고구려와의 대립구도 속에 등장하는 내용이라는 사실을 주목할 필요가 있다.

Ⅲ. 旁小國 기사의 작성 배경

1. 기사 작성의 상황적 배경

『양직공도』에 등장하는 백제국 使者의 그림 및 題記가 그려진 상황은 段成式의『酉陽雜俎. 禮異篇』梁의 정월 초하루 朝賀에 등장하는 장면 묘사와 일치하는 것으로 보는 견해가 있다. 梁의 조정에서 북조의 사자가 朝賀할 때 백제, 고구려의 사자도 참가하여 茹茹, 昆侖의 외빈 사자들과 함께 통로의 양측에 도립하여 있었던 아래의 묘사는 梁朝 사람들의 백제인의 묘사가 이루어지던 상황이었다는 것이다. 이러한 朝賀 의례과정에서『양직공도』에 등장하는 백제국 使者의 그림 및 題記가 이루어진 것이어서 그 그림과 기사들은 백제 사신을 직접 보고 그로부터 직접 듣고 작성한 것으로 사실을 반영한 것으로 보았다[10]. 당시의 조하의례는 다음처럼 묘사되어 있다.

---

10) 吳桂兵, 2018,「고대 중국 시야 중의 마한 -歷史文獻과 文物, 考古 유물의 분석을 바탕으로-」(전라남도 문화관광재단. 2018 영산강 유역 마한 문화 재조명 국제학술대회 발표요지 132쪽)(2018. 10. 25)

양나라 정월 초하루, 북조의 使者가 수레를 타고 궁궐에 이르러 궁성 정문으로 들어갔다. 그 문 위쪽의 題名은 "朱明觀"이고, 다음 문은 "應門"이다. 문의 아래에는 그림이 그려진 북이 있다. 그 다음 문은 "太陽門" 인데, 좌측에는 큰 종이 걸려 있는 고루가 있고, 우측으로는 문이 활짝 열린 朝堂이 있다. 그 좌우에도 그림이 그려진 큰 북이 있다. 북조의 사자가 문에 들어서자 鍾磬을 쳤다. 사자 일행이 馬道 북쪽에 이르러 종이 걸려 있는 內道 서북쪽에 섰다. (영접하는 사람이) 宣城王 등 여러 사람을 맞이한 후 들어가니 경을 치고 (宣城王 등이) 내도 동측에 북쪽을 향하여 섰다. 종이 걸려 있는 바깥 쪽 동서 양면 곁채에는 신하들이 시립하였다. 馬道의 남쪽 동편에는 茹茹와 昆侖의 손님이 서 있었고, 서편에는 고구려, 백제의 손님 및 3천여 명의 군신이 도립했다. 모두 제 위치에 서자 양나라 왕이 東堂에서 나왔다. 양나라 왕은 밖에서 기거하기 때문에 上閣에서 나오지 않았다고 한다[11].

이 문헌의 기록처럼 『양직공도』 중의 백제국사의 모습을 그린 그림은 梁의 朝賀 의식에 참가한 백제 사신의 모습을 반영한 것이었을 수도 있다. 문제는 그림 그 자체가 아니라 題記라고도 부를 수 있는 백제국사조의 문장에 담긴 내용이다. 특히 신라의 경우 당시의 상황을 실제대로 반영했다고 볼 수 없는 백제 사신의 주장이 어떻게 梁의 조정에서 무비판적으로 받아들여지고 그것이 그대로 백제국사조에 인용되어 기록되었던 것일까? 백제국사조 기재의 독특한 배경은 당시 백제 사신이 신라 사신을 동반하고 입조한 상황에서 백제 사신 만이 독점적으로 가지고 있던 중국어 구사능력이었을 가능성이 높다. 당시 백제 사신을 따라 동반 입조한 신라

---

11) [唐] 段成式 撰, 方南生 點校『酉陽雜俎』권1『禮異』, 中華書局, 1981년 12월 제1판, 7쪽(吳桂兵, 2018,「고대 중국 시야 중의 마한 -歷史文獻과 文物, 考古 유물의 분석을 바탕으로-」(전라남도 문화관광재단 2018 영산강 유역 마한 문화 재조명 국제학술대회 발표요지(2018. 10. 25) 131~132쪽에서 재인용).

사신은 양의 조정에서 중국 사람들과 충분한 의사소통을 할 정도로 중국 언어를 이해하고 말할 능력이 없었던 것이다. 『梁書』 신라전에 '語言待百濟而後通焉'이라고 하여 신라 사신과 양 조정 사이에 직접 언어소통이 불가능했고 백제 사신의 통역을 거쳐야만 서로 이야기할 수 있다고 전하고 있는데 이것은 신라 사신이 자신의 의사를 직접 梁側에 전달할 수 없는 언어적 장벽이 있었음을 말해주고 있다. 신라와 관련된 모든 정보가 백제 사신의 입을 통해 양측에 전달되고 있던 당시의 상황을 읽을 수 있는 것이다. 백제와 신라 사신이 동반입조한 상황 속에서도 이러한 특수한 의사소통 환경 때문에 백제의 사신은 신라를 포함한 한반도 남부의 모든 정치세력이 백제의 부용국이라고 주장할 수 있었던 것이다. 이러한 상황에서 양은 신라를 매우 후진적 나라로 인식하게 되었을 것이다. 그러한 내용이 『梁書』 신라전의 기록에 다음과 같이 반영되어 있다.

其國小 不能自通使聘 …… 無文子 刻木爲信 語言待百濟而後通焉

521년 당시 신라에 문자가 없었다는 이러한 기록은 사실과 다르다. 501년의 포항 중성리비와 503년에 세워진 포항 냉수리비에 쓰여진 한문의 존재를 통해 521년 이전에 신라 사회가 한문을 사용하고 있었다는 사실을 확인할 수 있다. 한자를 이미 사용하고 있었음에도 위의 기록에서처럼 문자를 사용하지 못하는 집단으로 왜곡되게 된 배경은 문자 사용과는 또 다른 영역의 의사소통 능력인 중국 언어 구사능력의 부족에서 온 결과였을 것이다. 외국 사회와의 의사소통에는 문자 해독능력이나 작문능력 뿐만 아니라 그것을 토대로 상호 대화가 실시간으로 가능한 언어 구사 능력까지를 갖추어야 정상적이고 완전한 소통이 이루어질 수 있다. 그런데 『梁書』 신라전에서 기록한 것처럼 신라가 '無文子 刻木爲信'이라고 하여 후진적이고 문자사용이 불가능한 집단으로 전해진 배경은 중국의 문자인 한문의 작문과 해독이 가능한 상태였음에도 중국어 사용능력까지는 갖추지 못하고 있었던 불완전한 의사소통 상태에 기인한 것이었다고 보아야 할 것이다. 요컨대 521년 백제를 따라 양나라에 동반 입조하던 당시 신라는 중국의 문자인 한문을 읽고 쓰는 것[讀書]은 가능했지만 중국의 언어를 듣고 이해하고 말하는[聽解, 對話] 단계에까지는 이르지 못한 중국 문자언어 사용의 과도기적 상태에 있었던 것으로 볼 수 있다.

2. 백제 주장의 史的 배경

『양직공도』 백제국사조의 내용 가운데 방소국에 대한 기사는 하반부에 들어 있는 문장으로서 "旁小國有叛波 · 卓 · 多羅 · 前羅 · 斯羅 · 止迷 · 麻連 · 上巳文 · 下枕羅等附之"라고 한 부분이다. 백제국사조에서는 이 아홉 나라와 백제와의 관계를 '旁小國', '附之'라고 표현하고 있다. '旁'은 '곁', '옆', '가깝다'는 뜻으로 새길 수 있다. 즉 '旁小國'이란 '옆에 있는 작은 나라'라는 뜻이 된다.

구체적으로 방소국으로 거론된 나라들의 사정을 살펴보자. 아홉 개 나라 가운데 가장 먼저 기재된 '叛波'는 伴跛를 가리키는 것으로 보인다. 伴跛는 加羅라고도 불리운다. 叛波 즉 加羅는 지금의 고령에 있었던 것으로 생각되고 있다. 叛波는 512년과 514년 섬진강 유역의 己汶과 滯沙를 둘러싸고 백제와 경합하였으며 또 522년에는 신라와 혼인관계를 맺고 연계를 도모한 적이 있었다[12]. 이미 521년 전후의 시기에 백제와 대립적인 관계를 유지하고 있었던 데다가 친신라적 움직임도 보이고 있던 정치체였던 셈이다. 卓은 卓淳이다. 이 卓淳은 『일본서기』 흠명기 5년 3월조에서도 '卓淳'이라는 이름으로 소개되고 있다. 卓淳의 위치에 대해서는 여러 가지

12) 『삼국사기』 신라본기 법흥왕 9년조, 『일본서기』 계체 3년조.

설이 대립되어 왔으나 일본서기 신공기 49년조 기사를 백제의 군사활동으로 보고 백제의 군사이동 경로가 육지를 통한 것으로 본다면 지금의 대구지역일 가능성이 높다. 卓淳은 久禮山과 함께 531년 무렵 신라에 제압되었다[13]. 多羅는 지금의 합천으로 비정되고 있다. 多羅의 경우 6세기 초반의 동향이 분명치 않다. 前羅 즉 安羅의 경우 지금의 함안으로 보는 데 이론이 많지 않다. 6세기 전반에 叛波와 함께 가야제국을 대표하는 남부가야의 유력국이었다. 安羅, 加羅(叛波), 多羅는 南加羅와 더불어 가야 여러나라를 대표하는 나라들이다. 이 세 나라는『일본서기』欽明 23년(562) 춘정월조에 가야의 대표적인 10개 나라를 언급할 때도 등장하고 있다. 6세기 중반에 이르도록 존속하였던 가야 세력의 대표 국가들이었던 것이다. 安羅의 경우 513년에 叛波와 함께 가야제국을 대표하는 세력으로 나타나고 있었으며[14] 529년에는 왜의 원군을 불러들이고[15] 530년에는 백제의 원군을 불러들인 적이 있었다[16]. 백제는 前羅 즉 安羅 때문에 6세기 초에 久禮山, 乞乇城에 군사력을 주둔시키고 있었다. 그런데 이는 前羅의 다면외교였다는 관측이 많다[17].

斯羅 즉 新羅는 6세기 초엽에 실질적인 의미에서 백제의 부용국이라거나 백제 곁의 작은 나라라고 보기 어렵다. 백제는 475년 고구려의 남침으로 발생한 국가 존립의 위기상황에서 왕자 문주를 보내 신라에 군사적 지원을 요청했다. 웅진 천도 이후 백제는 고구려의 남침을 막기 위해 신라와 군사적으로 협력관계에 있었다. 양 조정에서 신라가 백제의 부용국이라고 주장한 것은 백제가 신라와 가야에 대하여 군사력의 우위를 점하고 있던 과거 시기의 역사적 기억에 근거한 것일 가능성

13) 田中俊明, 1992,『大伽倻連盟の興亡と任那』, 125~142; 김태식, 1988,「6세기 전반 가야남부제국의 소멸과정고찰」,『한국고대사연구』1, 218쪽.

14)『일본서기』계체 7년 11월조

15)『일본서기』계체 23년 3월 시세조

16)『일본서기』계체 25년 시세조 분주

17) 鈴木英夫, 1996,「六世紀初頭の案羅と倭國」,『古代の倭國と朝鮮諸國』, 青木書店.

이 있다. 그것은 백제국사조가 기록되던 6세기초 당시의 실질적인 군사력에 기반한 양국 관계와는 다른 것이다. 과거 특정시기에 백제와 신라, 그리고 백제와 가야 사이에 형성되어 있었다고 하는 양국관계란 373년 발생한 백제 독산성주의 신라로의 내투 사건을 전하는 다음의 기록 속에서 그 단초를 찾아볼 수 있다.

> 백제 독산성주가 300명을 거느리고 신라에 내투하였다. 신라왕은 이들을 받아들여 육부에 나누어 살게 하였다. 백제왕이 국서를 보내 말하기를 '두 나라가 화호하여 형제가 되기로 약속하였다. 지금 대왕이 우리의 도망한 백성을 받아들이니 화친의 뜻에 심히 어긋나므로 대왕에게 바라는 바가 아니니다. 청컨대 돌려보내주시오.' 하였다. 답하여 말하기를 '백성들은 항상심이 없다. 그 까닭에 생각이 있으면 오고 싫으면 가는 것이 본디 그러한 것이다. 대왕은 백성의 불안을 근심하지 않고 과인을 책망하는 것이 너무 심하지 아니한가' 하였다. 백제왕이 듣고 다시 말하지 않았다[18].

독산성주가 신라에 투항한 위 사건의 기록 중에 두 나라가 화호하여 형제가 되기로 약속하였다(兩國和好 約爲兄弟)는 이야기는 이 기록보다 4년 앞서 있었던 신라에 대한 백제의 군사활동과 연관된 이야기였을 것이다. 즉 366년 근초고왕은 신라에 사신을 파견하여 양국의 친선관계를 구축하기 위해 힘을 기울인 바 있다. 하지만 백제의 친선구축 노력에도 불구하고 신라는 367년에 왜를 찾아가는 백제 사신을 억류한 바 있다. 결국 백제는 아래의 『일본서기』 신공기 49년(369)조에 기술된 바와 같이 木羅斤資 등이 참여한 신라와 가야 7국에 대한 군사 공격을 단행하게

18) 百濟禿山城主 率人三百來投 王納之 分居六部 百濟王移書日 兩國和好 約爲兄弟 今大王納我逃民 甚乖和親之意 非所望於大王也 請還之 答日 民者無常心 故思則來斁則去 固其所也 大王不患民之不安 而責寡人 何其甚乎 百濟聞之 不復言 (『삼국사기』 권3 신라본기 奈勿王 18년)

되었던 것으로 보인다.

> 봄 3월에 황전별, 녹아별을 장군으로 삼았다. (이들은) 구저 등과 함께 군대를 거느리고 바다를 건너 탁순국에 이르러 신라를 습격하려 하였다. 이때 어떤 사람이 말하기를 군사의 수가 적어 신라를 격파할 수 없다고 하였다. 이에 사백개로를 받들어 보내 군사를 더해줄 을 요청하였다. 곧 목라근자와 사사노궤 (이 두 사람은 성씨를 알 수 없다. 단 목라근자는 백제의 장군이다.)에 명하여 정병을 거느리고 사백개로와 함께 보냈다. (이들은) 모두 탁순국에 모여 신라를 쳐서 깨뜨렸다. 이로 인하여 비자본, 남가라, 탁국, 안라, 다라, 탁순, 가라 7국을 평정하였다. 곧이어 군대를 이동하여 서쪽으로 돌아 고해진에 이르러 남만 침미다례를 도륙하고는 백제에 하사하였다. 이에 백제 초고왕 및 왕자 귀수도 또한 군대를 거느리고 와서 만났다. 이때 비리, 벽중, 포미지, 반고 4읍이 스스로 항복하였다[19].

이 『일본서기』 신공기의 기록에는 신라, 가야, 마한지역 여러 정치체를 왜가 정벌한 것으로 표현하고 있지만 이는 백제의 군사활동을 윤색, 왜곡한 『일본서기』의 서법으로 보아야 할 것이다. 백제와 신라 두 나라가 화호를 맺고 형제국이 되기로 약속하였다는 것은 366년부터 진행된 백제의 사신파견 그리고 위의 기록에 보이는 바와 같이 369년 벌어진 신라, 가야에 대한 백제군의 군사 공격이 있었던 이후에 맺어진 講和條約과 같은 것으로 보인다[20]. 아마 거듭된 백제의 사신파견에

---

19) 春三月 以荒田別鹿我別爲將軍 則與久氐等 共勒兵而度之 至卓淳國 將襲新羅 時或曰 兵衆少之不可破新羅 更復奉上沙白蓋盧 請增軍士 卽命木羅斤資沙沙奴跪(是二人不知其姓人也 但木羅斤資者 百濟將也) 領精兵 與沙白蓋盧共遣之 俱集于卓淳 擊新羅而破之 因以 平定比自炑南加羅㖨國安羅多羅卓淳加羅七國 仍移兵西廻至古奚津 屠南蠻忱彌多禮 以賜百濟 於是 其王肖古及王子貴須 亦領軍來會 時比利辟中布彌支半古四邑 自然降服 (『일본서기』 권9 신공기 49년)

20) 노중국, 2012, 「문헌기록을 통해서 본 영산강 유역-4~5세기를 중심으로-」, 『백제와 영산강』,

도 신라가 왜로 가는 백제 사신을 억류하는 등 비협조적인 태도를 보이자 백제는 신라와 가야제국에 대한 군사 공격을 단행하고 그 결과로 신라와 가야제국에 대한 우월적 위치를 확인하는, 그리고 형제관계로 불리우는 외교관계를 맺었던 것으로 보인다. 『양직공도』 백제국사조 방소국 기사에서 가야, 마한 지역 나라들 뿐 아니라 신라까지도 백제의 방소국이자 부용국이라고 주장했던 백제 사신의 대외관은 이처럼 백제가 4세기 후반 전개한 군사활동을 바탕으로 이들 국가와 맺었다는 우월적 외교관계(형제부자관계)에 대한 역사적 기억에 근거한 것이었을 가능성이 높다. 『양직공도』 백제국사조에 방소국으로 나오는 가야제국은 '叛波 · 卓 · 多羅 · 前羅'의 4개국이다. 이들 가야의 나라들과 백제와의 관계에 대하여는 다음과 같은 성왕의 회고담이 참고가 된다.

> 성명왕이 말하기를 '옛날 우리 선조 속고왕과 귀수왕 시대에 안라, 가라, 탁순 등의 한기들이 처음으로 사신을 보내 서로 통교하였다. 친호를 두터이 맺어 자제가 되어 가히 항상 융성을 기대할 수 있었다. (중략) 이에 임나에 대해 말하기를 옛날 우리 선조 속고왕과 귀수왕은 옛 한기들과 더불어 비로소 화친을 맺고 약속하여 형제가 되었다. 이에 나는 너를 자제로 삼고 너는 나를 부형으로 하였다'[21].

『양직공도』 백제국사조 방소국 기사의 가야제국 네 나라 '叛波 · 卓 · 多羅 · 前羅' 즉 加羅, 卓淳, 多羅, 安羅는 성왕이 회고한 바 과거에 백제와 부모의 관계를 체결한 바 있었다고 말한 안라, 가라, 탁순의 세 나라에 多羅가 포함된 것이다. 앞의

61쪽.

21) 聖明王曰 昔我先祖速古王貴須王之世 安羅加羅卓淳旱岐等 初遣使相通 厚結親好 以爲子弟 冀可恒隆.(중략)乃謂任那曰 昔我先祖速古王貴須王 與故旱岐等 始約和親 式爲兄弟 於是我以汝爲子弟 汝以我爲父兄 (『日本書紀』 권19 欽明기 2년)

세 나라는 김해의 南加羅와 더불어 가야 여러 나라를 대표하는 나라들이자 남가라가 신라에 병합된 이후에도 여전히 가야의 중심세력으로 존재하였던 나라들이다. 또 특별히 이 세 나라는 스스로 그 수장을 왕으로 불렀고 新羅와 마찬가지로 '羅'를 국명의 일부로 쓰고 있어서 자신들의 나라가 신라와 대등하다는 의식을 표출하고 있었던 것으로 보인다[22]. 특히 방소국의 가야 네 나라는 늦게까지 존속한 가야의 중심세력이면서 남해안 연안이나 섬진강 부근인 경남 서쪽 지역이 아니라 경남 내륙 중심부의 깊숙한 곳에 위치한 나라들이라는 특징이 있다.

6세기 대의 단계에서 있었던 성왕의 가야지역에 대한 앞서의 회고 내용을 보면 4세기 후반의 시기에 백제의 신라나 가야, 섬진강 이서 지역에 대한 모종의 군사활동이 있었을 가능성은 배제할 수 없다. 위에 인용한 바와 같이 성왕대의 회고에 신공기 49년조의 군사활동을 뒷받침하는 내용의 이야기가 나오고 있기 때문이다. 하지만 그 모종의 군사활동이란 해당 지역을 영역적으로 지배할 수 있을 정도의 군사적 성공이었다고 보기는 어렵다. 백제의 신라에 대한 당시의 군사활동이란 하나의 군사적 시위 수준에 그쳤던 것으로 보인다. 백제의 군사활동이 있었다고 하는 369년에서 불과 4년이 흐른 뒤인 373년 발생한 백제 독산성주의 신라로의 내투 사건과 그로 인해 발생한 백제 - 신라 양국의 외교적 긴장, 그 뒤 이어지는 전개과정을 보면 369년 있었다고 하는 백제의 신라, 가야, 마한지역 공격과 이에 근거하여 백제의 우월적 지위를 인정한 외교관계라고 하는 것은 실효성이 제한적인 것이었고 그 영향력 또한 미약한 것이었음을 알 수 있다.

---

22) 이근우, 2005, 「『日本書紀』「神功紀」 加羅 7국 정벌 기사에 대한 기초적 검토」, 『한국고대사연구』 39, 133쪽 참조.

Ⅳ. 國號에 반영된 백제의 방소국관

1. 방소국 9국의 위치

백제의 방소국이라고 백제국사조에 기록되어 있는 아홉나라의 위치에 대해서는 이홍직이 비정한 바 있고 이를 토대로 이용현이 수정한 견해가 있다[23]. 이러한 앞서의 연구를 토대로 아래에 정리한 이들 아홉나라의 위치에 대한 의견은 많이 좁혀졌지만 그 가운데 탁순과 지미, 마련의 경우 연구자 사이의 견해 차이가 아직 크다. 이글에서는 기본적으로 李弘稙과 이용현에 의해 제시된 위치비정안을 토대로 하되 탁순과 지미, 마련, 下枕羅 등 일부 나라의 위치에 대해서는 다른 관점을 가지고 보고자 한다.

우선 탁순의 경우이다. 卓淳은 久禮山과 함께 531년 무렵 신라에 제압되었다[24]. 卓淳의 위치에 대하여는 이를 창원으로 본 今西龍의 창원설에 대하여 근래에는 대구설이 다시 힘을 얻고 있다[25]. 특히『일본서기』신공기 49년조에서 탁순은 백제군이 처음으로 집결한 곳이었다는 점을 주목할 필요가 있다. 내륙교통로를 이용했을 백제 정벌군의 이동경로로 보아 첫 집결지는 백제로부터 가장 접근하기 좋은 곳을 선택했을 것이기 때문이다. 백제군의 내륙을 이용한 이동경로를 고려할 경우 대구설의 가능성이 높아지는 것이다.

止迷는『新撰姓氏錄』에 보이는 止美일 가능성이 지적되고 있다.『新撰姓氏錄』

---

23) 李弘稙, 1971,「梁職貢圖論考」,『高大60周年紀念論文集』; 이용현, 2013,「梁職貢圖 止迷의 위치」,『전남지역 마한 소국과 백제』, 학연문화사.

24) 田中俊明, 1992,『大伽倻連盟の興亡と任那』, 125~142; 김태식, 1988,「6세기 전반 가야남부제국의 소멸과정고찰」,『한국고대사연구』1, 218쪽

25) 노중국, 2007,「4세기 가야와 백제의 관계」,『부대사학』30집, 부산대학교 사학회.

河內國皇別 止美連條에 나오는 百濟國 止美邑[26]에 해당될 수 있다고 생각한 의견이 주목된다. 이러한 해석이 가능하다면 止迷(止美)는 地名 漢字의 音 相似로 미루어 볼 때『晉書』張華列傳에 나오는 新彌諸國의 '新彌'[27]와 동일지역일 가능성이 높고『日本書紀』神功紀 49년조 기록의 이른바 '南蠻 忱彌多禮'[28]의 '忱彌多禮'와 같은 정치체일 가능성이 높다. 地名 漢字의 音 相似로 보아 '忱彌多禮(忱彌)=止迷(止美)=(新彌)'의 가능성이 있는 것이다. 新彌諸國의 '新彌'는 영산강 유역 일대의 마한세력을 가리키는 것으로 이해되어 오고 있다. 그 위치는 영산강 유역에서 대표적인 고총고분 밀집 분포지역이자 토착묘제의 특징을 가장 잘 유지하고 있는 영암 시종과 나주 반남일대였을 것이다. 위의『新撰姓氏錄』기사 중에 나오는 '娶止美邑吳女'는 '止美邑 吳氏 집안의 딸과 결혼하여'라는 의미로 해석할 수 있다. '止美邑의 吳氏'는 통일신라말 後三國 分立 시기에 고려 태조 왕건을 도와 후백제의 견훤세력을 견제했던 나주 호족 吳多憐(多憐君)의 선조였을 가능성이 있다. 널리 알려져 있듯이 나주 호족 吳多憐의 딸은 왕건의 妃가 되어 고려 2대왕 혜종을 낳은 莊和王后 吳氏이다. 吳多憐의 父는 富伅인데 대대로 나주의 木浦 즉 지금의 영산포 일대에서 살았던 가문으로 전해진다. 그들은 중국과의 대외무역에 종사하는

26) 尋來津公同祖 豊城入彥命之後也 四世孫荒田別命男田道公 被遣百濟國 娶止美邑吳女 生男持君 三世孫熊 次新羅等 欽明天皇御世 參來 新羅男 吉雄 依居賜姓止美連也 日本紀漏 (『新撰姓氏錄』河內國皇別 止美連條)

27) 東夷馬韓 新彌諸國 依山帶海 去州四千餘里 曆世未附者二十餘國 並遣使朝獻(『晉書』張華列傳)

28) 春三月 以荒田別鹿我別爲將軍 則與久氐等 共勒兵而度之 至卓淳國 將襲新羅 時或曰 兵衆少之 不可破新羅 更復奉上沙白蓋盧 請增軍士 卽命木羅斤資沙沙奴跪(是二人不知其姓人也 但木羅斤資者 百濟將也) 領精兵 與沙白蓋盧共遣之 俱集于卓淳 擊新羅而破之 因以 平定比自炑南加羅喙國安羅多羅卓淳加羅七國 仍移兵西廻至古奚津 屠南蠻忱彌多禮 以賜百濟 於是 其王肖古及王子貴須 亦領軍來會 時比利辟中布彌支半古四邑 自然降服 (『日本書紀』권9 神功紀 49년)

중국계 유이민 세력으로 해상무역으로 부를 축적하여 유력한 지방호족으로 성장했던 것으로 보인다[29]. 『增補文獻備考』에는 羅州 吳氏 가문의 先代가 중국에서 무역으로 번성한 집안이며 海外貿易商들을 따라 신라로 건너왔다고 한다[30]. 吳氏 大同譜의 기록들에서는 吳氏의 都始祖로 여겨지는 吳瞻이 신라 지증왕 때에 중국으로부터 건너왔고 신라의 귀족 김종의 딸과 결혼해서 살다가 뒤에 중국으로 돌아갔다고 전한다. 그런데 그의 둘째 아들 吳膺이 중국으로 돌아가지 않고 남아서 함양에서 살면서 오씨의 뿌리가 되었으며 그 吳膺이 나주의 영산강 일대에서 활동했던 吳多憐의 先代가 된다고 보고 있다[31].

본고에서는 '止迷(止美)'와 '新彌'와 '忱彌多禮'를 같은 정치체로 보는 관점에서 이 세 지명(국명)이 가리키는 지역을 섬진강 이서의 마한지역 가운데 가장 중심적이고 강력한 정치세력이어야 할 것이라고 본다. 그 이유는 忱彌多禮를 쳐서 무너뜨리자 그 주변 일대의 정치세력들 즉 '比利辟中布彌支半古四邑'이 모두 自然 降服했다고 하는『日本書紀』神功紀 49년조 기사의 문맥 때문이다. 이 기사는 섬진강 이서의 지역에 있던 토착세력 가운데 가장 대표적이면서도 가장 강력한 세력을 백제가 무너뜨리자 그 주변 군소세력들이 그 형세에 눌려 고개를 숙였다는 내용으로 해석되어야 한다. 자기보다 규모나 군사력이 약한 세력이 무너지는 것을 보고 놀라서 손을 들고 항복하는 정치세력은 없을 것이기 때문이다. 게다가 忱彌多禮는 하나의 정치체였던 것으로 보이지만 '比利辟中布彌支半古四邑'은 4개의 정치체였던 것으로 보인다. 정치체 하나가 무너지는 것을 보고 그 인근 지역의 다수의 정치체들이 놀라서 손을 들고 항복했다면 그것은 먼저 무너진 하나의 정치체가 나중에 항복한 4개의 정치체들에 필적하는 위상과 힘을 가진 세력이어야 한다. 그러한 대

29) 鄭淸柱,『新羅末 高麗初 豪族硏究』, 一潮閣, 158쪽.
30)『增補文獻備考』49, 帝系考 10, 氏族 4, 吳氏
31) 吳大善, 1962,『吳氏 大同譜序』.

표적인 세력인 忱彌多禮(止迷, 新彌)는 고고학 자료로 볼 때 백제의 남쪽 지역 그리고 섬진강 이서 지역에서 가장 밀집되고 高大化되고 토착성이 강한 고총고분 밀집분포 지역인 나주 반남과 영암 시종 일대였을 가능성이 높다. 이 지역 정치체의 문화적 특징은 신촌리 9호분 금동관을 필두로 한 옹관고분 문화이며 그것은 백제 문화와 차별화된 강력한 토착세력의 면모를 보여주고 있다.

麻連은 地名 發音의 유사성으로 계체기 6년조(512)에 보이는 이른바 임나 4현 할양 기사 중의 牟婁와 동일한 것으로 보는 관점이 있어 왔다. 이러한 관점 아래 지금까지의 연구에서는 크게 두 지역이 그 대상지역으로 거론되어 왔다. 우선 김태식처럼 섬진강 서안의 광양시 일대로 보는 것이다. 광양시에 마룡리라 불리는 지명도 지역 비정의 근거로 거론된 바 있다[32]. 다른 한편으로 모루(마련)을 영산강 유역으로 설정한 관점도 있다. 구체적으로 영산강 서쪽 연안지대를 지목한 末松保和의 견해가 대표적이다. 武尸伊郡(영광), 毛良大里縣(고창), 勿阿兮郡(무안) 등 영산강 서쪽 방면의 어느 지점일 것으로 보는 것이다[33]. 末松保和는 임나 4현의 위치 비정과정에서 모루의 위치를 이렇게 보았지만 앞서의 섬진강 서안의 광양시 일대로 보는 것과 영산강 서쪽 연안으로 보는 것 사이에는 적지않은 위치상의 차이가 있다. 音相似로 미루어 마련이 모루와 같은 지역일 가능성은 높아 보이지만 그 지역의 위치 비정 견해 가운데 어느 쪽이 사실을 반영한 것인지는 결국 백제의 남방 영역 확대 루트를 어떻게 이해하는가와도 관련되어 있다. 백제가 육로를 따라 북에서 남쪽으로 압박해 왔다고 이해한다면 마련은 止迷와 함께 현재의 광주와 전남지역을 대표하는 6세기대의 토착세력으로 보아야 할 것이다. 따라서 백제국사

---

32) 김태식, 1997, 「백제의 가야지역관계사:교섭과 정복」, 『백제의 중앙과 지방』, 충남대학교 백제연구소.

33) 末松保和, 1996, 「任那興亡史」, 『末松保和朝鮮史著作集4 古代の日本と朝鮮』, 吉川弘文館, [初出] 1949, 大八洲出版, 87쪽.

조의 방소국 기사에 등장하는 麻連을 함께 등장하는 8개국과 함께 놓고 본다면 공간적 분포와 고분 분포자료로 볼 때 지금의 함평, 영광, 고창 등 전라남도 북서부와 전북남부지역 그리고 광주 일대의 정치체일 가능성이 있다. 특히 止迷의 위치를 영산강 중류의 영암 시종과 나주 반남지역으로 본다면 마련의 위치는 그 북서쪽 고분 분포지역 즉 영광, 함평, 고창, 광주 일대로 비정될 수 있다. 일부 연구자들이 마련을 강진, 해남 등 전남 남해안 일대의 토착세력일 가능성이 있다고 보았지만 백제의 남정루트가 육지를 통해 이루어졌다고 보는 관점에서 止迷보다 한발 앞서 백제의 영향력 아래 들어갔을 지미의 북쪽과 서쪽에 자리잡은 세력이었을 것이다. 후술하겠지만 麻連이 止迷보다 한발 앞서 백제의 영향력 아래에 들어가게 된 것으로 보는 또 하나의 이유는 국명의 표현에 반영된 백제측의 해당 정치체에 대한 감정적 표현 때문이다. 백제는 지미에 대해 그랬던 것과는 달리 마련에 대하여는 경멸적이거나 적대적인 국호 개칭을 하지 않았다. 이는 마련이 백제의 군사적 압력에 대하여 지미보다 강력한 대응을 하지 못했거나 상대적으로 순응적인 대응을 했던 정황을 반영한 것일 가능성이 있다. 이와 함께 백제와의 지리적, 방위적 관계를 고려할 때도 麻連은 영산강 유역 일대의 중심세력이었던 나주, 영암 지역의 고분 축조세력보다 북쪽이거나 서쪽에 분포한 고분축조세력들에 해당하는 정치체였을 가능성이 있다. 만약 마련이 섬진강 하구의 광양 일대라면 한반도의 남부지역을 열거한 방소국 9개국 가운데 7개국이 모두 가야와 신라 영역에 있거나 가야에 근접해 있는 나라들이 되는데 이는 한반도 남부 일대 전체의 영역을 고려할 때 지리적으로 편중된 분포가 된다. 때문에 본고에서는 마련을 전남 북서부지역과 고창 그리고 광주 일대의 고분축조세력으로 보고자 한다. 이와 같은 관점에서 정리한 방소국 아홉나라의 위치는 아래와 같다.

① 叛波：伴跛, 加羅 (高靈)

② 卓　: 卓淳 (대구)

③ 多羅 : 多羅 (陜川)

④ 前羅 : 安羅 (咸安)

⑤ 斯羅 : 新羅 (慶州)

⑥ 止迷 : 止美 (羅州, 靈巖일대)

⑦ 麻連 : 牟婁 (함평, 영광 등 전남북서부 일대와 고창, 광주지역)

⑧ 上巳文: 己汶 (蟾津江 유역)

⑨ 下枕羅: 耽羅 (濟州島)

2. 방소국 국명에 반영된 백제의 주변국 인식

이용현은 백제가 이들 아홉 나라의 이름을 쓸 때 일반적으로 통용되고 있던 나라이름을 변형시켜 쓴 경우가 많다고 지적했다. 이용현의 지적처럼 9개 방소국의 국명 가운데에는 보다 나쁜 뜻의 글자인 惡字를 사용하여 변형한 경우도 있고 어떤 경우는 새로 바꾼 국명을 사용하지 않고 옛 국명을 그대로 사용한 경우도 있다. 그리고 일부는 일반적으로 통용되던 이름을 그대로 쓴 경우도 있다. 특히 叛波, 止迷, 前羅, 斯羅의 경우에 그러한 변형의 경향이 두드러진다고 보았다[34]. 이 글에서는 이용현에 의해 지적된 방소국의 국명 표기 방법의 특징을 보다 세부적으로 분석함으로써 방소국 여러 나라를 바라보는 백제의 대외관을 좀더 微視的으로 살펴보고자 한다. 고대 사회에서 상대 국가의 이름을 사용할 때 해당 국가에 대한 특별한 인식을 국가 이름에 반영하여 비하한 사례는 널리 발견되고 있다. 중국의 왕조

---

34) 이용현, 2013, 「梁職貢圖 止迷의 위치」, 『전남지역 마한 소국과 백제』, 학연문화사, 291쪽.

들이 자신들과 적대관계에 놓여있던 고구려를 일컬어 '下句麗'라고 부른다거나 광개토왕비문에서 고구려가 백제를 '百濟'라고 표현하지 않고 '百殘'이라고 표현했던 것은 그 두드러진 사례이다. 이는 상대국가에 대한 적대감과 경멸감, 그리고 비하의식을 나라이름에 투영시킨 것이다. 따라서 백제국사조의 방소국 아홉 개 나라의 국명 표기에도 이들 방소국들을 보는 백제의 인식이 반영되어 있다고 볼 수 있다. 백제 사신이 梁朝측에 이들 나라들의 국명을 소개하는 과정에서 이들 국가들의 상당수를 의도적으로 비하하거나 조롱하거나 경멸하거나 혹은 적대 감정을 이입시켜서 소개하고자 했던 의도가 看取되기 때문이다. 여기에서는 방소국 기사에 등장하는 가야, 신라, 섬진강 이서의 마한 諸國을 바라보는 백제의 인식을 백제 사신에 의해 표출된 감정적 태도라는 관점을 통해 이해하기 위하여 9개 나라를 가리키는 각각의 명칭들에 포함된 표현의 의미를 분석적으로 살펴보고자 한다.

① 叛波

무엇보다 두드러지는 사례는 첫 번째로 소개된 방소국인 叛波이다. 叛波는 '叛亂의 물결'이라는 의미이다. '叛波'는 '伴跛'를 가리키는 것으로 이해된다. 즉 고령에 중심을 둔 대가야로 보는 것이 일반적이다. 대가야는 加羅라고도 불리웠다. 伴跛, 加羅 등의 이름이 있음에도『양직공도』백제국사조에서는 '叛波'라고 하는 부정적 의미의 글자로 바꾸어서 표기했다. '叛波'의 국명은『일본서기』神功紀 62년조 百濟記 壬午年 인용문에서는 '加羅國'으로 나타나 있었지만『일본서기』繼體紀 7년 6월조에서는 '伴跛國'으로 나타나 있다. '加羅國'으로부터 변화한 '伴跛國'이라는 나라이름에 쓰인 글자의 의미로부터 이미 계체기 7년 단계에서 이 정치체에 대한 백제 사람들의 인식이 경멸적으로 변화되어 있었음을 알 수 있다. '伴跛'란 그 字意에 따라 해석하자면 '(남의) 뒤를 따라가는 절뚝발이'라는 뜻으로 경멸적인 감정을 담은 명칭이다. 따라서 '加羅國'을 가리키는 경멸적 혹은 적대감을 담은 의미의 이름은 『양직공도』에 나오는 '叛波'라는 표기가 처음의 사례가 아니었음을 알 수 있다. 이미 『일본서기』 계체기 흠명기 기사에 나오는 '伴跛'라는 이름 역시 해당 정치체가 스스로를 일컫는 나라이름인 '加羅'를 왜곡하여 惡子를 사용한 표현이었기 때문이다. 이러한 이름의 개악은 5세기 중반 나름 양호한 관계였던 백제와 대가야의 관계가 악화된 결과로 보인다. 백제가 북방의 영역을 상당부분 상실하고 남방으로 세력을 확대하면서 백제와 대가야의 친선관계가 무너지고 대립관계로 변화해 가게 되는 상황을 반영한 것이다[35]. 그런데 『양직공도』에서는 加羅에 대한 경멸적 표현 '伴跛'를 다시 바꾸어 '叛波'라는 이름을 사용했다. '叛波'란 앞서 언급한 바와 같이 '반란의 파도', '반란의 물결', '반란의 무리'라는 뜻을 가진 이름이다. '伴跛'로 개악된 이름을 다시 한층 더 악의적이고 적대적인 글자들을 동원하여 '叛波'라고 표현한 것이다. 따라서 '叛波'는 再次 개악한 나라이름의 표기이면서 경멸적 표현을 넘어 적대감을 담은 명칭인 것이다. 이것은 웅진천도 이후 백제가 한반도 남부지역에 대한 영향력을 확장해 가자 대가야가 백제에 대하여 점점 대립적인 태세를 취하면서 친신라 행보를 보인 데 따른 관계변화였을 것이다. 특히 섬진강 유역의 己汶의 영유를 둘러싼 백제와 대가야의 대립은 그 구체적인 관계변화의 배경이 되었을 것이다.

국호의 표기에 반영된 인식이라는 관점에서 보면 '叛波'는 웅진천도 이후 백제의 영역 확장과정에서 백제에게 대립하였던 나라로서 백제국사조가 기술되던 521년 당시 백제와의 관계가 매우 악화되어 있었다고 보아야 할 것이다. 더하여 '叛波'의 사례는 대립하는 정치세력과의 관계가 악화되는 과정에서 적대적 호칭이 경멸감이나 적대감을 강화하는 방향으로 확대 재생산되고 있었던 사례를 보여준다. 또

35) 井上直樹, 2018, 「『양직공도』 백제 제기에 보이는 「방소국」 재고」, (『중국 양직공도 마한제국』 2018년 마한연구원 국제학술회의 발표요지. 마한연구원), 117쪽 참조.

이러한 상대국 국호의 변화 속에서는 상호간 정치관계의 변화도 읽을 수 있다. '(남의) 뒤를 따라가는 절뚝발이' 즉 伴跛라는 조롱이 담긴 명칭에는 아직까지 백제가 정치군사적으로 해당 세력을 제압할 수 있다는 자신감이 느껴진다. 하지만 '반란의 무리' 라는 뜻의 이름 '叛波'에서는 이미 위협적 존재가 되어 있는 적대세력을 마주하고 있는 백제의 당혹감과 위기의식을 느낄 수 있다. 따라서 '加羅'→'伴跛'→'叛波'의 변화 과정에서 기문과 대사 등의 영역을 두고 각축하던 백제와 대가야의 군사적 대립 양상의 변화를 읽을 수 있다.

② 卓

卓은 卓淳이다. 卓淳은 『일본서기』 흠명기 2년 4월조와 5년 3월조에 보이는 백제 성명왕의 이른바 '상표문'에서 모두 '卓淳'이라는 이름으로 소개되고 있다. '卓淳'을 '卓'이라는 약칭으로 표기하고 있는 것 역시 상대 국가를 존중한 것이라기 보다는 비하한 표현이라고 볼 수 있다. 위의 흠명기의 두 기사에서 성명왕은 탁순의 旱岐가 신라에 내응했기 때문에 망했다고 전하고 있다. 이는 540년대의 기사이고 성명왕의 탁순에 대한 이야기는 회고의 형태로 쓴 것이다. 아마 백제국사조가 쓰여지던 520년 전후의 시기는 탁순이 신라의 영향력 하에 들어갈 수도 있는 위기의 상황이었을 수 있다. 탁순은 신라의 중심 경주와 지리적으로 근거리에 위치해 있었기 때문에 신라의 영역확장의 영향을 가장 먼저 받았을 것이다. 백제가 탁순의 국가이름을 약칭으로 표기하고 있었던 것은 탁순의 친신라적 움직임에 대한 백제의 견제적 태도가 반영된 것이었을 수도 있다.

③ 多羅

多羅는 합천으로 비정하는 데 이견이 많지 않다. 대가야인 「上加耶都」에 대해 「下加耶都」라고 불리웠던 점으로 미루어 가야연맹 가운데에서도 대가야에 비견될

만한 위치에 있었던 나라라고 볼 수 있다[36]. 多羅는 백제가 『양직공도』 백제국사조에서 나라의 이름을 온전하게 표기해 준 몇 안되는 나라 가운데 하나이다. 국명에 반영된 백제의 인식으로 미루어 본다면 백제로서는 6세기 초반 당시 가야의 여러나라들 가운데 상대적으로 多羅에 대한 영향력을 만족스럽게 갖고 있었고 이런 이유로 다른 가야 제국에 비해서는 믿을 만한 세력으로 인식했기에 이러한 우호적 국명표기가 있었지 않았을까. 신라와의 각축 상황에서 본다면 다라는 가야제국 가운데 상대적으로 백제와의 거리가 가까웠던 지리적 조건을 갖고 있다. 국명 표기에 반영된 백제의 우호적 태도는 이러한 지리적 배경 때문이었을 가능성도 있다. 가야 여러나라 가운데에서 비교적 서쪽에 자리하고 있었기 때문에 신라의 세력 확장의 영향을 상대적으로 늦게 받고 있었고 그 때문에 521년 당시 백제와의 외교적 협력이 안정적으로 이루어지고 있는 세력이 아니었을까 생각된다.

④ 前羅

前羅의 경우 흔히 安羅라고 불리워왔는데 백제국사조에서는 이를 '前羅'라고 표기했다. 이에 대해서는 이미 이용현도 언급했듯이 '安'이 南, 前을 의미하기도 하기 때문에 같은 의미의 글자로 바꾼 것이라고 볼 수 있지만 '安'에는 '편안하다', '즐기다'. '좋아하다' 등 좋은 의미가 포함되어 있기 때문에 이러한 좋은 의미의 형용사를 피하고 方位를 나타내는 가치 중립적인 글자를 사용하여 '前羅'라는 표현으로 바꾼 것으로 볼 수 있다. 이는 安羅라는 국명에 담긴 좋은 의미를 애써 부정하고 있는 것이라고 볼 수 있다. 安羅를 바라보는 백제의 冷笑的 인식이 반영된 것이라고 해석할 수 있다. '前羅'라는 표현이 '安羅'의 卑稱일 것이라는 이러한 관점이 옳다면 왜 백제가 이 시점에 安羅에 대해 卑稱을 썼는지가 문제가 된다. 물론 뚜렷한 자

36) 田中俊明, 1992, 『大伽倻聯盟の興亡と「任那」加耶琴だけが殘った』, 吉川弘文館, 110~111쪽.

료가 없어서 그 배경을 분명하게 밝히기 어렵지만 앞의 多羅에 대한 관점과 마찬가지로 안라 역시 지리적 위치 자체를 백제측의 비우호적 인식의 배경으로 추정해 볼 수 있지 않을까 생각된다. 前羅는 咸安으로 비정된다. 앞의 多羅와 비교할 때 상대적으로 신라와 근접된 위치에 자리하고 있다. 백제의 입장에서 보면 대신라 전선의 전방에 위치한 정치체였던 것이다.

『일본서기』 繼體紀 25년(531년) 是月條에 인용된 『백제본기』는 太歲 辛亥 3월에 백제의 군사가 안라에 가서 乞乇城을 축조하고 주둔하였다고 했다. 신라와의 전선에 접하고 있는 안라에서 백제와 안라의 군사적 협력이 있었던 것이다. 백제의 중심으로부터 보다 멀리 떨어져 있고 신라에 가까이 위치하고 있던 安羅와 공동으로 신라에 대항하여 협력관계를 구축 유지해 나가려는 백제의 노력은 시기에 따라 적지 않은 어려움을 겪었을 수 있고 전황의 浮沈 같은 것도 있었을 것이다. 이러한 관점에서 보면 백제국사조에서 나라의 이름을 온전하게 표기하지 않은 가야 3국 즉 叛波, 卓淳, 安羅는 가야제국 가운데에서도 온전한 국호로 표기된 多羅와 비교해 볼 때 모두 신라에 보다 근접한 백제의 최전방 지대들이라는 사실이 주목된다. 신라와 보다 근접한 가야제국의 백제와의 관계는 보다 후방에 위치한 다라보다 먼저 악화했을 가능성이 높다. 백제국사조의 국명 표기에 담긴 백제측의 해당국 인식은 이와 같이 521년의 시점에서 탁순과 안라를 비롯한 가야 제국을 통한 백제의 대신라 연합전선이 어떠한 상태에 놓여있었는지를 설명하는 자료가 될 수 있을 것으로 보인다.

⑤ 斯羅

斯羅는 신라의 옛 이름이었다. 『삼국사기』에 따르면 신라는 백제국사조 기재의 계기가 된 梁에 대한 사신 파견보다 18년 이전인 지증마립간 4년(503년) 10월에 국호를 '新羅'로 바꾸었다. 따라서 양에 파견된 백제의 사신이 '斯羅'라는 국호를 쓴 것은 신라의 옛 국명을 사용하고 있는 셈이다. 자기 스스로 국가 이름을 개명한 정치체에 대하여 이웃 국가에서 새로운 이름을 사용해 주지 않는 것은 해당국가를 존중하는 태도라고 보기 어렵다. 그것은 해당 국가의 위상을 貶下하고자 한 인식의 반영일 가능성이 높다. 더구나 신라가 스스로 자신들의 국호로 선택한 新羅라는 국호에는 '새롭다'는 의미가 포함되어 있어서 이것은 그 자체로서 美稱이라고 볼 수 있다. '새롭다'는 의미의 '新羅'를 피하여 옛 국호인 '斯羅'를 사용했던 백제 사신의 태도는 신라의 위상을 깎아 내리고자 하는 의도가 반영된 것이었다고 보아야 할 것이다. 신라를 폄하했던 백제의 동기는 앞에서 살펴보았듯이 자신이 고구려와 대등한 위상을 갖는 한반도 남부 일대의 강국임을 나타내기 위함이었을 것이다.

⑥ 止迷

止迷 역시 '美'라는 글자에 들어있는 긍정적인 의미를 부정하고 그 정치체의 위상을 깎아내리기 위해 의도적으로 나쁜 의미를 가진 '迷'字로 바꾸어 표기한 것이라고 볼 수 있다. '迷'字에는 '어리석다'는 의미와 함께 '무언가에 홀려서 바보같은 짓을 한다'는 의미가 담겨있다. 이러한 국명의 표기에 반영된 백제 사신의 해당 정치체에 대한 감정적 태도는 '嘲弄'에 해당하는 것이었다고 볼 수 있다.

⑦ 麻連

麻連이라는 지명에는 앞서의 '止迷'와는 달리 惡字를 사용한 의도적 개칭의 흔적이 보이지 않는다. 이는 백제의 영역확장 과정에서 麻連이 상대적으로 대립적이지 않은 정치체였거나 止迷보다 먼저 백제의 세력권 안에 포섭된 지역이기 때문이 아니었을까 생각된다.

⑧ 上巳文

上巳文은 上己文을 개칭한 것이다. 己文은 帶沙와 함께 남원, 구례, 하동 등의 섬진강 유역일대로 이해되고 있다. 백제는 섬진강일대의 전초적 위치로 생각되는 남원지역의 상기문과 하기문을 516년 무렵에 장악하게 되었다고 보는 견해가 있다[37]. 그런데 백제국사조 방소국 기사는 上己文에 대해서 역시 악의적인 卑下의 감정이 포함된 국명 개칭을 했다. '上己文'을 '上己文'으로 적지 않고 '上巳文'으로 적었던 것이다[38]. '己'와 '巳'는 글자 모양이 비슷하여 옮겨적는 과정에서 실수로 생긴 誤記라고 볼 수도 있겠으나 앞에 제시된 여러 경우의 의도적 비하, 조롱, 경멸, 적대 감정의 사례와 함께 본다면 이는 단순한 誤記라고 보기 어렵다. 당시 백제국 사신의 감정적 표현이 介入된 것으로 보아야 할 것이다. '己'를 '己'로 적지 않고 혐오대상 동물인 뱀을 가리키는 '巳'로 적었던 것인데 이는 521년 당시 백제인들이 기문에 대하여 '끔찍하고 혐오스럽다'는 감정을 드러낸 것이라고 생각된다. 당시 백제의 上己文이라는 정치체에 대한 이러한 감정적 표현은 '卑下的'인 것이었다고 볼 수 있다.

⑨ 下枕羅

下枕羅는 耽羅를 가리킨다. 방소국 기사에서 바로 앞에 열거한 상기문과 對稱하여 上下로 표현하고 있어 주목된다. 탐라는 『삼국사기』 백제본기 문주왕 2년 4월조에 처음으로 백제에 조공한 기사가 나오고 나서 약 20년 뒤 공물과 세금을 바치지 않는다고 하여 동성왕이 친히 탐라를 정벌하러 무진주까지 친정을 내려온 기사가 있다[39]. 下枕羅는 상기문과 대칭하여 표현한 것이므로 방소국 기사에서의 본

37) 田中俊明, 1992, 『大伽倻連盟の興亡と「任那」加耶琴だけが殘った』, 吉川弘文館, 133~134쪽.

38) 방소국 기사의 '上己文' 부분의 판독에는 윤용구 선생의 도움을 받았다. 지면을 빌어 감사드린다.

39) 八月, 王以耽羅不修貢賦, 親征至武珍州, 耽羅聞之, 遣使乞罪, 乃止, 耽羅卽耽牟羅 (『삼국사기』 百濟本紀 東城王 20년 8월)

명칭은 枕羅라고 보아야 할 것이다. 耽羅를 枕羅라고 부른 것은 字形이 유사한 지명을 옮기는 과정에서 발생한 와전이었던 것으로 볼 수 있으며 字意로 미루어 볼 때 耽羅가 枕羅로 옮겨지는 과정에서 의도적인 개칭이 있었다고 보기는 어렵다.

3. 방소국별 인식의 편차

앞에서 본 바와 같이 『양직공도』 백제국사조 방소국 기사에 거명된 나라의 이름들에는 일반적으로 통용되는 국호를 그대로 표기한 경우도 있고 경멸적이거나 악의적 의미의 漢字를 선택하여 국호를 개칭하여 나타내는 경우도 있다. 또 의미를 나쁘게 표현한 경우에 있어서도 악의적 표현의 정도가 나라마다 다르다. 그런데 이들 국호표현에는 백제가 이들 국가들에 대하여 느끼고 있던 親疏關係나 好惡의 감정이 반영되어 있었던 것으로 보인다. 이들 국호표현은 다음의 다섯가지 유형으로 나누어 볼 수가 있다. 우선 첫번째 A 유형이다. 국호를 표기하는 데 있어서 당시 일반적으로 통용되고 있던 국호의 글자를 그대로 쓴 경우이거나 변형된 국호를 썼거나 와전되었으되 악의적인 개칭이라고 보기 어려운 경우이다. 이들 국가군은 多羅, 麻連, 下枕羅의 3개 나라이다. 국호의 개칭에 백제의 의도적인 감정표현이 개재되어 있는 것으로 보는 본고의 관점이 타당하다면 이 3개 나라는 방소국 기사에 열거된 9개 나라 가운데 당시 백제와의 관계가 상대적으로 우호적이었던 나라들이었다고 이해할 수 있다. 그 배경에는 백제의 영역확장 과정에서 이들 세 나라가 비교적 쉽게 포섭되어 갔었거나 백제의 남방경략에 상대적으로 협조적이었던 경우였을 수 있다. 또 백제의 대신라 세력경쟁을 고려한 지리적 위치 등의 이유로 인하여 백제와 해당국들이 地政學的 위치상 상대적으로 대립적인 요소를 갖고 있지 않았던 경우도 있었을 것이다. 하침라의 경우 특별한 위치적 특징을 갖고 있고 다라와 마련의 경우도 백제의 입장에서 볼 때 상대적으로 후방에 위치한 세력이기 때문에 그러한 판단이 가능하다. 두 번째 B 유형은 卓과 前羅이다. 나라 이름을 약칭으로 소개했거나 美字를 피하여 썼으되 惡意가 담긴 惡字를 선택하지는 않았고 好惡와는 무관한 글자인 方位로서 國號를 표기한 경우이다. 하지만 이 두가지 경우도 역시 상대국가를 존중한 국호표기라고는 보기 어렵고 卑下표기 범주에 포함된다. 세 번째 C 유형은 斯羅이다. 백제국사조가 작성되던 시기 이전에 이미 해당 국가가 '新羅'라는 새로운 나라 이름을 내외에 천명하고 있었음에도 불구하고 과거의 국명을 사용한 경우이다. 새로 제정한 국호 '新羅'는 과거의 국호 '斯羅'와 비교할 때 漢化되고 긍정적인 의미의 美稱이 포함된 이름이었던 셈이다. 이 경우 美稱을 피하고 옛이름을 사용했다는 점에서 卑下의 범주에 드는 인식의 표출이었다고 할 수 있다. 하지만 고구려의 남하압력에 대하여 신라와 함께 공동으로 대응해야 하는 중요한 협력필요가 있었던 웅진기 당시 백제로서는 신라를 적극적으로 비하하거나 적대시하기 어려웠을 것이다. 또 당시 백제와 함께 梁朝에 동반입조하고 있었던 상황 등을 고려하여 국명 표기에 반영된 백제측의 대신라 인식은 적극적인 비하나 적대로까지 나타나지는 않았던 것 같다. 결국 이상의 두 유형 즉 B, C 유형의 경우 백제가 우호적으로 이들 정치체들을 대하고 있는 것은 아니었지만 적극적으로 악의적 개칭을 했다고 보기는 어렵다. 이 나라들의 경우는 노골적으로 적대감을 표출하고 있는 다음의 유형들과 좋은 대조를 이룬다. 네 번째 D 유형은 止迷와 上巳文이다. 美字이거나 혹은 감정중립적이었던 기존의 국호표기를 바꾸어 경멸적인 의미의 글자를 적극적으로 사용한 유형이다. 止迷의 경우 '무언가에 사로잡혀 어리석은 행동을 한다'라는 조롱의 의미를 나타낸 것으로 볼 수 있고 上巳文의 경우 '뱀처럼 혐오스럽고 끔찍하다는 의미의 경멸감이 스며있는 조롱의 감정을 읽을 수 있다. 다섯 번째 E 유형은 叛波이다. 加羅라는 이름을 경멸하여 표기한 伴跛라는 국호에 머무르지 않고 여기에서 한걸음 더 나아가 적대적인 감정이 담긴 '叛波'라는 글자로 또 다시 악의적인 개칭을 했다. 경멸감으로부터 한 걸음 더 나아가 적대감을 드러낸 국호개칭을 한 것이다. 이들 다섯 유형의 국호표기를 정리하면 아래와 같다.

A 유형: 多羅, 麻連, 下枕羅

B 유형: 卓, 前羅

C 유형: 斯羅

D 유형: 止迷, 上巳文

E 유형: 叛波

이처럼 다섯 유형의 국호표기에 투영시킨 백제의 주변국 인식에는 각각의 유형에 따라 다섯 단계로 구분할 수 있는 친소관계의 스펙트럼이 반영되어 있다. 상대적으로 우호적이었거나 특별한 적대감이 없었던 나라들인 A 유형의 국가들로부터 단계적으로 해당 국가에 대한 백제의 인식은 악화되어 가는 것이다. 이는 '다섯 단계로 구분되는 백제의 주변국가 인식'이라고 말할 수 있다. 그 가운데 가장 강한 적대감을 드러낸 정치체는 말할 것도 없이 다섯번째 단계의 '叛波'이다. 기존의 연구에서 방소국 기사에 거명된 9개 나라가 기록된 순서로 보아 지역적으로 '가야', '신라', '섬진강 이서지역'이라고 하는 3그룹으로 분류될 수 있다는 관점이 있었다[40]. 본고에서는 방소국 9개 나라가 지역적 그룹으로만 구분되는 것이 아니라 국호에 반영된 백제사신의 해당국에 대한 인식에서 우호-적대관계의 다섯 그룹으로 나뉘어질 수 있음을 확인할 수 있었다. 이를 정리하면 다음의 표1, 2와 같다.

---

40) 이용현, 2013, 「梁職貢圖 止迷의 위치」, 『전남지역 마한 소국과 백제』, 학연문화사, 285쪽

표 1. 국호표기에 반영된 방소국들에 대한 백제의 인식

『양직공도』 방소국의 국명	기존에 알려진 국명	백제국사조의 국명에 반영된 해당국에 대한 백제사신의 감정적 태도	비고
叛波	伴跛, 加羅	敵對	嘲弄(伴跛)으로부터 敵對(叛波)로 변화
卓	卓淳	貶下	국호를 약칭으로 표기
多羅	多羅	友好	일반적인 국명 適用
前羅	安羅	貶下	美稱을 방위명으로 바꿈
斯羅	新羅	貶下	미칭이 포함된 새로운 국호를 쓰지않고 과거 국호 사용
止迷	止美	嘲弄	美稱을 조롱의 의미로 악의적 개칭
麻連	麻連(牟婁)	友好	일반적인 국명 適用
上巳文	上己文	嘲弄	가치중립적인 용어를 조롱의 의미로 악의적 개칭
下枕羅	耽羅	友好	국명 訛傳으로 보이나 악의적 改稱은 없음

백제 사신이 9개의 방소국 가운데 가장 적극적이고 악의적으로 국호를 개칭했다고 생각되는 나라는 대가야 즉 叛波이다. 당시 대가야가 백제와 대립적 관계를 갖게 되었던 주된 원인은 6세기 초 당시 한반도 남부의 영역확장과정에서 백제와 충돌했던 상황이었을 것이다. 우선 대가야는 512년과 514년에 섬진강 유역의 己汶과 滯沙를 둘러싸고 백제와 경합하였으며 또 522년에는 신라와 혼인관계를 맺고 연계를 도모한 적이 있었다[41]. 嘲弄이 섞인 '伴跛'라는 국호 비하는 대가야의 이러한 반백제 친신라 행보에 대한 백제측의 감정적 대응이었을 것이다. 당시의 시점에서 백제의 입장에서 보면 대가야는 낙동강 유역과 섬진강유역 등 한반도 남부일대의 영역확장 과정에서 백제와 대립하면서 갈수록 친신라적 태도를 취하는 신뢰할 수 없는 세력으로 인식했던 것으로 보인다. 그리고 이어서 방소국 기록에서 '叛波'라는 적대적인 국호표기를 사용하고 있었던 것은 이제 이 시점에 이르러 대

41) 『삼국사기』 신라본기 법흥왕 9년조, 『일본서기』 계체 3년조.

가야가 신뢰할 수 없을 뿐 아니라 백제에게 위협적인 적대세력으로 변해있었기 때문이 아니었을까 생각된다.

신라와 가야 등 낙동강 유역 여러 나라 가운데 백제가 예외적으로 국호의 글자를 악의적으로 표기하지 않은 나라는 多羅 뿐이다. 多羅의 경우 6세기 초반의 동향이 분명치 않다. 하지만 유수의 가야제국 가운데 '多羅'라는 국명 만을 백제가 왜곡하거나 비하하지 않았던 점으로 본다면 521년 무렵 상대적으로 백제와 多羅가 우호적인 관계를 유지했었을 가능성이 높다. 前羅 즉 安羅의 경우도 6세기 전반에 叛波와 함께 가야제국을 대표하는 남부가야의 유력국이었다[42]. 529년에는 왜의 원군을 불러들이고[43] 530년에는 백제의 원군을 불러들인 적이 있었다[44]. 백제는 前羅 때문에 6세기 초에 久禮山, 乞乇城에 주둔하고 있었던 적이 있었는데 이는 前羅가 펼친 다면 외교의 일환이었다는 관측이 많다[45]. 백제의 입장에서는 前羅 역시 백제와 신라와 왜 사이에서 기회주의적인 경향을 보이는 세력으로서 경계를 늦출 수 없는 위협세력으로 인식했던 것 같다.

표 2. 국호표기에 반영된 백제사신의 방소국들에 대한 인식의 편차

방소국	多羅	麻連	下枕羅 (耽羅)	卓 (卓淳)	前羅 (安羅)	斯羅 (新羅)	止迷 (止美)	上巳文 (上己文)	叛波 (加羅)
감정적 태도	우호	우호	우호	절제된 비하	절제된 비하	절제된 비하	조롱	조롱	적대
우호도의 편차	← 우호적						→ 적대적		

42) 『일본서기』 계체 7년 11월조

43) 『일본서기』 계체 23년 3월 시세조

44) 『일본서기』 계체 25년 시세조 분주

45) 鈴木英夫, 「六世紀初頭の案羅と倭國」, 『古代の倭國と朝鮮諸國』

섬진강 이서의 남부지역 여러 나라 가운데에서는 止美(止迷)와 上己文(上巳文)에 대해서만 비칭으로서 국호를 왜곡하고 있다. 이에 반하여 麻連이나 下枕羅에 대해서는 상대적으로 국호표기에서 적대감을 드러내지 않았다. 가야제국 여러나라와 백제와의 관계에 비추어보면 이 역시 止美(止迷)나 上己文(上巳文)이 백제와 갖고 있었던 갈등관계가 반영되어 있는 이름표기일 수 있다. 止迷는『일본서기』신공기 49년조의 枕彌多禮와 음이 유사한 점으로부터 같은 세력이라고 생각된다. 방소국 기사에서의 국호의 왜곡 역시 신공기 기사에서 이 지역에 대한 백제의 군사적 침공의 결과를 '屠'라는 표현을 써서 '屠南蠻枕彌多禮'라고 적대감을 표출하고 있었던 것과 궤를 같이 하는 것으로 볼 수 있다. 이렇게 본다면 止迷는 영산강 중류역의 강력한 토착세력으로서 백제의 군사적 침공에 적극적으로 대항하여 백제와 갈등관계가 심했던 정치체였을 가능성이 높다.

한편 영산강 중류 유역의 나주 반남이나 영암 시종지역에 있었던 止迷와 현재의 전남 서북부지역과 광주 지역이었던 것으로 보이는 麻連이 가야지역의 반파, 탁, 다라, 전라, 사라 등과 함께 방소국에 포함된 것은 영산강 유역 일대에 대한 백제의 영역화 과정을 이해하는 데에도 시사하는 바가 크다. 영산강 유역의 대형옹관묘로 구성된 고총고분 축조세력들이 언제 백제의 직접 지배체제 안에 포함되어 들어갔을 것인가를 둘러싸고 이견이 있어왔다. 통설은『일본서기』신공기 기록을 근거로 369년인 백제 근초고왕 때 영산강 유역이 백제에 복속되었다고 전해지고 있다. 그러나 백제국사의 과장된 주장을 근거로 한『양직공도』백제국사조에서조차 영산강 유역은 백제의 '방소국'으로 주장되고 있었다. 이는 영산강 유역이 369년에 백제의 직접 지배영역에 포함되어 들어갔다고 하는 기존의 주장이 역사적 사실을 반영하지 못하고 있음을 보여주는 것이다. 왜냐하면『양직공도』의 방소국이란 결국 남중국을 상대로 한 외교의 무대에서 백제의 위상을 선전하기 위한 외교적 노력의 산물이었던 바 그러한 외교적 修辭 속에서도 영산강 유역을 백제의 부용국이라는 뜻의 방소국으로 표현하고 있기 때문이다. 방소국이란 대국과 主從의 관계를 맺고 있기는 하지만 직접지배 대상이 되는 직할통치지역과는 구분되는 곳으로 인식되는 곳이다. 이러한 사실은 낙동강 중류지역이 6세기 중반에 이르도록 백제나 신라의 영향아래 領屬되지 못했듯이 영산강 유역 역시 『양직공도』 작성의 배경이 되었던 521년에 이르기까지 백제의 지배범위 안에 아직 포함되지 못하고 있었다는 사실을 말해주고 있는 것이다. 6세기 초의 시기까지 이들 지역 특히 영산강유역의 토착세력이 백제의 방소국으로 존재하면서 백제의 직접지배를 받고 있지 않았음을 방소국기사의 '旁小國'과 '附之'라는 표현이 말해주고 있다.

Ⅴ. 맺음말

『양직공도』 백제국사조는 백제가 대중국 외교의 장에서 고구려와 대등하거나 보다 우월한 강국임을 주장하는 내용이 반영된 기록이다. 때문에 고구려와의 경쟁적 관점이 이 서화기록 자료의 정치외교적 배경을 이루고 있다. 신라까지 포함하여 한반도 남부 일대의 정치세력들을 모두 백제의 방소국이라고 주장할 수 있었던 것은 백제와 신라가 동반 입조한 상황에서도 백제 사신 만이 중국어 구사능력과 독점적인 대중국 의사소통능력을 가지고 있었기 때문이었던 것으로 보인다. 6세기 초 당시 신라는 국내 통치에 한자를 사용하고 있었다. 당시의 금석문 자료들이 이를 입증하고 있다. 하지만 문자를 읽고 쓸 수 있었다고 하더라도 직접 대화과정에서 해당 언어를 구사할 수 없었던 신라사신은 중국의 관리들과의 대면 상황에서 자기의 의견을 전달하는 것이 불가능했을 것이다. 이것이 백제국사조 작성의 상황적 배경이 된다. 백제는 『일본서기』 신공기 49년(369)조에 기술된 바와 같이 목라근자 등이 참여하여 신라와 가야 7국에 대한 군사 공격을 했다. 후일 성왕의 회고에 등장하는 바와 같이 백제는 이와 같은 4세기 후반기의 군사 행동의 결과로 가야제국과의 사이에 부자-형제관계로 표현되는 협약을 맺게 되었다. 방소국 기사에서 신라와 가야제국들이 백제의 방소국이자 부용국이라고 주장했던 백제 사신의 대외관은 이처럼 4세기 후반에 있었던 군사활동과 그 결과 맺은 우월적 외교관계(부자-형제관계)에 대한 역사적 기억에 근거한 것으로 보인다. 이것은 방소국 기사가 나타나게 된 역사적 배경이다.

기존의 연구에서 『양직공도』 기사에 거명된 9개 나라는 기록된 순서로 보아 지역적으로 '가야', '신라', '섬진강 이서지역'이라고 하는 3그룹으로 분류될 수 있다는 관점이 있었다. 본고에서는 방소국 9개 나라가 지역적 그룹으로만 구분되는 것이 아니라 국호에 반영된 백제사신의 인식과 감정표현으로부터 백제가 갖고 있는 해당 정치체들에 대한 우호-적대관계의 다섯 그룹으로 나눠어질 수 있음을 확인할 수 있었다. 백제는 『양직공도』 백제국사조에서 한반도 남부 일대의 9개 나라들을 梁側에 소개할 때 일부 나라의 이름들에 멸시나 적대의 감정을 담아 改稱해서 사용했다. 그 감정적 표현의 차이는 다섯 유형으로 나누어지는데 여기에는 521년 당시 백제가 해당 국가들에 대해서 갖고 있던 우호-적대관계의 외교적 스펙트럼이 반영되어 있다.

첫 번째 A 유형은 백제가 상대적으로 우호적인 정치체들로 인식하고 있던 나라들이다. 이들에 대해서는 당시 통용되었던 일반적인 국호를 그대로 썼다. 多羅, 麻連, 下枕羅의 3개 나라가 그러한 경우이다. 두 번째 B 유형은 卓, 前羅로서 나라 이름을 약칭으로 소개했거나 美字를 피하여 썼으되 惡意가 담긴 惡字를 선택하지는 않았고 好惡와는 무관한 글자인 方位로서 國號를 표기한 경우이다. 세 번째 C 유형은 斯羅이다. 『양직공도』 백제국사조가 작성되던 시기 이전에 이미 斯羅는 新羅라는 새로운 나라이름을 사용하고 있었음에도 불구하고 백제는 과거의 국명을 사용했다. 백제가 인정하지 않았던 새로운 국명 '新羅'에는 '새롭다'는 의미의 '新'이 포함되어 있고 이는 美稱이라고 볼 수 있다. 舊國名을 쓴 백제의 이러한 태도는 신라의 위상을 깎아내리는 것이라고 볼 수 있다. B,C 유형은 상대국가를 존중한 국호표기라고 보기 어렵고 비하 혹은 폄하한 국호표기의 범주에 든다. 하지만 노골적이고 적극적으로 상대국가를 적대시한 것은 아니다. 이들 나라들에 대한 백제의 인식은 냉소적인 것이었다고 볼 수 있다. A,B,C 유형에 비하여 다음의 D유형의 나라들에 대해서는 나라 이름의 개칭을 통해 對象國을 조롱하거나 경멸하는 감정을 노골적으로 드러내고 있다. 止迷(止美)와 上巳文(上己文)이 그러한 사례이다. 좋은 의미의 글자나 美字를 피하고 惡字를 적극적으로 사용하여 국호를 표기한 것이다. '美'를 '迷'로 바꾼 것은 '무언가에 사로잡혀 어리석은 행동을 한다'라는 조롱의 의미가 포함되어 있다. 上己文을 上巳文으로 표기한 데에는 '巳'가 가리키는 글자의 뜻과 같이 '뱀처럼 혐오스럽고 끔찍하다'는 의미가 포함되어 있다. 이들 나라들에 대한 백제의 인식은 경멸과 조롱과 혐오감을 드러낸 것이다. 다섯 번째 E 유형은 '叛波'이다. 叛波는 대가야를 가리킨다. 대가야는 加羅라고도 불리웠다. 백제는 加羅라는 원래의 이름을 경멸하여 표기한 伴跛라는 改惡한 국호를 쓰고 있었는데 방소국 기사에서는 이를 다시 한번 더 改惡하여 '叛波'라고 표기한 것이다. 대가야 즉 叛波가 백제와 대립적 관계를 갖게 되었던 것은 6세기 초 한반도 남부의 영역확장과정에서 백제와 충돌하고 있었기 때문일 것이다. 叛波는 512년과 514년에 섬진강 유역의 己汶과 滯沙를 둘러싸고 백제와 경합하였으며 또 522년에는 신라와 혼인관계를 맺고 연계를 도모한 적이 있었다. 嘲弄이 섞인 '伴跛'라는 국호 비하는 대가야의 이러한 친신라 행보를 겨냥한 백제측의 감정적 대응이었을 가능성이 있다. '伴跛'란 '절뚝거리며 남의 뒤를 따라가는 절뚝발이'라는 의미를 갖고 있기 때문이다. 그런데 『양직공도』 방소국 기록에서 '伴跛'를 '叛波'라는 적대적인 국호표기로 또 한번 바꾸어 썼다. 이 시기에 백제가 대가야를 위협적인 적대세력으로 보고 있었음을 말해준다. '叛波'란 '반란의 물결'이라는 뜻이다. 이러한 국호의 악의적 개칭 양상에는 백제와 대가야 사이의 상호관계의 변화도 반영되어 있었을 것이다.

한편 止迷는 『新撰姓氏錄』에 보이는 止美일 가능성이 지적되고 있다. 止迷가 지적된 바와 같이 『新撰姓氏錄』 河內國皇別 止美連條에 나오는 百濟國 止美邑에 해당될 수 있다면 止迷(止美)는 地名 漢字의 音 相似로 미루어 『晉書』 張華列傳에 나오는 新彌諸國의 '新彌' 그리고 『日本書紀』 神功紀 49년조 기록의 이른바 '南蠻忱彌多禮'의 忱彌와 같은 정치체일 가능성이 높다. 新彌諸國의 '新彌'는 영산강 유역 일대의 마한세력을 가리키는 것으로 이해되어 오고 있다. 그런데 그 위치가 영산강 유역 일대에서 어디인가가 문제이다. 필자는 止迷(止美)와 新彌와 忱彌多禮를 같은 정치체로 보는 관점에서 이 세 지명(국명)이 가리키는 지역은 섬진강 이서의 마한 지역 가운데 가장 중심적이고 토착성이 강한 정치세력이어야 할 것이라고 생각한다. 왜냐하면 忱彌多禮를 쳐서 무너뜨리자 그 주변 일대의 정치세력들인 '比利辟中布彌支半古四邑'이 모두 自然 降服했다고 하는 『日本書紀』 神功紀 49년조 기사의 전체적인 문맥 때문이다. 이 기사는 영산강 유역을 비롯한 토착세력 가운데 가장 대표적이면서도 가장 강력한 세력을 무너뜨리자 그 주변 군소세력들이 그 형세에 눌려 고개를 숙였다는 내용으로 해석될 수 있다. 자기보다 규모나 군사력이 약한 세력이 무너지는 것을 보고 놀라 항복하는 정치세력은 없을 것이다. 게다가 忱彌多禮는 하나의 정치체였던 것으로 보이지만 '比利辟中布彌支半古四邑'은 4개의 정치체였다. 정치체 하나가 무너지는 것을 보고 그 인근 지역의 정치체 4개가 놀라서 항복했다면 그것은 먼저 무너진 하나의 정치체가 나중에 항복한 4개의 정치체를 모두 합한 것 이상으로 대표적인 위상과 힘을 가진 세력이어야 한다. 그러한 대표적인 세력인 忱彌多禮(止迷=新彌)는 고고학 자료로 볼 때 영산강 유역 일대에서 가장 대표적인 고총고분 밀집분포 지역인 나주 반남과 영암 시종 일대일 가능성이 높다. 『新撰姓氏錄』 기사 중에 나오는 '娶止美邑吳女'는 '止美邑의

吳氏 집안의 딸과 결혼하여'라는 의미로 해석된다. '止美邑의 吳氏'는 통일신라말 後三國 分立 시기에 고려 태조 왕건을 도와 후백제의 견훤세력을 견제했던 나주 호족 吳多憐의 선조와도 연결되는 가문일 가능성이 있다. 잘 알려져 있듯이 나주 호족 吳多憐 의 딸은 왕건의 妃가 되어 고려 2대왕 혜종을 낳은 莊和王后 吳氏이다. 吳多憐(多憐君)의 父는 富伅인데 대대로 나주의 목포 즉 지금의 영산포 일대에서 살면서 해상무역에 종사하여 부를 축적하였고 유력한 지방호족으로 성장했다.『增補文獻備考』에는 羅州 吳氏 가문의 先代가 중국에서 무역으로 번성한 집안이며 海外貿易商들을 따라 신라로 건너왔다고 한다. 한편 吳氏 大同譜의 기록들에서는 吳氏의 都始祖로 여겨지는 吳瞻이 신라 지증왕 때에 중국으로부터 신라로 건너왔으며 그가 나주의 영산강 일대에서 활동했던 吳多憐의 先代가 된다고 보고 있다.

당시 일반적으로 통용되고 있던 국호의 글자를 그대로 쓴 경우이거나 변형된 국호를 썼으되 악의적인 개칭이라고 보기 어려운 경우는 多羅, 麻連, 下枕羅의 3개 나라이다. 국호의 개칭에 백제의 의도적인 감정표현이 개재되어 있는 것으로 보는 본고에서의 관점이 타당하다면 이 3개 나라는 방소국 기사에 열거된 9개 나라들 가운데 521년 당시 백제와의 관계가 상대적으로 우호적이었던 나라들이었을 것이다. 그것은 백제의 영역확장 과정에서 이들 세 나라가 비교적 쉽게 포섭되어 갔었거나 백제의 남방경략에 상대적으로 협조적이었던 경우였기 때문이었을 것이다. 또한 대신라 영토경쟁 과정에서 지리적 위치 때문에 백제와 해당국 간에 대립적인 요인이 적었던 경우도 상정해 볼 수 있다. 下枕羅(耽羅)는 말할 것 없이 육지와 격절된 지리적 위치를 가지고 있고 多羅의 경우도 신라, 가야 제국 가운데 상대적으로 신라의 중심으로부터 먼 곳에 위치한 세력이다.

영산강 중류 유역의 나주 반남이나 영암 시종지역에 있었던 止迷와 전남 서북부 지역이나 고창, 광주 일대였던 것으로 보이는 麻連이 가야지역의 반파, 탁, 다라,

전라, 사라 등과 함께 백제의 방소국에 포함된 것은 『양직공도』가 기재되던 521년 전후의 시기에 이르기까지 영산강 유역이 백제의 지배영역 안에 아직 포함되지 못하고 있었다는 사실을 말해주고 있다. 백제국사의 과장된 주장을 근거로 한 『양직공도』에서조차 영산강 유역이 백제의 '방소국'이었다고 주장되고 있는 것은 영산강 유역이 369년 백제의 직접 지배영역에 포함되어 들어갔다고 하는 기존의 통설에 대한 재고가 필요하다는 점을 말해주고 있다.

『양직공도』 방소국기사에서 나라의 이름에 투영시킨 백제의 주변국 인식은 521년의 시점에서 백제의 대신라 전선과 영토확장과정이 어떠한 굴곡을 겪고 있었는지에 대해 시사해 줄 수 있는 자료가 된다. 방소국 기사의 국호 개칭은 치열한 영토전쟁 과정에서 백제 조정이 느끼고 있었던 불안감과 각각의 정치체들에 대한 우호적 인식 혹은 불만, 분노 등 적대적 인식이 포함되어 있는 특이한 사료이다.

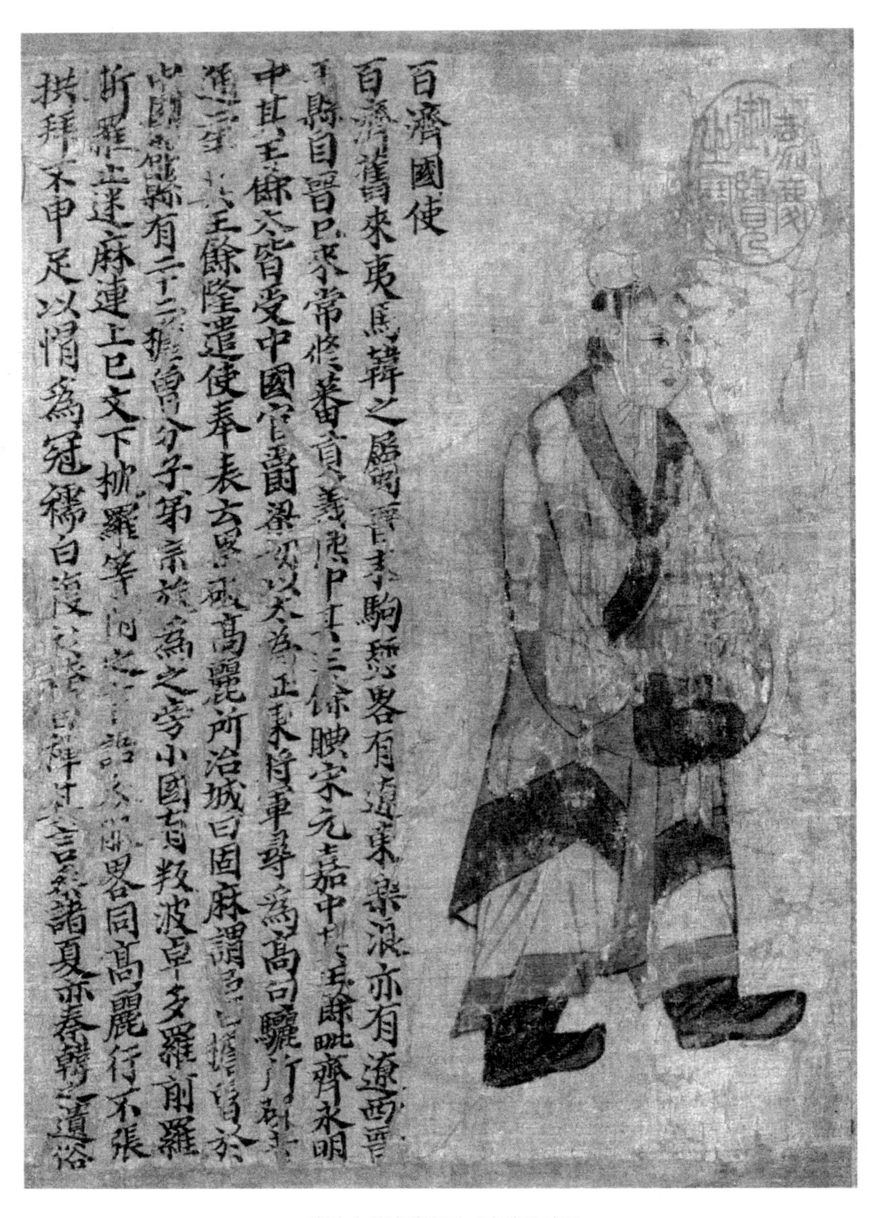

사진 1. 『양직공도』 백제국사조

양직공도 상기문 · 반파 위치 비정

郭長根 군산대

Ⅰ. 머리말

양나라의 元帝 蕭繹이 그린 「梁職貢圖」는 양나라에 파견된 외국인 사절을 그림으로 그려 해설한 臣圖이다. 당시 백제의 변방에 있는 伴跛, 卓, 多羅, 前羅, 斯羅, 止迷, 麻連, 上己文, 下枕羅 등의 소국들이 백제에 부용한다고 기록되어 있다. 6세기 1/4분기 백제와 교류하던 나라들로 사라, 하탐라를 제외하면 다른 나라들은 대부분 가야 소국이나 마한제국으로 회자되고 있다. 문헌 속 가야 소국들의 존재를 고고학으로 증명해 주는 요소로는 가야 중대형 고총과 봉수가 있다. 「양직공도」의 叛波는 『일본서기』에도 伴跛로 등장하고 있는데, 반파는 513년부터 515년까지 기문, 대사를 두고 백제와 3년 전쟁을 치르면서 봉수제를 운영한 가야 소국이다. 반파와 기문은 서로 우호적인 관계를 유지하였던 것으로 문헌에 기술되어 서로 인접된 지역에 자리하고 있었을 개연성이 높다.

주지하다시피 고총이란 봉분의 평면 형태가 호석이나 주구 등에 의해 원형 혹은 타원형의 분명한 분묘단위를 갖추고 있는 대형고분을 말한다. 성곽과 함께 국가단계의 정치체의 출현을 말해주는 고고학적 근거이자 가야 소국들이 발전하여 가는 과정에 수장층에 의해 조영된 분묘군으로 알려져 있다. 고총은 또한 봉분 자체가 강한 과시성을 담고 있으면서 그 이전 시기의 고분에 비해 두드러진 양적 변화를 보여준다. 그렇기 때문에 봉분 축조에 동원된 노동력으로 볼 때 피장자의 권력이 이전 시기보다 훨씬 커졌음을 방증해 준다. 그리하여 고총의 존재여부는 그 지역에 기반을 둔 토착세력집단이 어떻게 발전했는가를 가장 진솔하게 나타내는 고고학적 지표가 되고 있다. 동시에 가야 고총의 기수와 규모는 가야 소국의 존속 기간이나 가야 소국의 발전상을 대변해 주는 요소로도 해석되고 있다.

그런가 하면 가야 고총 못지않게 가야 소국의 존재를 증명해 주는 것이 봉수이다. 봉수는 낮에는 연기와 밤에는 횃불로써 변방의 급박한 소식을 중앙에 알리던 통신제도이다. 1894년 갑오개혁 때 근대적인 통신제도가 도입되기 이전까지 개인 정보를 다루지 않고 오직 국가의 정치 · 군사적인 전보기능만을 전달하였다. 한마디로 봉수는 국가의 존재와 함께 힘이 강하고 번성한 국력을 대변해 준다. 가락국 수로왕과 백제 온조왕이 지명으로 봉수제의 실시 개연성을 암시해 주었지만, 삼국시대의 봉수가 유적과 유물로 입증된 곳이 전북 동부지역[1]이다. 이제까지의 지표조사를 통해 전북 동부지역에서 100여 개소의 봉수가 발견되었고, 여기서 그치지 않고 여러 갈래의 봉수로도 복원되었다. 동시에 봉수로의 출발지와 종착지가 파악됨으로써 전북 동부지역 봉수의 운영주체가 가야 소국으로 밝혀졌다.

이 글에서는 삼국시대의 봉수가 학계에 보고된 전북 동부지역과 충남 금산군[2]으로 한정시켜 「양직공도」의 상기문, 반파의 성격과 그 위치를 비정하려고 한다. 2018년 삼국시대의 봉수가 발견된 지역에서 250여 개소의 제철유적 및 제동유적이 발견되어 학계의 커다란 관심을 모으고 있다. 동시에 토성과 산성 등 관방유적의 밀집도가 월등히 높고 420여 기의 가야 중대형 고총이 밀집 분포되어 있다. 다행히 2018년 가야 분묘유적과 통신유적, 관방유적, 생산유적을 대상으로 각각의 운영시기와 운영주체를 밝히기 위한 학술발굴도 시작되었다. 지금까지 축적된 고고학 자료를 『일본서기』, 「양직공도」 등 문헌에 접목시켜 가야 소국 상기문과 반파의 위치를 비정하려고 한다. 아직은 그다지 풍부하지 못한 고고학 자료를 문헌에 접목시켜 논리의 비약이 적지 않았음을 밝혀둔다.

---

1) 종래의 지표조사에서 가야 유적과 유물이 그 존재를 드러낸 전북 남원시 · 장수군 · 진안군 · 완주군 · 임실군 · 순창군이 여기에 해당된다. 1963년 전북에서 충남으로 편입된 충남 금산군도 여기에 포함시켰다.

2) 백제 進乃郡의 행정치소로 경덕왕 16년(757) 進禮郡으로 고쳐 줄곧 전주에 예속되었다. 1963년 충남으로 편입되기 이전까지만 해도 전북 동부지역과 동일한 문화권 및 생활권을 형성하였던 곳으로 10여 개소의 봉수가 발견되어, 전북 동부지역에 편입시켜 논의를 전개하려고 한다.

Ⅱ. 고고자료로 본 기문의 위치 비정

선사시대부터 줄곧 문화상으로 점이지대[3]를 이룬 섬진강유역은 백제 백성의 쇄환지로 추정된다. 백제 무령왕은 초기에 피폐해진 농가경제를 회복하고 농업노동력의 확보를 위해 두 가지의 경제정책을 펼쳤다. 하나는 중앙과 지방을 막론하고 농토에서 이탈하여 떠돌아다니는 사람들을 다시 농토에 안착시키는 游食者歸農策이며, 다른 하나는 가야지역으로 도망간 백성을 추쇄해 오는 人口推刷策이다. 당시 가야지역으로 도망간 백성을 추쇄해 오는 人口推刷策은 인구파악과 함께 농업노동력을 확보하기 위해 가야지역으로 도망간 백제 백성들을 대상으로 絶貫한지 3~4대가 지난자들까지도 쇄환대상에 포함시켜 대대적으로 추진되었다.

여기서 가야지역은 섬진강유역의 동쪽에 인접되어 있으면서 제철유적 및 제동유적의 밀집도가 높은 운봉고원과 진안고원을 지칭할 것[4]으로 추측된다. 아마도 백제가 인구추쇄책을 추진한 뒤 곧이어 기문을 두고 가야 소국 반파와 3년 전쟁을 준비하기 위한 전략과도 무관하지 않을 것이다. 가야 소국 장수가야, 기문에서 살고 있었던 백제 백성을 귀환시킴으로써 가야 소국들의 내부 동요를 의도하지 않았을까? 당시 가야지역으로 도망간 백제 백성의 쇄환지를 섬진강유역으로만 비정하였는데, 아직도 전북 동부지역에서 봉수가 발견되지 않은 지역[5]으로 수정하고자 한다. 섬진강유역은 섬진강 본류를 중심으로 그 서쪽이 여기에 해당된다.

---

3) 서로 다른 지리적 특성을 가진 두 지역 사이에서 중간적인 현상을 나타내는 지역을 의미한다.

4) 운봉고원과 진안고원 일대에서 학계에 보고된 제철유적은 270여 개소로 우리나라에서 최대의 밀집도를 보인다. 지금도 전북 동부지역 제철유적을 찾고 알리는 지표조사가 진행되고 있기 때문에 그 수가 더 늘어날 것으로 전망된다. 현재 제철유적의 운영시기 및 가야와의 관련성을 밝히기 위한 학술발굴이 한창 진행되고 있음을 밝혀둔다.

5) 금강 · 만경강 · 섬진강유역에서 삼국시대 봉수가 발견되지 않은 지역이 여기에 해당된다. 전북 순창군과 충남 논산시 가야곡면 · 양촌면이 가장 대표적이다.

삼국시대 때 줄곧 완충지대인 섬진강유역에서는 가야 중대형 고총이 여전히 발견되지 않고 있으며, 가야토기가 일색을 이루고 있는 수혈식 석곽묘도 조사되지 않았다. 섬진강 중류지역에만 집중적으로 분포된 가야의 분묘유적에서는 가야토기와 백제토기가 서로 반절씩 섞여있다. 그리고 가야토기는 대가야와 소가야, 아라가야 토기가 서로 혼재된 조합상을 보인다. 여기서 그치지 않고 가야토기의 등장은 웅진 천도 이후 백제가 일시에 정치적인 혼란에 빠지기 시작한 시기와 거의 일치한다. 백제는 512년 任那四縣, 513년부터 3년 동안 己汶, 帶沙를 두고 가야 소국 叛波(伴跛)와 갈등관계에 빠진다. 섬진강유역에서 가야토기가 본격 등장하기 이전까지는 마한의 분구묘와 백제의 분묘유적이 대부분을 차지한다[6].

『일본서기』 계체기 6년조에 "백제가 사신을 보내 조공하였다. 별도로 표를 올려 임나국이 上哆唎 · 下哆唎 · 娑陀 · 牟婁 4현을 청하였다.(중간 생략) 이에 물건을 하사하면서 칙서를 첨부하고 표문에 따라 임나의 4현을 주었다."고 기록되어 있다. 처음에는 임나사현이 경남의 서남부지역과 낙동강 중류지역으로 비정되었는데, 1990년대 이르러서는 기문 · 대사와의 관련성을 근거로 전남 동부지역으로 비정된 견해가 대부분을 차지한다. 여기서 그치지 않고 섬진강유역에 속하지 않는 여수반도와 순천, 광양 일대로 비정한 주장이 대세를 이루고 있는데, 종래의 任那四縣 및 己汶, 帶沙의 위치 비정을 정리하면 <표 1>과 같다.

일제강점기 今西龍에 의해 처음 시작된 기문의 위치 비정은 경북 금릉군 개령으로 보는 견해, 섬진강 중류지역과 섬진강 중류지역에서 하류지역까지 광범위하게 보려는 주장으로 나뉜다. 그리고 기문을 同名異地로 보고 섬진강유역과 낙동강 중류유역으로 비정한 견해도 있다[7]. 1990년대 이후에는 경북 금릉군 개령의 주장이

---

6) 2013년 전북 순창군 동계면 구미리에서 23기의 돌덧널무덤이 조사되었는데, 가야 고분은 한 기로 백제 고분과 직교되게 동서로 장축방향을 두었다.

7) 이를테면『翰苑』의 基汶河를 섬진강유역으로,『新撰姓氏錄』의 己汶을 낙동강 중류지역으로 비

〈표 1〉 任那四縣 및 己汶, 帶沙 기존의 위치 비정(백승옥 2007 참조)

연구자	任那四縣의 위치 비정				己汶 · 帶沙 위치 비정		출 전
	상다리	하다리	사타	모루	기문	대사	
今西龍	晋州	熊川	河東?	固城	南原	河東	今西龍(1922)
末松保和	榮山江 東岸		구례	전남서부	섬진강	河東	末松保和(1956)
金廷鶴	咸陽 · 山淸				河東郡 일대		金廷鶴(1977)
丁仲煥	경남의 서남방면						丁仲煥(1978)
千寬宇	義城郡 多仁		漆谷郡 仁同	醴泉	金陵郡 開寧	達城郡多斯 · 河濱	千寬宇(1991)
全榮來	麗水半島	여수 돌산도	順天	光陽	南原	河東	全榮來(1985)
延敏洙					南原 任實	河東	延敏洙(1988)
田中俊明					번암(상기문) 남원(하기문)	河東	田中俊明(1992)
金泰植					南原 任實	河東	金泰植(1993)
李永植					南原	河東	李永植(1995)
林永珍					南原		林永珍(1997)
李根雨	전남 장흥		순천	광양 보성	남원	하동	李根雨(1997)
郭長根					운봉고원	전남 곡성군 고달면 대사리	郭長根(1999) 곽장근(2013)
白承忠	하동(다리=대사)		남원?		남원	하동	白承忠(2000)
金鉉球					김천시 개령	대구시 달성군	金鉉球(2000)
李東熙	여수		순천	광양	남원	하동	이동희(2004)
김병남	돌산도	여수	곡성, 구례, 순천	광양	南原 任實	하동	김병남(2006)
朴天秀	여수지역		순천	광양	구례 · 곡성 · 순창 남원 · 임실	하동	朴天秀(2006)
백승옥					낙동강 섬진강	하동	백승옥(2007)
李東熙					남원	하동	이동희(2007)
김영심	여수 · 순천 · 광양				남원 임실	하동	김영심(2008)
박현숙					남원.장수.임실	하동	박현숙(2008)
정재윤					남원, 임실	하동	정재윤(2008)
朱甫暾					장수지역(상기문) 운봉고원(하기문)		주보돈(2011)
金在弘					운봉고원(상기문) 장수군(하기문)		김재홍(2011)
이희준					운봉고원(기문)		이희준(2018)

거의 퇴색되었고, 지금은 대부분 섬진강유역으로 비정한 견해를 따른다. 가야 소국 기문이 섬진강유역에 존재한다는 주장은 일제강점기 지명의 연구에서 비롯되었는데, 섬진강유역으로 기문을 비정한 견해가 발표된 것이 거의 한 세기의 시간이 흘렀다.

그럼에도 불구하고 섬진강유역에 기문이 존재한다는 사실을 여전히 고고학 자료로 증명하지 못하고 있다. 다시 말해 가야 소국의 존재를 가장 진솔하게 증명해 주는 가야의 중대형 고총이 여전히 발견되지 않고 있다는 사실이다. 2010년 이후에는 420여 기의 가야의 중대형 고총이 밀집 분포된 진안고원의 장수군과 운봉고원 일대까지 그 공간적인 범위를 더욱 확대하여 상 · 중 · 하기문을 비정하였다. 그런데 진안고원의 장수군은 금강유역에 운봉고원은 남강유역에 속해 섬진강유역과는 모두 수계를 달리한다[8]. 전북 동부지역을 적셔주는 금강과 남강, 섬진강유역을 하나로 묶어 기문의 영역으로 설정한 것이 특징이다. 이제까지 호남 동부지역에서 축적된 고고학 자료를 문헌에 접목시켜 上己文의 위치를 다시 조명하려고 한다.

> 백제의 변방에 있는 叛波, 卓, 多羅, 前羅, 斯羅, 止迷, 麻連, 上己文, 下枕羅 등의 소국들이 백제에 부용한다. (「양직공도」 백제국사제기)

「양직공도」에 상기문이 백제 변방의 소국으로 등장하여 그 존재가 문헌으로 확인된다. 상기문은 또한 우륵 12곡명 중 上 · 下奇物로 등장하고 있기 때문에 6세기 1/4분기까지도 가야 소국의 하나로 여전히 존속한다. 일제강점기부터 줄곧 기문이

정하였다.

8) 당대 초기의 백과사전으로 장초금이 저술한 『翰苑』 백제전에는 진안고원을 적셔주는 금강이 基汶河가 아닌 熊津河로 소개되어 있다.

섬진강유역에 있었던 곳으로 비정되었지만, 마한의 지배층 무덤으로 밝혀진 40여 기의 분구묘[9]만 발견되었다. 마한의 분구묘가 자취를 감춘 이후 가야 중대형 고총을 비롯하여 수장층과 관련된 어떤 종류의 분묘유적도 조영되지 않았다[10]. 아직까지는 섬진강유역에서 가야 소국의 존재를 방증해 주는 고고학 자료가 발견되지 않고 있다는 것이다. 2018년 구례 용두리에서 가야 중대형 고총의 존재가 확인되지 않았고, 토기류는 대가야양식 토기가 섞여있지 않았다.

그러나 진안고원의 장수군과 운봉고원에서만 마한의 분구묘가 계기적인 발전과정을 거쳐 마침내 가야 중대형 고총으로 더욱 발전한다. 백제 근초고왕의 남정 이후 백제의 영향력이 강하게 미치게 되자 전북 동부지역에서 마한의 분구묘가 가야 중대형 고총으로 바뀐다[11]는 것이다. 진안고원의 장수군과 운봉고원은 서로 수계를 달리하고 있지만 가야의 수장층 묘제와 삼국시대의 봉수망으로는 서로 긴밀한 관련성이 입증되었다[12]. 따라서 가야 고총의 분포양상과 그 발전상을 근거로 6세기 1/4분기까지 가야 소국의 존재가 고고학적으로 방증된 곳은 진안고원의 장수군과 운봉고원으로만 한정된다. 그렇지만 진안고원의 장수군은 금강유역에 속하고 운봉고원은 남강유역에 위치하여 수계상으로 서로 위치를 달리한다.

여기서 그치지 않고『한원』백제전에는,

9) 전북 남원시 금지면 입암리 말무덤 발굴조사에서 그 성격이 마한의 분구묘로 밝혀졌기 때문에 향후 말(몰)무덤을 분구묘로 통일하여 사용하고자 한다.

10) 섬진강유역에서는 5세기 말엽부터 6세기 전엽 영산강유역에서 갑자기 등장한 전방후원분, 영산강식 석실, 진주 · 고성 · 의령 등 서부경남지역에서 성행한 구주계 횡혈식 석실분이 조사되지 않았다. 그리고 영산강유역의 U자형 전용옹관묘, 墳周土器도 출토되지 않고 있다.

11) 진안고원의 장수군과 운봉고원에서 4세기 말엽부터 가야토기가 처음 등장하고 가야의 수혈식 석곽묘가 본격적으로 조영되기 시작한다.

12) 전북 장수군 장계분지에서 시작된 한 갈래의 봉수로가 운봉고원의 서쪽 자연경계인 백두대간 산줄기를 따라 선상으로 운봉봉수로가 배치되어 있다.

> 括地志에 말하기를 熊津河는 나라의 동쪽 경계로부터 나오고 서남쪽으로 흐르고 나라의 북쪽을 가로질러 흐르는 것이 백리이다. 또 서남쪽으로 흘러 바다로 들어간다. 강폭이 넓은 곳은 30보이다. 물이 지극히 맑다. 또 基汶河가 나라에 있는데, 원천은 그 나라에서 나온다. 원천이 그 나라의 남쪽 산에서 나와 동남쪽으로 흘러서 큰 바다로 들어간다. 그 안의 水族은 中夏와 같다.(『翰苑』百濟傳)

라고 기록되어 있다. 일제강점기 今西龍은 基汶河가 섬진강을 가리키는 것으로 인식하고 섬진강유역에서 기문을 찾는데 결정적인 단서를 제공해 주는 근거로 보았다. 금남호남정맥의 팔공산 서북쪽 데미샘[13]에서 발원한 섬진강은 상류지역인 섬진강댐까지는 줄곧 서북쪽으로 흐르다가 이곳에서 그 방향을 동남쪽으로 바꾼 뒤 동남쪽으로 흘러 광양만에서 남해안으로 들어간다. 금남호남정맥과 호남정맥 산줄기 사이를 통과하는 섬진강 상류지역은 평야의 발달이 매우 미약하지만 섬진강 중 · 하류지역에는 수량이 풍부해지고 그 폭도 넓어져 강으로써 모든 위용을 갖추어 비교적 넓은 평야가 펼쳐져 있다.

반면에 백두대간의 남덕유산에서 발원한 남강은 줄곧 동남쪽으로 흐르다가 경남 산청군 생초면에서 임천강과 만난다. 임천강은 운봉고원의 남쪽, 즉 지리산 서북쪽 기슭 금샘에서 발원하여 운봉고원을 풍요롭게 적셔준 여러 갈래의 물줄기를 한데 모아 줄곧 동남쪽으로 흐른다. 임천강 발원지의 위치와 물줄기의 흐르는 방향이 사료의 내용을 모두 충족시켜 준다. 따라서 운봉고원을 적셔주는 임천강이 합류하는 남강이 『한원』의 기문하를 가리킬 개연성이 높다. 그러나 240여 기의 가야 중대형 고총이 학계에 보고된 진안고원은 금강의 최상류로 문헌의 웅진하를 가

13) 아직까지 섬진강유역에서 한 기의 가야 중대형 고총이 발견되지 않은 상황에서 위치상으로도 문헌에서 언급된 발원지가 남쪽이 아닌 동쪽에 위치한다.

리키고 있기 때문에 기문하와 관련이 없다[14]. 아래의 사료에서도 기문과 운봉고원의 관련성을 다시 확인할 수 있다.

> 임나국이 상주하여 말하였다. "신국의 동북에 三巴汶[上巴汶 · 中巴汶 · 下巴汶]의 땅이 있는데 사방 삼 백리 정도 됩니다. 토지와 인민이 부유하고 풍요로우나 신라국과 다투어 피차 다스리지 못하고 전쟁만 서로 계속하여 백성이 살기에 어렵습니다. 신이 청컨대 장군을 보내서 이 땅을 다스리게 한다면 곧 귀국의 부로 삼겠습니다.(『신찬성씨록』 좌경황별하 길전연조)

위의 사료는 기문의 공간적인 범위를 설정하는데 중요한 기준이 된다. 일단 기문은 임나와 신라가 서로 다투어 피차 다스리지 못한 곳에 자리하고 있다. 그렇다면 기문의 위치를 비정하기 위해서는 삼국시대 때 신라의 영향력이 서쪽으로 어디까지 미쳤는가를 검토해야 한다. 백제와 신라의 국경선을 알려주는 고고학 증거로 알려진 신라의 단각고배를 중심으로 신라토기는 진안고원과 운봉고원에서 나왔다[15]. 운봉고원에서는 단각고배보다 그 시기가 앞서는 신라계 유물이 출토되지 않았지만, 진안고원의 금산군 · 진안군 · 무주군에서는 다양한 기종의 신라토기가 상당량 수습되었다[16].

---

14) 진안고원과 운봉고원이 서로 수계를 달리하고 있음에도 불구하고 이를 하나로 묶어 모두 기문하로만 회자되고 있는데, 진안고원은 엄밀하게 수계상으로 웅진하에 속한다.

15) 이밖에도 진안고원의 금산 · 진안군에 속한 금산 장대리, 진안 승금리에서 신라의 단각고배가 나왔다. 단각고배는 배부와 각부의 비율이 3:1 정도로 그 시기가 무령왕릉의 연대(523~529)보다 늦고 대가야의 멸망 전에 이미 발생한 것으로 알려져 있다.

16) 전북 무주군 무풍면 현내리 북리마을에서 수습된 20여 점의 신라토기와 백제토기가 무풍초등학교와 구천초등학교 등 3개소에 보관되어 있다. 신라토기는 대각부에 지그재그로 투창이 뚫린 이단투창고배와 대부광구장경호, 파수부잔 등이 있는데, 고배류를 제외한 유물의 속성은 진안 황산리 출토품과 상통한다.

전북 무주군 무풍면 현내리 북리마을에서 수습된 20여 점의 신라토기와 백제토기가 무풍초등학교와 구천초등학교 등 3개소에 보관되어 있다. 신라토기는 대각부에 지그재그로 투창이 뚫린 이단투창고배 · 대부광구장경호 · 파수부잔 등이 있는데, 그 시기는 대체로 5세기 말엽으로 비정되었다. 웅진 천도 이후 백제가 정치적인 혼란에 빠지면서 대내외적인 영향력을 갑자기 상실하게 되자, 신라가 백두대간의 덕산재를 넘어 2018년 50여 개소의 제철유적이 발견된 전북 무주군 일대로 진출했던 것 같다. 다시 말해 경주에서 대구, 성주를 거쳐 무주군 일대로 신라의 진출은 대규모 철산지를 장악하려는 신라의 국가전략이 담겨있다. 백제는 멸망할 때까지 신라의 무산현이 설치된 나제통문 동쪽 무주군 무풍면 일대를 탈환하지 못하였다.

진안고원의 무주권으로 신라의 진출은 유적과 유물로 증명된다. 신라 무산현 행정치소 무주군 무풍면 일대를 적신 남대천은 나제통문을 지나 줄곧 동북쪽으로 흘러 무주읍 대차리에서 금강으로 흘러든다. 웅진기 사행로가 금강을 건너던 나루터가 있었던 무주읍 용포리[17] 부근에 무주 대차리 고분군이 위치한다. 모두 11기의 수혈식 석곽묘는 바닥에 시상석이 마련된 9기와 시상석이 없는 것으로 나뉘는데, 전자는 유구의 속성이 옥천 금구리, 상주 헌신동 · 병성동에서 조사된 신라고분과 상통한다. 유물은 대부장경호 등 40여 점의 신라토기가 절대량을 차지하고 있으며, 그 시기는 6세기 전후로 편년되었다. 금강을 중심으로 그 동쪽에 위치한 무주권으로 新羅의 西進을 유물로 방증해 주었다.

그러나 진안고원의 장수군과 섬진강유역에서만 신라계 유적의 존재가 발견되지 않았고, 유물도 나오지 않았다. 사료에서 토지와 인민이 부유하고 풍요롭다는

17) 본래 나루터가 있었던 곳으로 금산과 무주를 이어주는 37번 국도와 35번 통영대전고속국도가 통과한다.

것은 대규모 철산개발로 융성했던 운봉고원의 발전상을 웅변해 준다. 남원 월산리 M5호분에서 나온 철제초두와 계수호, 남원 유곡리 · 두락리 32호분의 금동신발과 수대경이 당시의 시대상을 말해준다. 동시에 운봉고원이 위세품과 가야토기를 거의 다 모을 수 있었던 것은 철의 생산과 유통이 왕성하였기 때문이다. 당시에는 물물교환으로 대변되는 현물경제로 최고급의 위세품과 최상급의 가야토기는 운봉고원에서 생산된 양질의 철을 확보하고 공급하기 위해 운봉고원의 기문국으로 보낸 고고학적 증거물이다[18]. 신라의 유적과 유물이 발견되지 않은 섬진강유역과 진안고원의 장수군은 기문의 공간적인 범위에 포함되지 않는다.

그렇다면 임나와 신라가 서로 다투어 피차 다스리지 못하고 전쟁만 계속하여 백성이 살기 어려운 곳은 어디였을까? 전북 동부지역으로 신라의 진출은 크게 두 갈래로 진행되었다. 하나는 대구, 성주를 거쳐 백두대간의 덕산재를 넘어 진안고원의 무주군으로, 다른 하나는 창령과 합천, 함양을 경유하여 운봉고원으로 곧장 나아가는 루트이다. 가야의 분묘유적이 발견되지 않는 전북 무주군 무풍면에서는 백두대간의 덕산재로[19]를 따라 6세기 이전에 이미 신라의 진출이 시작되었다. 그리하여 6세기 전반기 이른 시기 진안 와정토성과 인접된 진안 황산리, 무주 대차리에서 신라토기가 수혈식 석곽묘에 부장된다.

운봉고원을 무대로 가야 소국으로까지 발전했던 철의 왕국 기문국은 세 가지 점에서 강한 지역성을 보였다. 하나는 봉분의 중앙부에 하나의 매장주체부만 배치된 단곽식이고, 다른 하나는 봉분의 가장자리에 호석시설을 두르지 않았고, 또 다른

18) 당시에 운봉고원의 철을 확보하기 위해 기문국으로 보낸 물품으로는 쌀이 가장 많은 양을 차지하였고, 다음으로 지역색이 강한 가야의 토기류가 상당량을 차지하였을 것으로 추측된다.

19) 공주-논산시 연산면-황룡재-논산시 벌곡면-금산군 진산면-금산분지-금산군 부리면-지삼치-무주읍 용포리-무주읍-무주군 설천면-나제통문-무주군 무풍면-백두대간 덕산재-성주-대구-경산-경주로 이어진다.

하나는 매장주체부가 지상식 혹은 반지하식[20]이라는 점이다. 여기서 그치지 않고 벽석의 축조방법, 개석 혹은 벽석 사이에 점토 바름, 바닥시설, 장축방향 등 유구의 속성에서도 남원 월산리 · 유곡리 · 두락리고분군이 서로 상통한다. 그렇다면 마한 분구묘의 전통성, 보수성이 기문국까지 지속됨으로써 전북가야만의 강한 지역성으로 굳어졌다.

남원 월산리 · 유곡리 · 두락리를 중심으로 한 함양 상백리 · 백천리, 산청 생초 · 중촌리, 장수 삼봉리 · 호덕리 · 동촌리 가야의 고총은 봉분의 가장자리에 호석시설을 갖추지 않았다. 금강유역에 속한 전북 장수군 내 수장층 고총군을 제외하면, 다른 분묘유적은 모두 남강 중류지역에 집중되어 하나의 분포권을 형성한다. 아마도 운봉고원을 중심으로 경남 함양군, 산청군 일대에는 서로 긴밀한 교류관계를 바탕으로 동일한 문화권 및 생활권을 형성했던 가야 소국들이 있었을 것으로 점쳐진다. 기문국이 상 · 중 · 하기문으로 구성되어 있었다는 문헌의 내용[21]을 주목해야 할 대목이다.

그러나 운봉고원은 6세기 중엽 경 신라토기가 가야의 수장층과 하위계층 분묘유적에서 처음으로 등장한다. 남원 봉대리 2호분에서 단각고배를 비롯하여 신라토기와 가야토기, 백제토기가 함께 나왔다. 전북 동부지역으로 신라의 진출이 권역별로 차이를 보이게 된 것은 철의 왕국 기문국에 대한 백제의 후원과 관련이 깊다. 백제와 가야의 교류 관문이자 대규모 철산지였던 운봉고원의 기문국에 백제가 한성기부터 지속적으로 지대한 관심을 보였기 때문이다. 반면에 羅濟通門[22]으로

---

20) 남원 유곡리 · 두락리 · 월산리, 장수 삼봉리 · 동촌리, 고성 송학동에서 확인된 지역성이 강한 묘제로써 마한 묘제와의 연관성이 높다.

21) 『신찬성씨록』 좌경황별하 길전연조에 "신국의 동북에 三巴汶[上巴汶 · 中巴汶 · 下巴汶]의 땅이 있는데 사방 삼 백리 정도 됩니다"라고 기록되어 있다.

22) 전북 무주군 설천면 소천리에 자리한 나제통문은 높이 5m, 길이 10m의 인공 석굴로 일제강점기 때 뚫었다. 백제와 신라의 국경을 이루었다고 전해지고 있으며, 지금도 양쪽 지역의 언어와

상징되는 전북 무주군은 웅진 천도 이후 백제가 정치적인 불안에 빠지자 신라가 백두대간 덕산재를 넘어 신라의 영향권에 편입시킨 대규모 철산지[23]이다. 또 다른 사료를 통해서도 기문의 위치를 다시 추론해 볼 수 있다.

> 길전숙칭의 시조인 鹽乘津은 대왜인이다. 후에 국명을 따라 삼기문의 땅에 가서 살았는데, 그 땅은 결국 백제에 예속되었다. 염승진의 팔세손인 달솔 吉大尙과 그 동생 少尙 등이 회토심이 있어서 서로 연이어 來朝하여 의술을 대대로 전하고 문예에도 능통하였다. 그 자손들이 奈良京 田村里에 거주하여 吉田連의 성을 받았다(『속일본후기』 승화 4년 6월조).

위의 사료에 의하면 吉大尙 집안은 대대로 三己汶에 살고 있었는데, 그곳이 백제에 예속된 이후 백제의 신민이 되었고, 7세기 중반 길대상 때는 백제의 중앙 관직인 達率까지 진출하였다. 백두대간 산줄기를 넘어 운봉고원으로 백제의 진출 과정은 문헌에서 두 차례 확인된다. 첫 번째는 백제 무령왕이 513년부터 515년까지 3년 동안 운봉고원의 기문국을 두고 가야 소국 반파와 치열한 공방을 펼칠 때이다. 당시 백제와 반파의 갈등은 섬진강유역에서 백두대간 산줄기를 넘는 백제의 1차 가야 진출로 결국 백제가 반파와의 3년 전쟁에서 승리함으로써 운봉고원과 그 주변이 백제에 예속되었다.

이 무렵 운봉고원에서 가야 고총의 매장주체부가 수혈식에서 횡구식 및 횡혈식으로 바뀌었다. 전북 동부지역 가야의 수장층 분묘유적에서 6세기 전반기 이른 시

풍습이 다르다. 삼국시대 때 나제통문을 경계로 서쪽은 백제의 赤川縣, 동쪽은 신라의 茂山縣 소속이었다. 웅진기 동안 백제와 신라의 사행로가 나제통문을 통과하였을 것으로 추측된다.

23) 2018년 무주군 생산유적 지표조사에서 40여 개소의 제철유적이 밀집 분포된 것으로 밝혀졌는데, 전북 동부지역에서 덕유산 일대는 제철유적의 규모와 밀집도에서 최대 규모를 이룬다.

기 백제 묘제의 영향이 처음으로 확인되는 곳이 운봉고원이다. 운봉고원의 기문국을 정치적으로 복속시킨 백제는 530년대까지 백두대간 산줄기를 넘는 가야 진출이 확인되지 않는 소강상태를 이룬다. 백제는 운봉고원의 기문국에 대한 직접적인 영향력을 줄곧 행사하다가 554년 옥천 관산성 전투에서 신라에 패배함에 따라 그 주도권을 일시에 상실한다. 그리하여 남원 봉대리 등 운봉고원의 분묘유적에서 시상대가 마련된 신라의 묘제가 확인되고 신라토기도 처음으로 등장하기 시작한다.

운봉고원의 철산지를 정치적으로 복속시킨 무령왕은 백제가 다시 부흥할 수 있는 굳건한 토대를 마련하였고, 성왕 때는 한강유역의 수복과 함께 사비로 천도할 수 있는 경제적인 토대도 구축되었다. 동시에 고고학에서 보수성과 전통성을 대변해 주는 기문국의 가야 고총의 내부구조도 수혈식에서 횡혈식으로 바뀌었다. 이제까지 축적된 고고학 자료로 기문국의 존재를 일목요연하게 충족시켜 주는 곳이 삼국시대 대규모 철산지로 주목을 받기 시작한 운봉고원이다. 게다가 호남 동부지역의 동북쪽에 위치하여 지리적으로도 문헌의 내용과 거의 일치한다.

그런데 합천 봉계리 등 고령 지산동 서쪽에서 가야의 고총은 대가야양식 토기가 주종을 이루는 단계에 접어들면 가야의 고총이 자취를 감추든지 그 규모가 축소되는 경향을 보였다. 그러나 운봉고원 내 남원 유곡리 · 두락리의 경우만 유일하게 봉분의 규모와 매장주체부가 축소되지 않고 이전 시기의 발전 속도를 멈추지 않고 더욱 커졌다. 아울러 가야의 고총에서 최초로 그 존재를 드러낸 철제초두를 비롯하여 대부분의 철기류가 모두 나왔는데, 더욱 중요한 것은 차양이 달린 복발형 투구 등 대부분 철기류가 운봉고원에서 제작된 것으로 밝혀졌다[24]는 점이다.

백두대간 속 기문국은 철광석을 녹여 철을 생산하던 제련기술 뿐만 아니라 무쇠

---

24) 동시에 기문국 지배자의 시신을 모신 목관에 사용된 꺾쇠는 기문국의 수장층 혹은 지배자와 관련이 있는 가야 중대형 고총에서만 나왔다.

를 두드려 철제품을 가공하던 가공기술까지 하나로 응축된 철의 테크노밸리였다. 남원 월산리 M1-A호에서 나온 금은상감 환두대도 손잡이편은 최고의 상감기술을 자랑한다. 동시에 운봉고원에서 40여 개소의 제철유적이 그 존재를 드러내 가야의 영역 중 단일 지역 내 제철유적의 밀집도가 가장 높다. 백제 무령왕이 일본 및 중국 문헌에 등장하는 20개 이상의 가야 소국 중 기문국을 특별히 선택한 이유는 무엇일까? 아마도 웅진 천도 이후 정치적인 안정을 이룬 무령왕이 백제의 중흥을 위해서는 대규모 철산지의 확보가 절실했을 것으로 추측된다. 이 무렵 철의 왕국 기문국이 백제에 정치적으로 복속된 것 같다.

다른 한편으로 기문국의 가야 고총에서 최초로 나온 금동신발과 수대경은 기문국의 대외교류가 왕성하게 펼쳐졌음을 방증해 주었다. 남원 유곡리 · 두락리 32호분 주석곽의 서쪽 피장자의 발 부근에서 금동신발편 · 영락 · 영락고리 · 금동못 등이 수습되었다. 금동신발은 몸통부에 타출기법으로 능형문과 영락이 장식되어, 공주 무령왕릉과 익산 입점리 1호분, 나주 신촌리 9호분이 출토품과 유물의 속성이 흡사하다. 종래에 금동신발이 나온 고분은 모두 왕릉이나 백제 왕후제와 관련하여 최고의 권력자 혹은 지방 거점세력의 수장층 무덤으로 비정되었다. 금동신발은 모든 가야 영역에서 유일하게 나온 최상위급 위세품으로써 기문국의 존재를 고고학적으로 뒷받침해 주었다.

남원 유곡리 · 두락리 32호분 주석곽 동쪽에 부장된 獸帶鏡도 최고의 위세품이다. 수대경은 피장자의 머리 부분에서 배면이 위로 향하도록 부장되어 있었는데, 전면에서는 주칠흔이, 경면에서는 주칠흔 · 포흔 · 수피흔 · 목질흔 등이 확인되었다. 전면에 새겨 놓은 '宜子孫' 명문 등 청동거울의 속성이 무령왕릉에서 나온 수대경과 거의 흡사하다. 그리고 일본 群馬縣 觀音山과 滋賀縣 三上山下 고분에서 나온 수대경과도 유물의 속성이 서로 상통한다. 동북아 수대경의 속성과 출토 양상을 근거로 기문국이 당시 동북아 문물교류의 허브였음이 입증된 것이다. 여기서 그치지 않고 남원 월산리 M5호분에서 중국제 鷄首壺가 출토되어, 5세기 후엽 이른 시기 철 생산과 유통으로 국력을 키운 기문국이 남제와의 자주적인 국제외교도 유추해 볼 수 있다.

백두대간을 두 번째로 넘는 과정은 아막성 전투이다. 백제는 신라의 아막성을 차지하기 위해 20년 넘게 신라와 치열한 전쟁을 벌였다. 백두대간 산줄기를 다시 넘기 위해 무왕 3년부터 17년(616)에서 25년(624) 사이에 벌어진 아막성 전투에서 승리함에 따라 신라의 아막성이 백제의 수중으로 다시 들어간다. 6세기 중엽경 관산성 전투 패배로 운봉고원 일대가 신라에 정치적으로 편입되었다가 다시 백제 무왕 때 탈환된 것이다. 당시에 운봉고원에 살던 사람들이 급기야 백제인화 되었고, 길대상이 7세기 중반 백제의 중앙 요직까지 진출한 것으로 보인다. 그렇다면 백제와 신라의 아막성 전투는 대규모 철산지 운봉고원을 차지하기 위한 철의 전쟁이었다. 익산 미륵사지와 왕궁리 유적 등 백제 무왕의 중흥 프로젝트를 위해서는 대규모 철산지 운봉고원의 탈환이 절실했던 것이 아닌가 싶다.

운봉고원의 기문국 등 전북 동부지역에 기반을 둔 가야의 소국들이 백제 혹은 신라에 정치적으로 복속됨에 따라 동북아에서 커다란 변화가 일어난다. 전북 동부지역에서 250여 개소의 제철유적을 남긴 철의 장인집단이 바다를 건너 일본으로 대거 이동했을 것[25]으로 추측된다. 일본에서 철기문화의 발전이 전북 동부지역 철 도래인들의 이동 시기와 일치하고 운봉고원에서 제작된 차양이 달린 복발형 투구, 역자형 비대칭 철촉 등 철기유물이 일본에서 출토되었고, 일본에서 니켈이 함유된 철기류가 상당량 나온 것이 이를 방증해 준다. 여기에 중국제 계수호와 수대경도 포함되어, 운봉고원의 기문국이 유적과 유물로 동북아 문물교류의 허브였음이 증명되었다. 전북 동부지역의 제철유적은 중국에서 출발해 우리나라를 거쳐 일본까지 이어진 동북아

---

25) 『속일본후기』 승화 4년 6월조 "吉田宿祢의 시조인 鹽乘津은 대왜인이다. 후에 국명을 따라 삼기문의 땅에 가서 살았는데, 그 땅은 결국 백제에 예속되었다"라고 기록되어 있는데, 이것은 철의 왕국 기문국과 왜가 긴밀한 교류관계가 이루어졌음을 말해준다.

아이언로드[26]이자 기문국의 발전상이 담긴 블랙박스와 같은 것이 아닌가 싶다.

이상에서 살펴보았듯이 520년대까지 문헌에 자주 등장하는 가야의 소국 기문국의 존재가 고고지리로 입증된 곳이 운봉고원이다. 이제까지의 지표조사를 통해 운봉고원에서는 지배층 혹은 수장층과 관련된 180여 기의 마한의 분구묘와 가야 중대형 고총, 그리고 40여 개소의 제철유적이 학계에 보고되었다. 남원 유곡리 · 두락리에는 봉분의 직경이 20m 이상 되는 40여 기 이상의 가야 고총이 한곳에 무리지어 가야 정치체의 존재를 고고학적으로 뒷받침해 주었다. 그리고 최고의 위세품으로 알려진 금동신발과 철제초두, 중국제 계수호와 수대경도 가야 고총에서 출토되어 운봉고원에 지역적인 기반을 둔 기문국의 위상과 국제교류도 확인되었다. 여기서 그치지 않고 기문과 관련된 문헌의 내용을 대부분 충족시켜 주어 운봉고원의 가야 정치체를 상기문으로 비정하였다.

Ⅲ. 봉수의 분포 양상과 봉수로 복원

주지하다시피 봉수는 낮에는 연기와 밤에는 횃불로써 변방의 급박한 소식을 중앙에 알리던 통신제도이다. 1894년 갑오개혁 때 근대적인 통신제도가 도입되기 이전까지 개인정보를 다루지 않고 오직 국가의 정치 · 군사적인 전보기능만을 전달했다. 그리하여 가야의 왕릉 못지않게 가야 소국의 존재여부를 판정해 주는 가장 진솔한 고고학 자료이다. 『일본서기』 및 「양직공도」에 등장하는 가야 소국 반파가 513년부터 515년까지 3년 동안 기문, 대사를 두고 백제와 갈등관계에 빠졌을 때 烽

26) 동북아 아이언로드를 복원해 보면 제나라 전횡 망명 혹은 고조선 준왕 남래-만경강유역(전북 혁신도시, 익산 일대)-전북 동부지역(장수 남양리, 지리산 달궁계곡)-기문국 · 반파국 멸망-일본까지 이어진다.

候(堠)制를 운영하였다. 그렇다면 우리나라에서도 삼국시대의 봉수[27]가 존재하고 있을 개연성이 충분히 상정된다.

2018년 삼국시대의 봉수가 그 모습을 온전하게 드러냈다. 전북 완주군 운주면 고당리 탄현 봉수로 숯고개[28] 서쪽 산봉우리에 위치한다. 이 산봉우리 정상부에 두께가 얇은 판석형 할석만을 가지고 석축을 쌓았는데, 석축은 그 평면형태가 원형에 가깝고 상단부가 하단부보다 약간 좁다[29]. 충남 부여, 논산 일대에서 금남정맥을 넘어 진안고원과 금산분지 방면으로 향하는 두 갈래의 교통로가 한눈에 잘 조망되는 곳이다[30]. 1500년 동안 석축이 온전하게 보존될 수 있었던 것은 석축의 내부를 흙이 아닌 돌로 채웠기 때문이다. 그리고 진안고원의 장수군 장계분지에 지역적인 기반을 둔 장수가야가 백제와의 국경에 당시의 국력을 담아 견고하게 쌓은 축조기법도 중요하게 작용하였다.

진안고원의 북쪽 관문 완주 용계산성을 사이에 두고 탄현 봉수 서쪽에 완주 불명산 봉수가 있다. 佛明山은 불교 용어로 그 서쪽 기슭 중단부에 극락전이 본전인 완주 화암사가 위치한다. 이 산봉우리 정상부에 판석형 할석을 가지고 쌓은 장방형의 煙臺[31]가 있는데, 연대의 동벽 중앙에 등봉시설[32]이 마련되어 있다. 이 봉수

---

27) 전북 동부지역에는 5개소의 봉화산이 있는데, 1990년대부터 봉화산의 역사적인 의미를 파악하기 위한 면담조사 및 현지조사를 통해 그 수가 100여 개소로 늘었다.

28) 전북 완주군 운주면 고당리 삼거리마을 북쪽에 위치한 고개로 달리 炭峴으로도 불린다.

29) 2018년 끝난 학술발굴에서 원형의 석축은 백제 후기에 조성된 것으로 밝혀졌는데, 석축의 바닥면에서 선대의 장방형 유구가 확인되었다. 장방형 유구는 전북 완주군 동북부에서 그 존재를 드러낸 10여 개소 봉수의 연대와 축조기법이 동일하다.

30) 동시에 가야의 서북쪽 관문으로 그 부근에 제철유적 및 관방유적이 집중적으로 배치되어 있다.

31) 봉화를 올릴 수 있도록 일정한 설비를 갖추어 놓은 곳으로 길이800cm, 너비 600cm, 220cm 내외이다.

32) 자연 암반석 사이에 부정형의 계단으로 마련되어 있는데, 계단은 5~6단으로 추정된다.

를 찾은 사람들이 연대 위에 돌탑을 쌓는 과정에 연대가 얼마간 훼손되었지만 그 동남쪽에 원형의 거화시설[33]이 잘 남아있다. 현지조사 때 연대와 등봉시설에서 승석문이 희미하게 시문된 적갈색 연질토기편이 수습되었다. 이 봉수의 남쪽에는 전주를 출발하여 완주 봉림사지 · 용계산성, 금산 백령산성을 거쳐 문경 방면으로 향하는 교통로가 통과하는 용계재가 있다.

완주 불명산 봉수에서 서쪽으로 4km 거리를 두고 완주 용복리 산성이 있다. 달리 만수산성으로 불리는 곳으로 산성 내 양쪽에 연대로 추정되는 봉수시설이 마련되어 있다. 전북 완주군 경천면 용복리와 운주면 구제리 경계에 위치한 산으로 동서 길이 150m 산봉우리 정상부를 두른 테뫼식 산성이다. 성벽은 불명산 봉수와 흡사하게 판석형 할석을 가지고 쌓았는데, 성벽의 서벽과 북벽을 제외하면 그 보존상태가 비교적 양호하다. 산성 내 동쪽과 서쪽 양쪽에 배치된 봉수시설에서 그 모습을 드러낸 거화시설[34]도 다른 봉수들과 상통한다. 아직까지 한 차례의 발굴조사도 이루어지지 않아 그 성격을 속단할 수 없지만 산성 내 양쪽에 봉수시설을 둔 것으로 추정된다.

완주 용복리 산성에서 서쪽으로 4km 남짓 떨어진 각시봉에 봉수가 있다. 지금부터 50여 년 전 각시봉에 올라 돌로 쌓은 석축을 봤던 기억을 되살리고 그 사실을 제보해 주어 완주 각시봉 봉수가 세상에 알려지게 되었다. 완주 경천저수지 북쪽에 우뚝 솟은 각시봉 정상부에 봉수가 있는데, 연대의 축조기법과 평면형태, 거화시설 등의 속성이 완주 탄현 · 불명산 봉수와 똑 같다. 연대의 북벽 중앙에 등봉시설과 연대의 동남쪽에 불을 피우던 시설이 잘 남아있다. 완주 각시봉 봉수에 오르

---

33) 모두 2매의 장대형 석재를 중앙에 10cm 내외의 간격을 두고 평행하게 배치한 뒤 크고 작은 할석으로 둘렀는데, 그 평면형태가 원형을 이룬다.

34) 완주 불명산 봉수와 동일하게 그 평면형태가 원형으로 2매의 장방형 석재를 중앙에 나란히 놓았다.

면 금강과 만경강 분수령을 이루면서 전북과 충남의 도계를 이룬 산줄기가 한눈에 잘 조망된다.

전북 완주군 화산면 소재지 북쪽 산봉우리 정상부에 고성산성이 있는데, 산성의 평면 형태와 성벽의 축조기법, 봉수시설 등이 용복리 산성과 흡사하다. 2018년 현지조사 때 산성에서 유물이 발견되지 않아 상당한 의구심을 자아냈는데, 오래전부터 미완성의 城과 관련된 이야기가 전해온다. 삼국시대 산성 및 봉수의 분포 양상을 근거로 전북 완주군과 충남 논산시 경계를 이룬 험준한 산줄기가 한 동안 장수가야와 백제의 국경이 형성되었을 것으로 추측된다. 전북 완주군 동북부 철산지로 진출한 장수가야가 산성 및 봉수를 쌓아 강력한 방어체계를 구축하였지만 유물이 거의 수습되지 않은 점에서 그 운영 기간이 길지 않았을 것으로 사료된다.

진안봉수로의 출발지 완주 봉림산 봉수와 그 부근에 배치된 봉수들도 주목해야 한다. 완주 봉림산 봉수는 봉림사지 동쪽 산봉우리에 위치하고 있는데, 1980년대까지만 해도 산봉우리 정상부에 연대가 심하게 붕괴된 상태로 남아있었다고 한다. 이 봉수를 중심으로 동쪽에 완주 운암산 · 중수봉 봉수와 동북쪽에 완주 봉수대산, 서북쪽에 완주 종리[35] 봉수가 동일한 거리를 두고 있는데, 연대의 속성이 서로 상통한다. 이들 봉수는 산성 내에 위치하지 않고 그 주변에 산성들이 세트관계를 보이면서 집중적으로 배치되어 또 다른 특징을 보여준다. 전북 완주군 동북부에서 그 존재를 드러낸 10여 개소의 봉수는 전주, 논산 일대에서 금남정맥의 싸리재 · 작은 싸리재를 넘어 진안고원으로 향하는 간선교통로를 따라 선상으로 배치되어 있다.

섬진강 상류지역에서도 20여 개소의 봉수가 발견되었다. 임실 봉화산 봉수는 산

---

35) 여러 갈래의 교통로가 교차하는 곳으로 남북으로 긴 테뫼식 산성 양쪽에 봉수시설이 배치되어 있다. 거화시설은 그 평면형태가 원형으로 2매의 장대형 석재를 중앙에 나란히 놓았는데, 당시에 봙을 피웠던 거화시설 부분은 돌이 산화되어 붉은색을 띤다.

봉우리 정상부에 장방형의 토단이 마련되어 있는데, 유구의 속성이 장수군 봉수들과 얼마간 차이[36]를 보인다. 임실분지를 중심으로 동쪽에는 임실 국화봉 봉수, 서쪽에는 임실 무제봉 봉수, 남쪽에는 임실 봉화산 봉수, 북쪽에는 임실 용요산 봉수가 있다. 청웅분지가 잘 조망되는 임실 백이산 봉수를 지나 임실 학암리 봉수에서 섬진강을 건너 호남정맥의 馳馬山[37] · 鯨角山 봉수에서 멈춘다. 임실 봉화산 봉수에서 갈라져 순창 오교리 산성까지 이어진 순창봉수로는 전북 장수군으로 향하는 교통로를 따라 선상으로 배치되어 있다.

삼국시대의 봉수가 전북 동부지역에서 그 모습을 드러내 커다란 관심을 모으고 있다. 지금도 봉수를 찾고 알리는 지표조사가 진행되고 있기 때문에 그 수가 더 늘어날 것으로 전망된다. 전북 동부지역은 고려 말의 봉수선로가 계승되어, 조선 초기에 정비된 5봉수로의 직봉과 간봉이 통과하지 않아 봉수와 관련이 없는 곳[38]이다. 그럼에도 불구하고 100여 개소의 삼국시대 봉수가 전북 동부지역에서 발견되었는데, 봉수는 관방유적의 밀집도가 높고 제철유적 및 제동유적의 분포권과 거의 일치한다. 그렇지만 백두대간 산줄기 동쪽 영남지방에서는 여전히 삼국시대의 봉수가 학계에 보고되지 않고 있다.

전북 동부지역에서 발견된 100여 개소 삼국시대의 봉수는 두 가지 속성에서 공통성을 보였다. 하나는 장수가야의 중심지로 밝혀진 장수군 장계분지로 향하는 여러 갈래의 교통로를 따라 선상으로 배치되어 있고, 다른 하나는 제철유적의 밀집도가 높은 지역을 통과한다는 사실이다. 그리고 산봉우리 정상부에는 장방형의 연

---

36) 진안고원의 장수군에 배치된 봉수들은 방화벽과 같은 성벽을 두르고 장방형 연대를 돌로 쌓았다.

37) 2019년 지표조사에서 봉수가 발견된 곳으로 마치 말이 달리는 모습과 흡사하다고 하여 붙여진 이름이다.

38) 전북 동부지역은 高麗 · 朝鮮時代의 烽燧制와 전혀 무관한 지역임에도 불구하고 우리나라에서 단일 지역 내 봉화산의 밀집도가 가장 높다.

대를 만들고 석성을 한 바퀴 둘렀는데, 산봉우리의 남쪽 기슭에는 평탄대지가 위치한다. 조선시대 돌로 연대를 쌓고 그 위에 5개소의 연조를 설치했던 봉수와는 뚜렷한 차이를 보인다. 전북 동부지역 봉수의 최종 종착지가 장수가야의 장계분지로 밝혀졌는데, 현재까지 복원된 여러 갈래의 봉수로를 정리하면 아래와 같다.

첫째, 운봉고원에서 시작하는 운봉봉수로이다. 운봉고원은 40여 개소의 제철유적이 밀집 분포된 대규모 철산지이다. 백두대간 산줄기가 운봉고원의 서쪽 자연경계를 이루고 있는데, 치재 · 여원치 · 입망치 등 백두대간의 고갯길이 잘 조망되는 산봉우리에 산성 및 봉수가 세트관계[39]를 이루면서 분포되어 있다. 백두대간을 따라 선상으로 배치된 운봉봉수로는 봉화산 봉수에서 그 방향을 북쪽으로 틀어 진안고원의 장수군 장계분지까지 이어진다. 운봉고원의 기문국과 진안고원의 장수군에 지역적인 기반을 두고 가야의 소국으로까지 발전했던 장수가야와의 긴밀한 유대관계가 입증되는 대목이다. 운봉고원의 철산지와 양쪽 지역을 이어주던 교통로를 조망하기 위해 봉수가 배치된 것으로 추정된다.

둘째, 진안고원의 금산봉수로이다. 충남 금산군 추부면과 대전시 중구 경계에 위치한 금산 만인산 봉수에서 시작하는데, 그 길이가 가장 길다. 1963년 충남으로 편입된 금산군은 본래 전북에 속했던 곳으로 제철유적 및 제동유적의 밀집도가 유난히 높은 곳이다. 동시에 백제 한성기부터 웅진기까지 백제의 사신들이 오갔던 사행로가 통과하여 줄곧 교통의 중심지와 전략상 요충지를 이루었다. 공주에서 출발하여 황룡재를 넘어 금산분지를 종단한 뒤 전북 진안군을 거쳐 최종 종착지 장수군 장계분지까지 이어진 간선교통로가 잘 조망되는 산봉우리에 봉수가 선상으로 배치되어 있다. 금산봉수로는 백제의 동태 파악과 제철(동)유적의 방비에 큰 목적은 둔 것으로 판단된다.

---

39) 전북 동부지역에서 삼국시대 산성 및 봉수는 그 분포양상에서 대체로 한 벌을 이룬다.

셋째, 나제통문 서쪽 무주봉수로이다. 충남 금산군 부리면과 전북 무주군 부남면 경계에 위치한 수로봉 봉수와 무주군 무주읍 동북쪽 향로봉 봉수에서 시작한다. 이 두 갈래의 봉수로는 노고산[40] 봉수에서 하나로 합쳐져 장수군 장계분지까지 이어진 교통로를 따라 선상으로 배치되어 있다. 반면에 신라 무산현의 행정치소이자 30여 개소의 제철유적으로 상징되는 전북 무주군 무풍면 일대에서는 한 개소의 봉수도 발견되지 않았다. 이곳은 웅진 천도 이후 백제가 한 동안 정치적인 불안에 빠지자 신라가 백두대간의 덕산재를 넘어 신라의 영역으로 편입시킨 곳이다. 나제통문을 중심으로 동쪽 신라의 동향을 살피고 전북 무주군 일대 제철유적을 방비하기 위해 무주봉수로를 운영한 것으로 추측된다.

넷째, 만경강유역에서 출발하는 완주봉수로이다. 금강과 만경강유역에서 진안고원으로 향하는 여러 갈래의 간선교통로가 하나로 합쳐져 금남정맥의 작은 싸리재를 넘는다. 전북 완주군 운주면과 진안군 주천면 등 제철유적의 밀집도가 높은 지역을 통과하는 점에서 큰 특징을 보인다. 전북 완주군 비봉면과 익산시 여산면 경계[41]에 위치한 천호산성[42]에서 시작해 각시봉 · 불명산 봉수를 거쳐 탄현봉수까지 전북 완주군 동북부를 동서로 가로지른다. 이곳에서 그 방향을 동남쪽으로 틀어 진안 태평 봉수를 경유하여 최종 종착지 장수군 장계분지까지 이어진다. 가야와 백제의 국경을 형성한 만경강유역에 배치된 대부분의 봉수는 연대의 평면형태

---

40) 금강 남쪽에 우뚝 솟은 산봉우리로 웅진기 백제와 신라의 사신들이 오갔던 사행로가 강을 건넜던 나루터가 있었던 전북 무주군 무주읍 용포리가 한눈에 잘 조망된다.

41) 달리 전북 완주군과 충남 논산시 행정경계를 이룬다. 이 산줄기는 남쪽의 만경강과 북쪽의 금강 분수령을 이루고 있으면서 상당히 험준하여 금남정맥으로 보아야 한다는 주장도 있다. 2018년 전북 완주군 동북부에서 그 존재를 드러낸 산성 및, 봉수, 제철유적 등이 모두 가야의 영역에 위치한다.

42) 현지조사 때 밀집파상문이 시문된 회청색 경질토기편과 삼족토기편이 수습되었으며, 북쪽 산봉우리에서 장방형의 봉화시설도 확인되었다. 장수가야에 의해 초축된 뒤 백제 혹은 후백제 때 다시 개축된 것으로 추정된다.

가 장방형으로 그 보존상태가 양호하다.

다섯째, 운장산을 경유하는 진안봉수로이다. 완주 봉실산[43]에서 출발하여 대아저수지 북쪽 완주 운암산 · 중수봉 봉수를 거쳐 진안 운장산 봉수에 당도한다. 전북 서부 평야지대가 한눈에 잘 조망되는 운장산에서 최종 종착지 장수군 장계분지까지는 교통로를 따라 비스듬히 이어진다. 운장산을 중심으로 사방에 20여 개소의 제철유적이 밀집 분포되어 있는데, 그 중심부를 진안봉수로가 통과한다. 만경강유역에 위치한 봉수는 연대의 평면형태가 장방형으로 벽석이 판석형 할석만을 가지고 쌓은 점에서 공통성을 보였다. 진안봉수로가 통과하는 봉림산 봉수에서 기벽이 두껍고 격자문과 승석문이 시문된 회색 연질토기편, 회청색 경질토기편 등의 유물이 수습되었다.

여섯째, 섬진강 상류지역을 동서로 가로지르는 임실봉수로이다. 진안고원의 장수군 장계분지에서 갈라진 한 갈래의 봉수로가 전북 임실군 임실읍 남쪽 봉화산[44] 봉수를 경유하여 호남정맥 치마산 · 경각산[45] 봉수까지 이어진다. 전주를 중심으로 만경강유역이 한눈에 잘 조망되는 임실 경각산 봉수는 가장 서북쪽에 위치한다. 섬진강 상류지역에서 제철유적이 거의 없기 때문에 만경강, 섬진강유역에서 진안고원의 장수군 장계분지로 향하는 교통로를 감시할 목적으로 봉수가 배치되었다. 다음에 설명할 순창봉수로와 함께 연대가 토축과 석축이 혼재되어 있는데, 후자는 크기가 일정하지 않은 석재를 가지고 조잡하게 쌓았다. 다른 지역의 봉수

---

43) 전북 완주군 봉동읍 서북쪽 산봉우리로 만경강 일대가 한눈에 잘 조망되며, 현지조사 때 격자문과 승석문이 시문된 회청색 경질토기편이 수습되었다.

44) 봉화산 정상부에는 연대로 추정되는 장방형의 토단이 마련되어 있으며, 이 산 동쪽에는 섬진강유역에 그물조직처럼 잘 갖춰진 교통로가 하나로 합쳐지는 임실 월평리 산성이 있다.

45) 전북 임실군 신덕면과 완주군 구이면 경계에 위치하고 전주 일대 한눈에 잘 조망된다. 이 산 아래의 광곡마을에서 바라보면 母岳山 방향으로 머리를 향한 고래의 모습이며, 정상부에 있는 두 개의 바위가 마치 고래의 등에 솟아난 뿔의 형상이다.

들과 달리 아주 거칠게 쌓은 연대의 축조기법에서 섬진강유역만의 특징이 강하다.

마지막으로 임실 봉화산 봉수에서 갈라져 순창 오교리 산성까지 이어진 순창봉수로이다. 임실 봉화산 봉수 남쪽에 임실 망전리 봉수와 다시 서남쪽에 임실 세심리 봉수를 지나 순창 신흥리 합미성[46]에서 끝나는 것으로 알려졌었다. 2019년 순창군에서 4개소의 봉수가 더 발견되었는데, 순창 합미성 서쪽 동계면 현포리에 말무재 봉수가 있다. 이 봉수를 중심으로 서북쪽에 생이봉 봉수, 서남쪽에 채계산 봉수를 지나 순창 오교리 산성에서 순창봉수로가 끝난다. 연대는 오교리 산성 내 봉수시설과 생이봉 봉수가 아주 조잡하게 돌로 쌓았고, 적성면 고원리 채계산 봉수는 자연 암반층을 파내어 마련하였다. 임실봉수로와 함께 연대가 대부분 토단을 이루고 돌로 쌓은 경우도 거칠고 엉성하게 쌓았다.

전북 동부지역의 봉수는 어느 곳에 위치하는가에 따라 유구의 속성에서 차이를 보였다. 금강과 남강유역에 배치된 봉수는 흙 또는 할석으로 장방형 연대를 마련하고 방화벽과 같은 테뫼식 성벽을 둘렀다. 만경강유역에서는 대부분 판석형 할석을 가지고 장방형의 연대를 정교하게 쌓은 뒤 비교적 험준한 산봉우리에 입지를 둔 봉수는 성벽을 두르지 않았다. 반면에 백제와의 국경이나 여러 갈래의 교통로가 교차하는 전략상 요충지에 자리한 봉수는 대부분 성벽을 둘렀다. 섬진강유역은 흙이나 돌로 연대를 마련하였지만 성벽은 두르지 않았다. 유구의 속성이 지역에 따라 차이를 보인 것은 봉수의 운영 시기가 다르고 봉수의 역할도 얼마간 차이를 보였기 때문이다.

삼국시대의 봉수와 세트관계를 보이면서 산성이 집중적으로 배치되어 있다. 한성기 간선교통로가 통과하던 진안고원의 금산분지, 부여 혹은 논산에서 진안고원

---

46) 전북 순창군 동계면 신흥리 신흥마을 북쪽 포곡식 산성으로 산성 내 동북쪽 산봉우리에 봉수시설로 추정되는 장방형의 집석 유구가 있다.

으로 나아갈 때 대부분 통과했던 금남정맥의 싸리재 부근, 여러 갈래의 교통로가 하나로 합쳐지는 전북 진안군 주천면 일대, 만경강유역에서 섬진강유역으로 진출할 때 주로 넘었던 호남정맥의 슬치 부근이 여기에 해당된다. 영산강유역에서 섬진강유역을 횡단하여 장수군으로 진출하려면 대부분 거쳐야 하는 오수천, 만경강유역에서 진안고원으로 연결되는 교통로가 통과하던 전북 완주군 동북부에도 산성의 밀집도가 상당히 높다. 전북 동부지역에는 산성 및 봉수가 세트관계를 보이면서 밀집 분포되어 있다.

Ⅳ. 삼국시대 봉수로 본 반파의 위치

우리나라에서 산성의 밀집도가 상당히 높은 곳이 전북 동부지역이다. 아마도 선사시대부터 줄곧 교통의 중심지이자 대규모 철산지였던 전북 동부지역을 장악하려는 삼국의 정치 · 군사적인 목적과 관련이 깊다. 제일 먼저 백제가 진출하여 영향력을 행사하다가 웅진 천도 이후 한 동안 정치적 불안으로 영향력을 갑자기 상실하게 되자, 이를 틈타 철산개발로 국력을 키운 장수가야가 백제의 동향을 살피기 위해 산성 및 봉수를 집중적으로 배치하였다. 이 무렵 신라도 백두대간의 덕산재를 넘어 전북 무주군 일대를 장악하고 그 여세를 몰아 전북 진안군, 충남 금산군까지 신라의 영향권으로 포함시켰다. 그리하여 전북 진안군과 무주군, 충남 금산군 일대에서 백제와 가야, 신라의 유적과 유물이 공존한다.

아직은 임실 성미산성, 장수 합미산성 · 침령산성, 금산 백령산성을 제외하면 산성에 대한 발굴조사가 거의 이루어지지 않아 그 축성시기와 축성주체를 밝히지 못하고 있다. 다만 백제 혹은 영산강유역을 의식하고 진안고원의 장수군 장계분지로 향하는 간선교통로의 길목에 산성이 집중적으로 배치된 점에서 두드러진 특징을 보인다. 전북 동부지역 산성 및 봉수의 분포양상만을 근거로 추론한다면 그 축성 주체가 장수가야와의 관련성[47]이 가장 유력하다. 섬진강유역을 제외하면 산성 및 봉수가 집중적으로 배치된 곳은 제철유적의 분포양상과도 서로 중복된다. 삼국시대 때 대규모 철산지를 방비하려는 삼국의 국가전략도 함께 담겨있을 것으로 추측된다.

2018년 만경강유역에 속한 전북 완주군 동북부[48]에서 탄현, 봉수대산 등 10개소의 봉수[49]가 최초로 그 존재를 드러냈다. 만경강유역에서 금남정맥 싸리재[50], 금강유역에서 작은 싸리재를 넘어 장수가야의 장계분지로 향하는 간선교통로[51]를 따라 선상으로 봉수가 배치되어 있다. 그리고 전북 완주군 동북부에서 30여 개소의 제철유적이 발견됨으로써 또 다른 대규모 철산지로 급부상하고 있다. 삼국시대 봉수의 분포양상을 근거로 백제의 정치적인 불안을 틈타 장수가야가 전북 완주군 동북부 일대로 진출하였음을 말해준다. 동시에 장수가야의 서북쪽 관문으로 전북지역에서 관방유적과 통신유적의 밀집도가 가장 높고 동일지역에 제철유적도 공존한다.

그렇지만 충남 논산시와 공주시, 부여군 일대에서는 한 개소의 삼국시대 봉수

47) 반면에 백제와 신라가 금강을 사이에 두고 국경을 형성하는 과정에 축성된 것으로 보는 주장도 있다. 그런데 금산 백령산성에서 밀집파상문이 시문된 가야의 회청색 경질토기편이 일부 포함되어 장수가야에 의해 초축되었을 가능성도 배제할 수 없다.

48) 전북 완주군 고산면을 중심으로 비봉면, 화산면, 경천면, 동상면, 운주면이 여기에 해당된다.

49) 완주 탄현 · 불명산 · 용복리 · 각시봉 · 천호산 · 성태봉 · 봉실산 · 이전리 · 종리 · 봉수대산 · 봉림산 · 운암산 · 중수봉 · 태평 봉수로 장방형의 연대를 두어 서로 연관성을 보였다. 그럼에도 불구하고 전북 완주군과 인접된 충남 논산시에서는 여전히 한 개소의 봉수도 발견되지 않고 있다.

50) 진안고원의 서북쪽 관문으로 전북 완주군 동상면 대아리와 진안군 주천면 대불리 경계에 위치한다.

51) 금남정맥 싸리재 · 작은 싸리재를 넘어 진안고원의 장수군으로 향하는 간선교통로를 말한다.

가 발견되지 않았다. 좀 더 구체적으로 설명하면, 전북 완주군에서 충남 공주시, 완주군에서 부여군 사이에서는 봉수의 존재가 발견되지 않고 있다는 사실이다. 삼국시대 봉수의 분포양상을 근거로 그 운영주체가 일단 백제와는 무관하다는 것을 알 수 있다. 반면에 백제의 문물교류의 관문으로 알려진 충남 논산시 가야곡면 · 양촌면 · 연산면 일대에는 분묘유적과 관방유적이 집중적으로 분포되어 있다. 논산 표정리 · 신흥리 · 모촌리 수혈식 석곽묘에서 철기유물이 다량으로 쏟아져 전북가야의 북쪽 관문으로 전북 동부지역 가야세력과의 교류관계가 왕성했음을 살필 수 있다.

그런데 『일본서기』 계체기 8년 3월조에,

> 伴跛는 子呑과 帶沙에 성을 쌓아 滿奚에 이어지게 하고, 烽候[堠][52]와 邸閣[53]을 설치하여 日本에 대비하였다. 또한 爾列比와 麻須比에 성을 쌓아 麻且奚 · 推封에까지 뻗치고, 사졸과 병기를 모아서 新羅를 핍박하였다. 자녀를 몰아 잡아가고 촌읍을 벗겨 빼앗아가니 적의 힘이 가해진 곳에는 남는 것이 드물었다. 무릇 포악하고 사치스럽고 괴롭히고 업신여기고 베어 죽임이 너무 많아서 상세히 적을 수가 없을 정도였다(『일본서기』 계체기 8년 3월조).

라고 기록되어 있다. 가야 소국 伴跛가 대규모 축성과 烽候(堠)制를 운영하였음을 알 수 있다. 문헌에는 일본을 대비한 것으로 표현되어 있는데, 산성 및 봉수의 분포양상을 근거로 백제 혹은 영산강유역의 마한으로 사료된다. 아직은 문헌의 공간적

---

52) 봉화를 올릴 수 있도록 쌓은 熢壘 혹은 堡壘를 말한다. 넓은 의미로 봉수의 시원형이기 때문에 향후에는 봉수라는 용어로 통일하여 사용하고자 한다.

53) 창고시설 혹은 봉수군이 생활하는 건물이라는 의미가 아닌가 싶다.

인 범위를 단정할 수 없지만 전북 동부지역에서 봉수가 배치된 지역[54]과 전북 남원시와 순창군, 전남 곡성군 동북부 등 섬진강 중류지역이 여기에 해당된다. 섬진강 중류지역은 한 개소의 봉수도 발견되지 않았지만, 전북 동부지역에서 산성의 밀집도가 상당히 높고 산성의 축성기법도 긴밀한 유사성[55]을 보였다. 섬진강 내륙수로와 영산강유역에서 장수가야의 장계분지로 향하는 여러 갈래의 교통로를 방어하기 위해 장수가야에 의해 대규모 축성이 이루어진 것으로 추측된다.

문헌의 내용을 근거로 당시 장수가야와 신라가 적대관계에 놓였음을 알 수 있다. 앞에서 이미 언급하였듯이, 백두대간의 덕산재를 넘어 신라의 진안고원으로 진출로 대규모 철산지 전북 무주군 일대가 신라의 영역에 편입된다. 무주 나제통문을 경계로 그 동쪽에 신라 무산현의 행정치소인 전북 무주군 무풍면이 위치하고 있는데, 아직까지 한 개소의 봉수도 발견되지 않았다. 반면에 나제통문 서쪽 무주군 무주읍은 백제 적천현이 설치된 행정치소로 덕유산 일대[56]에 대규모 제철유적과 봉수가 공존한다. 장수가야가 신라와 무주군 일대 철산지의 관할권을 두고 치열하게 전개된 당시의 급박했던 상황을 말해준다. 문헌의 내용을 유적과 유물로 거의 온전하게 충족시켜 주는 곳이 앞장에서 설명한 무주 대차리 고분군이다.

그런데 봉수에서 가장 중요한 것은 여러 갈래 봉수로의 최종 종착지가 어딘가이다. 충남 금산군과 전북 완주군 · 무주군 · 진안군 · 임실군 · 순창군, 전북 남원시 운봉읍에서 시작된 여러 갈래의 봉수로[57]가 모두 장수군 장계분지에서 만난다.

---

54) 고고학에서 국가의 존재를 방증해 주는 봉수는 그 분포 범위가 전북 동부지역 가야세력의 영역과 일치한다.

55) 아직까지 한 차례의 발굴조사도 이루어지지 않았지만, 성벽이 판석형 할석을 가지고 편축식으로 쌓아 그 축조기법에서 긴밀한 관련성을 보였다.

56) 덕유산 향적봉을 중심으로 30여 개소의 제철유적이 사방에 골고루 밀집 분포되어 있는데, 전북 동부지역에서 그 규모와 밀집도가 탁월하다.

57) 종래의 지표조사 및 발굴조사에서 밝혀진 가야의 유적과 유물에 근거를 두고 복원된 전북 동

조선시대 때 전국의 5대 봉수로가 서울 남산에서 합쳐지는 것과 똑같다. 이제까지의 지표조사에서 삼국시대 토기편보다 시기가 늦은 유물이 봉수에서 수습되지 않았다. 다시 말해 고려의 청자와 조선의 백자가 발견되지 않았다는 사실이다. 봉수에서 나온 유물의 조합상은 봉수의 설치시기와 설치주체를 비정하는데 결정적인 기준이 될 것이다. 전북 동부지역에서 그 존재를 드러낸 삼국시대의 봉수는 烽候(堠)制를 운영한 가야 소국의 존재를 넌지시 알려주었다.

2014년부터 시작된 장수 영취산 · 봉화산 · 원수봉 봉수 발굴조사에서 그 운영시기가 6세기를 전후한 시기로 밝혀졌다. 모두 3개소의 봉수는 장방형으로 쌓은 연대의 축조기법에서도 긴밀한 관련성을 보였다. 아마도 웅진 천도 이후 백제가 정치적인 불안에 빠졌을 때 백제 영역으로 진출한 장수가야가 백제의 동향을 살피고 당시 제철유적의 방비를 위해 봉수를 운영한 것으로 추측된다. 전북 동부지역에서 복원된 여러 갈래 봉수로의 최종 종착지가 진안고원의 장수군 장계분지로 밝혀졌다. 더욱이 봉수에서 수습된 유물의 속성이 장수 삼봉리 등 가야의 분묘유적 출토품과 서로 일치하는 것으로 밝혀졌기 때문에 장수가야를 叛波(伴跛)[58]로 비정하고자 한다.

가야의 소국 반파를 비정하기 위해서는 최소한 세 가지의 절대 조건이 반드시 부합되어야 한다. 하나는 삼국시대의 봉수가 발견되어야 하고, 다른 하나는 여러 갈래 봉수로의 최종 종착지이어야 하고, 또 다른 하나는 복원된 봉수로의 최종 종착지에 가야 고총이 밀집 분포되어 있어야 한다. 여기서 그치지 않고 신라와 국경을 맞대고 있어야 한다는 문헌의 내용도 중요하다. 이들 조건을 모두 충족 시켜주는 곳이 진안고원의 장수군 장계분지에 지역적인 기반은 둔 가야계통의 정치체이

부지역 가야세력의 영역과 일치한다.

58) 종래의 叛波(伴跛)의 위치 비정과 관련하여 함양 · 운봉설, 고령설, 성주설, 장수설 등이 있다.

다. 다시 말해 반파의 위치 비정과 관련된 문헌의 내용을 고고학 자료로 모두 충족시켜 주고 있는 유일한 가야의 정치체이다. 그럼에도 불구하고 종래의 가야사 연구에서 거의 다루어지지 않았다.

장수가야는 4세기 말엽 늦은 시기에 등장[59]해 가야의 소국으로 발전하다가 6세기 초엽 경 백제에 멸망하였다. 금남호남정맥이 백제의 동쪽 진출을 막았고, 사통팔달했던 교역망의 장악과 관할, 대규모 구리와 철산개발이 크게 작용하였다. 이를 배경으로 장수 노곡리 마한의 지배자 분구묘가 계기적인 발전과정을 거쳐 240여 기의 가야 중대형 고총이 진안고원의 장수군에만 조영되었다. 동시에 전북 동부지역에서 복원된 여러 갈래 봉수로의 최종 종착지로 밝혀졌기 때문에 가야 정치체의 존재도 입증되었다. 백두대간 서쪽에서 유일하게 가야의 소국으로까지 발전했던 장수가야는 100여 개소의 봉수와 160여 개소의 제철유적을 남긴 가야의 봉수왕국이자 철의 왕국이다.

그런데 「양직공도」에 첫 번째로 이름을 올린 반파가 두 차례의 사비회의에 등장하지 않는다. 『日本書紀』 欽明紀 2년(541) 4월조, 5년(544) 11월조에 사비회의에 참석한 가야의 소국들이 열거되어 있는데[60], 반파는 두 차례 모두 회의에 참석하지 않았다. 己汶, 帶沙를 두고 3년 전쟁에서 백제에 패한 장수가야는 사비회의 이전 백제에 멸망되었음을 말해준다. 아직까지 장수가야의 가야 중대형 고총의 매장주체부에서 횡구식 및 횡혈식이 발견되지 않았고, 장수 삼고리 등 하위계층의 분묘유적에서 삼족토기 등 백제토기가 갑자기 부장되기 시작한다. 가야 소국 장수가

---

59) 장수 노하리 수혈식 석곽묘에서 금관가야와 아라가야, 대가야, 마한계 토기가 함께 나왔는데, 그 시기가 대체로 4세기 후반기 늦은 단계로 편년되었다.

60) 1차 사비회의에는 安羅 · 加羅 · 卒麻 · 散半奚 · 多羅 · 斯二岐 · 子他, 2차 회의 때는 安羅 · 加羅 · 卒麻 · 斯二岐 · 散半奚 · 多羅 · 子他 · 久嗟 등의 가야의 소국들이 참석하였다. 「양직공도」의 반파와 상기문이 등장하지 않는 것은 이미 백제에 멸망하였음을 말해준다.

야와 백제가 적대관계였음을 살필 수 있는 대목으로 장수가야의 백제 복속 시기를 웅진기로 설정[61]해 두고자 한다.

그런가 하면 운봉고원의 己汶 못지않게 帶沙의 위치 비정도 중요하다. 일제강점기 今西龍이 帶沙와 多沙가 동일 지역을 가리키는 것으로 보고 그 위치를 경남 하동으로 비정한 주장이 대다수를 차지한다. 그런데 백제가 513년부터 515년까지 3년 동안 백두대간 산줄기를 넘는 과정에 반파와의 공방에서 승리를 거둔 뒤 기문, 대사를 백제의 영향권으로 복속시켰음에도 불구하고 섬진강 하구의 多沙津의 경우에는 529년까지 여전히 가라가 차지하고 있었다. 그렇다고 한다면 帶沙와 多沙가 각각 다른 지역을 가리킬 개연성도 배제할 수 없다. 지명의 의미에 있어서도 帶沙는 모래가 띠를 이루듯이 쌓여있다고 한다면, 多沙는 모래가 단순히 많다는 점에서 큰 차이를 보인다.

문헌에도 370년에 多沙城[62]과 529년에 多沙津으로 소개되어 있는데, 반파가 513년부터 3년 동안 백제와 기문, 대사를 두고 공방을 벌일 때만 帶沙, 帶沙江이라는 지명으로 등장한다. 여기에 근거를 두고 진안고원의 장수군과 운봉고원에서 시작된 교통로와 섬진강 내륙수로가 서로 교차하는 전남 곡성군 고달면 대사리 일대[63]를 帶沙로, 경남 하동을 多沙로 비정하고자 한다. 종래에 전북 남원시 대강면부터 전남 곡성군 고달면까지로 대사를 비정하였는데, 섬진강 본류에 요천 · 수지

---

61) 사비기 백제와 신라의 사신들이 오갔던 사행로가 장수가야의 중심부인 백두대간의 월성치를 통과하고 있기 때문이다. 백두대간의 삿갓봉과 남덕유산 사이에 월성치가 있는데, 이 고갯길 동쪽에는 백제의 사신을 신라로 보낼 때 마지막으로 송별하던 경남 거창군 위천면 수송대와 그 부근에 척수대가 있다. 그리고 백제 무왕과 선화공주가 지나갔다는 아홉산과 그 서쪽에 백제의 사신을 보내고 맞이하던 迎送里도 있다.

62) 『日本書紀』 新功紀 50년(370) 2월에 倭가 多沙城을 韓에 돌려주고 왕복하는 길의 驛으로 하였다는 것과 관련된 기사이다.

63) 전북 남원시 송동면 세전리 주민들이 "1970년대까지만 해도 남해안에서 소금을 실은 소금배가 섬진강을 따라 이곳까지 올라왔었다"고 제보해 주었다.

천 · 곡성천 등 여러 갈래의 지류들이 합류하는 전남 곡성군 고달면 대사리 일대로 만 다시 설정하였다. 이를 다시 정리하면 多沙는 섬진강하구의 국제교역항으로 帶沙는 섬진강 내륙수로로 배의 왕래가 가능했던 섬진강 중류의 거점포구[64]로 판단된다.

한편 백제는 장수가야의 도읍 진안고원의 장수군 장계분지에 伯海郡을 설치하였는데, 통일신라 때 壁谿郡으로 그 이름이 바뀌었다. 지명의 음상사를 통해서도 전북 장수군 장계분지가 장수가야의 도읍이었음을 유추해 볼 수 있다. 伯은 白과 같음 말로 도읍의 뜻이 담겨 있으며, 壁도 같은 음으로 한자 표기만 다르다. 海는 지명접미사로 城을 뜻하는 말로 谿도 城, 즉 도읍을 의미한다. 고려 때 壁谿를 長溪로 고쳤는데, 伯의 훈이 '맏이'로써 '크다'는 뜻으로 보고 長을 취하였고, 谿는 음이 같은 溪로 바뀌었다. 長溪는 한자 풀이로 '큰 내'가 되지만 원래의 뜻은 '큰 마을'이라는 의미의 도읍을 가리킨다. 한마디로 伯海의 음상사에는 큰 도읍이라는 역사적인 의미가 담겨있다. 지명의 음상사를 통해서도 금강 최상류 진안고원의 장수군 장계분지가 장수가야의 도읍이었음을 뒷받침해 주었다.

그럼에도 불구하고 반파는 국명의 의미에서 의문점이 적지 않다. 『일본서기』의 伴跛는 '뒤를 따라가는 절뚝발이'라는 뜻과 「양직공도」의 叛波에는 '반란의 물결'이라는 악의적인 의미가 나라의 이름에 담겨있다. 당시 반파에 대한 백제의 경멸적이고 최고의 적개심을 읽을 수 있는데, 그것과 관련된 근본적인 원인은 장수가야가 제공했을 것으로 추측된다. 다름 아닌 백제가 웅진으로 도읍을 옮긴 이후 한 동안 정치적인 불안에 빠졌을 때 백제의 국난을 함께 나누지 않고 오히려 백제의 철산지로 진출하여 장악하였기 때문이다. 당시 전북 동부지역에 있었던 백제의 철산

---

64) 섬진강 내륙수로와 여러 갈래의 교통로가 교차하는 교통의 중심지이자 전략상 요충지로 그 부근에 남원 세전리와 곡성 대평리가 있다. 이곳은 섬진강유역에 그물조직처럼 잘 갖춰진 교역망의 심장부이다.

지가 대부분 장수가야의 수중으로 들어갔다[65]. 그러다가 웅진기 늦은 시기 백제에 멸망된 이후에는 叛波 혹은 伴跛 대신 본래의 지명인 伯海(伊)로 그 지명이 바뀌지 않았을까 싶다.

그런가 하면 고고학으로도 장수가야의 도읍을 추론해 볼 수 있다. 장수가야의 도읍 장계분지의 진산은 聖主山[66]으로 전북 장수군 장계면 소재지 동북쪽 깃대봉을 가리킨다. 이 산 남쪽 기슭 말단부에 관아터가 있는데 장수가야의 왕궁터로 추정되는 곳이다. 전북 장수군 장계면 삼봉리 탑동마을 일대로 풍수지리상으로도 혈처에 해당한다[67]. 백두대간 영취산 북쪽 기슭에서 발원하여 장계분지를 동서로 가로지르는 장계천을 사이에 두고 북쪽에 장수가야의 추정 왕궁터와 남쪽에 장수 삼봉리 고분군[68]이 위치한다. 현실세계의 왕궁과 사후세계의 고총군이 서로 마주보고 있다. 그리고 장수가야의 추정 왕궁터 동남쪽 산봉우리에 장수 삼봉리 산성이 있는데, 전북 동부지역에서 복원된 여러 갈래의 봉수로가 하나로 합쳐지는 곳이다.

전북 동부지역에 대규모 축성과 烽候(堠)制를 운영한 장수가야가 어떤 과정을 거쳐 백제에 멸망하였는지, 언제부터 백제의 영토에 복속되었는지 아직은 알 수 없다. 다만 장수 삼고리에서 삼족토기 · 병, 장수 동촌리에서 직구단경호 · 무투창고배가 나왔는데, 이들 백제토기는 6세기 초엽을 전후한 시기로 편년되었다. 이를

---

65) 현재까지 전북 동부지역에서 그 존재를 드러낸 250여 개소의 제철유적 중 본래 장수가야의 영역에는 60여 개소, 운봉고원의 기문국에는 40여 개소, 신라의 무산현에는 20여 개소, 여기에 포함되지 않은 130여 개소는 본래 백제의 영역에 위치한다. 장수가야는 백제의 정치적인 불안을 틈타 백제의 철산지 130개소를 장악한 뒤 대규모 축성과 봉수를 배치하였다.

66) 이 산 남쪽 기슭 중단부에 태봉이 있는데, 이곳에 왕비의 태를 묻었다는 이야기도 전해진다.

67) 통일신라 도선의 비보풍수가 시작되기 이전 우리나라 고유의 자생풍수가 있었다는 것은 주지의 사실이다.

68) 장수 삼봉리는 장수가야의 수장층 분묘유적으로 장계분지에 120여 기의 가야의 중형 고총이 무리지어 있다.

근거로 6세기 초엽을 전후한 시기까지도 백제에 멸망하지 않고 가야 소국으로 장수가야가 존속하였다. 전북 동부지역 100여 개소 봉수의 존재와 여러 갈래 봉수로의 최종 종착지가 장수가야의 도읍으로 비정된 장계분지로 밝혀졌고, 240여 기의 가야 중대형 고총이 진안고원의 장수군 장계분지에 장수가야의 존재를 고고학적으로 증명해 주었다. 동시에 가야의 영역에서 가장 많은 제철유적이 학계에 보고되었다.

끝으로 삼국시대 때 가야 소국 장수가야와 백제, 신라가 진안고원을 두고 치열하게 각축전을 펼쳐 삼국의 유적과 유물이 공존한다. 전북 동부지역에서 그 존재를 드러내기 시작한 대규모 철산지의 장악과 무관하지 않을 것[69]이다. 봉수왕국 장수가야는 제철유적의 방비와 백제의 동태를 살피기 위해 烽候(堠)制를 운영하였다. 그러다가 6세기 전반 늦은 시기 장수가야가 백제에 의해 멸망되었고, 백제와 후백제의 멸망 이후[70]에는 진안고원이 더 이상 주목을 받지 못하였다[71]. 진안고원을 경유하여 백제, 후백제 도읍까지 이어진 간선교통로가 끊기고 철산개발이 일시에 중단되었기 때문이다. 그렇다면 가야의 소국으로 장수가야의 발전상과 삼국의 각축장으로 진안고원이 막중한 역할을 담당할 수 있었던 것은 그 중심에 장수가야와 백제, 후백제가 있었기 때문에 가능하였던 것이 아닌가 싶다.

69) 모든 가야의 영역에서 가장 이른 시기의 철기유물이 나온 곳이 장수 남양리로 가야 소국 장수가야도 철산개발로 국력을 성장시킨 뒤 烽候(堠)制를 운영하였음을 반증해 준다.

70) 936년 후백제가 멸망하자 장수가야와 백제, 후백제의 국가 발전을 이끌었던 철산개발이 일시에 중단되었고, 급기야 940년 벽계군이 벽계현으로 강등되었다.

71) 삼국의 유적, 유물이 공존하는 진안고원은 후백제의 멸망 이후부터 오늘날까지 낙후된 지역을 일컫는 '茂鎭長'으로만 회자되고 있다. 여기서 '茂鎭長'은 전북 무주군 · 진안군 · 장수군을 가리킨다.

V. 맺음말

우리나라 전통지리학의 지침서가『산경표』이다. 조선 영조 때 신경준에 의해 편찬된 전통지리서이다. 우리나라 산줄기의 흐름, 산의 갈래, 산의 위치를 일목요연하게 표로 정리해 놓았다. 금남정맥과 호남정맥이 호남지방을 동부의 산악지대와 서부의 평야지대로 갈라놓는다. 금남호남정맥이 전북 동부지역을 북쪽의 금강과 남쪽의 섬진강유역으로 갈라놓고 있으며, 백두대간을 중심으로 동쪽에 운봉고원과 서쪽에 진안고원이 있다. 조선시대 십승지지에서 그 이름을 올린 운봉고원은 신선의 땅으로 널리 회자되고 있으며, 진안고원은 달리 호남의 지붕으로 불린다. 백두대간과 호남정맥 사이에 위치한 섬진강유역은 가야와 백제문화가 공존하여 문화상으로 점이지대를 이루었다. 종래에 전북 동부지역에서 축적된 고고학 자료를 문헌에 접목시켜 전북 동부지역 가야세력의 발전과정과 그 정체성을 정리하면 아래와 같다.

백두대간 동쪽 운봉고원에 지역적인 기반을 둔 가야 소국 기문국은 4세기 후엽 늦은 시기에 처음 등장해 6세기 중엽까지 가야 소국으로 존속하였다. 백두대간 산줄기가 서쪽의 자연울타리 역할을 해 주었고, 백제와 가야의 문물교류의 관문, 대규모 철산개발과 교역망을 통한 철의 생산과 유통이 결정적인 원동력으로 작용하였다. 운봉고원 일대에 180여 기의 마한 분구묘와 가야 중대형 고총, 최고의 위세품이 출토됨으로써 기문국의 존재를 고고학적으로 증명해 주었다. 백제를 비롯하여 대가야, 소가야 등 가야의 소국들이 운봉고원에서 생산된 니켈 철을 안정적으로 확보하기 위해 최고급 위세품과 최상급 토기류를 철의 왕국 기문국에 보냈다. 그러다가 6세기 초엽 이른 시기 백제 무령왕의 진출로 백제묘제가 본격적으로 수용되었고, 6세기 중엽 경 신라에 정치적으로 편입되었다.

금남호남정맥 동쪽 진안고원 내 전북 장수군에 지역적인 기반은 둔 장수가야는

4세기 말엽 늦은 시기에 등장해 가야의 소국으로 발전하다가 6세기 초엽 경 백제에 멸망하였다. 금남호남정맥의 산줄기가 백제의 동쪽 진출을 막았고, 사통팔달했던 교역망의 장악과 관할, 대규모 구리와 철산개발, 한성기 백제의 간선교통로가 통과하지 않는 지정학적인 이점도 크게 작용하였다. 이를 배경으로 장수 노곡리 마한의 지배층 분구묘가 계기적인 발전과정을 거쳐 240여 기의 가야의 중대형 고총이 진안고원의 장수군에만 조영되었다. 장수 동촌리 가야의 고총에서 처음으로 나온 말발굽은 당시 철의 생산부터 가공기술까지 응축된 첨단기술의 집약체이다. 금강 상류지역에서 가야문화를 화려하게 꽃피웠던 반파는 한마디로 160여 개소의 제철유적을 남긴 철의 제국이자 100여 개소의 봉수로 상징되는 봉수왕국이다. 동시에 백두대간 산줄기 서쪽 금강 최상류에서 유일하게 가야문화를 꽃피웠던 가야 소국이다.

전북의 동부지역에서 상당한 영역을 차지하고 있는 곳이 섬진강유역이다. 이제까지 섬진강유역의 지표조사에서 전북 남원시와 순창군, 전남 곡성군 일대에 마한의 지배층 분구묘가 있었던 것으로 밝혀졌지만, 가야의 중대형 고총은 그 존재가 파악되지 않고 있다. 그리고 마한의 지배층 무덤으로 밝혀진 분구묘가 자취를 감춘 이후 수장층과 관련된 어떤 종류의 분묘유적도 더 이상 조영되지 않았다. 그럼에도 불구하고 일제강점기부터 전북 남원시, 임실군 일대에 가야 소국 기문국이 있었던 곳으로 비정되었다. 그렇지만 섬진강유역에서는 가야 소국의 존재를 증명해 주는 고고학 자료가 여전히 확인되지 않고 있는 상황에서 가야 및 백제계 유적과 유물이 공존한다. 진안고원의 장수군에서 갈라진 두 갈래의 봉수로가 섬진강 상류지역을 동서로 횡단하는 것으로 밝혀져 커다란 관심을 모으고 있다.

2018년 삼국시대 산성 및 봉수, 제철유적이 발견된 만경강유역이다. 전북 완주군 동북부에서 천호산 · 불명산 · 봉수대산 봉수 등 그 모습을 최초로 드러낸 10여 개소의 봉수는 유구의 속성에서 공통성을 보였다. 이들 봉수는 판석형 할석을 가지고 장방형의 연대를 마련한 뒤 할석을 가지고 채웠다. 완주 봉림산 봉수에서 상당량의 토기편이 수습되었는데, 토기편은 기벽이 두껍고 회미하게 승석문이 시문된 삼국시대 토기편으로 6세기를 전후한 시기로 편년되었다. 만경강유역에서 금남정맥을 넘어 진안고원의 장수군 장계분지로 향하는 교통로를 따라 봉수가 선상으로 배치되어 있다. 그리고 산성 주변에는 봉수의 연대와 동일하게 성벽을 쌓은 산성이 위치하여 봉수와의 긴밀한 관련성을 보였다. 아직까지 산성 및 봉수를 대상으로 한 차례의 발굴조사도 이루어지지 않아 그 축성주체를 단정할 수 없지만 일단 叛波(伴跛)로 유추해 두고자 한다.

만경강유역에서 가야와 관련된 유물은 토기류와 철기류가 있다. 진안고원의 장수군 장계분지로 향하는 교통로와 만경강 내륙수로가 교차하는 완주 배매산성 · 구억리 산성, 익산 동룡리에서 가야토기가 나왔는데, 전북 동부지역 가야세력이 만경강유역에 잘 구축된 교역망을 이용하였음을 시사해 주었다. 판상철부로 상징되는 철기류는 유적에 따라 큰 차이를 보였다. 완주 상운리에서는 상당량의 단야도구와 판상철부가 서로 공반된 상태로 출토되었는데, 전북 동부지역에서 생산된 철이 이곳에서 다시 가공되었음을 말해준다. 반면에 완주 신포 · 장포에서는 판상철부 등 다양한 철기류가 나와 만경강 내륙수로로 철이 널리 유통되었음을 증명해 주었다. 아직까지 가야세력과 관련된 유적을 대상으로 발굴조사가 이루어지지 않아 속단할 수 없지만 만경강유역에는 전북 동부지역에서 생산된 철의 생산과 유통을 주도했던 토착세력집단이 있었을 것으로 추론해 두고자 한다.

주지하다시피 문화재의 가치는 그 보존과 활용에 있다고 한다. 전북 동부지역에서 그 존재를 드러낸 전북의 가야문화유산은 대부분 잡목과 잡초 속에 갇혀 있거나 지금도 가야 고총의 봉분을 평탄하게 다듬어 농사를 짓고 있다. 전북의 가야문화유산에 대한 관리의 손길이 미치지 않고 있는 것은 전북가야의 인식 결여와 무관심에서 기인한다. 영남지방의 경우 1970년대부터 시작된 학술발굴을 통해 그 실체가 일목요연하게 밝혀짐으로써 27개소의 가야문화유산이 국가 사적으로 지정 관리되고 있는 것과 극명하게 대비된다. 다행히 2018년 남원 유곡리 · 두락리 고분군이 호남지방에서 최초로 국가 사적 제542호로 지정됨으로써 100대 국정과제인 가야사 조사 · 연구 및 정비를 위한 첫 마중물이 되었다. 그리고 가야고분군 세계유산 대상 목록에도 선정되어 향후 동북아 문물교류의 허브로서 눈부신 활약을 기대해 본다.

2017년 11월 25일에는 1500년 전 백두대간 속 전북 동부지역에 기반을 두고 가야 소국으로까지 발전했던 모든 가야세력을 하나로 묶어 전북가야라고 이름을 붙였다. 삼국시대 때 전북가야의 위상과 그 역동성을 세상에 알리고 후손들에게 전북가야에 대한 자긍심을 고취시키기 위해 영 · 호남 사람들이 오갔던 백두대간의 치재에 '봉수왕국 전북가야' 기념탑도 세웠다. 그리고 전북가야의 고총과 제철유적, 봉수 및 산성의 실체를 규명하기 위한 학계의 관심과 행정당국의 지원이 본격적으로 시작되었다. 동시에 전북가야문화유산을 역사교육의 장과 영호남 화합의 무대로 활용하기 위한 보존대책 및 정비방안도 조속히 마련됐으면 한다. 전북 동부지역에 420여 기의 가야 중대형 고총과 250여 개소의 제철유적, 100여 개소의 봉수를 남긴 전북의 가야사가 올곧게 복원되는 그날까지 전북가야를 꼭 기억했으면 한다.

〈參考文獻〉

가야문화권 지역발전 시장군수협의회, 2014,『가야문화권 실체 규명을 위한 학술연구』.

강원종, 2001,「전북지역의 관방유적 연구현황」,『학예지』8, 육군사관학교 육군박물관.

고령군 대가야박물관, 2007,『5~6세기 동아시아의 국제정세와 대가야』, 계명대학교 한국학연구원.

郭長根, 1999,『湖南 東部地域 石槨墓 硏究』, 書景文化社.

郭長根, 2003,「錦江 上流地域으로 百濟의 進出過程 硏究」,『湖南考古學報』18, 湖南考古學會.

郭長根, 2007,「蟾津江流域으로 百濟의 進出過程 硏究」,『湖南考古學報』26, 湖南考古學會.

곽장근, 2008,「호남 동부지역 산성 및 봉수의 분포양상」,『영남학』제13호, 경북대학교 영남문화연구원.

곽장근, 2009,「금강 상류지역 교통로의 조직망과 재편과정」,『한국상고사학보』제66호, 한국상고사학회.

곽장근, 2010,「전북 동부지역 가야와 백제의 역학관계」,『백제문화』제43집, 공주대학교 백제문화연구소.

곽장근, 2011,「전북지역 백제와 가야의 교통로 연구」,『한국고대사연구』63, 한국고대사학회.

곽장근, 2015,「운봉고원의 제철유적과 그 역동성」,『백제문화』제52집, 공주대학교 백제문화연구소.

곽장근, 2017,「장수군 제철유적의 분포양상과 그 의미」,『湖南考古學報』57, 湖南考古學會.

곽장근, 2018,「동북아 문물교류의 허브 남원 유곡리 · 두락리 고분군」,『文物硏究』제34호, 동아시아문물연구학술재단.

곽장근, 2018,「전북의 가야문화유산 현황과 과제」,『가야역사문화권 연구 조사 및 정비와 국가균형발전』, 전북연구원.
군산대학교 박물관, 2016, 『장수 영취산 · 봉화산 봉수』, 장수군.
김낙중, 2018, 「남원지역 고분군의 성격과 보존 및 활용 방안」, 『문화재』 제51권 · 제2호, 국립문화재연구소.
김병남, 2006, 「백제 웅진시대의 남방 재진출과 영역화 과정」, 『군사』 61, 국방부 군사편찬연구소.
金世基, 1995, 「大伽耶 墓制의 變遷」, 『加耶史硏究 -가야의 政治와 文化-』, 慶尙北道.
金世基, 2002, 「大加耶의 발전과 周邊諸國」, 『大加耶와 周邊諸國』, 高靈郡 · 韓國上古史學會.
김세기, 2003, 『고분 자료로 본 대가야 연구』, 학연문화사.
김세기, 2007, 「대가야연맹에서 고대국가 대가야국으로」, 『5~6세기 동아시아의 국제정세와 대가야』, 고령군 대가야박물관 · 계명대학교 한국학연구원.
김승옥 · 이보람 · 변희섭 · 이승태, 2010, 『상운리 Ⅰ · Ⅱ · Ⅲ』, 전북대학교 박물관 · 한국도로공사.
김영심, 2007, 「관산성전투 전후 시기 대가야 · 백제와 신라의 대립」, 『5~6세기 동아시아의 국제정세와 대가야』, 고령군 대가야박물관 · 계명대학교 한국학연구원.
김영심, 2008, 「백제의 지방지배 방식과 섬진강유역」, 『백제와 섬진강』, 서경문화사.
金在弘, 2003, 「大加耶地域 鐵製 農器具의 부장양상과 그 의의」, 『大加耶의 成長과 發展』, 韓國古代史學會.
김재홍, 2007, 「백제시대 수전농업의 발전단계 -금강유역의 자료를 중심으로-」, 『백제와 금강』, 서경문화사.
김재홍, 2011, 「전북동부지역을 둘러싼 백제 · 가야 · 신라의 지역지배」, 『백제와 가야 그리고 신라의 각축장 금강상류지역』, 한국상고사학회.
김재홍, 2017, 「위세품으로 본 전북가야의 위상과 그 성격」, 『전북가야를 선언하다』, 호남고고학회.

金在弘, 2011,『韓國 古代 農業技術史 研究 -鐵製 農具의 考古學-』, 도서출판 考古.
김종만, 2007,『백제토기의 신연구』, 서경문화사.
金泰植, 1993,『加耶聯盟史』, 一潮閣.
金泰植, 1997,「百濟의 加耶地域 關係史 : 交涉과 征服」,『百濟의 中央과 地方』第5輯, 忠南大學校 百濟硏究所.
김태식, 2002,『미완의 문명 7백년 가야사』, 도서출판 푸른역사.
盧重國, 1991,「百濟 武寧王代의 集權力 强化와 經濟基盤의 擴大」,『百濟文化』第21輯, 公州大學校附設 百濟文化硏究所.
盧重國, 1993,『百濟政治史硏究』, 一潮閣.
盧重國, 2004,「大加耶의 성장기반」,『大加耶의 成長과 發展』, 高靈郡 · 韓國古代史學會.
문안식, 2007,「고흥 길두리고분 출토 金銅冠과 백제의 王 · 候制」,『韓國上古史學報』第55號, 韓國上古史學會.
朴普鉉, 1998,「短脚高杯로 본 積石木槨墳의 消滅年代」,『신라문화』제15집, 동국대학교 신라문화연구소.
朴普鉉, 2003,「湖西地域의 水系別 新羅文化 定着科程」,『嶺南考古學』32號, 嶺南考古學會.
朴淳發, 2001,『漢城百濟의 誕生』, 西景文化社.
박순발, 2012,「계수호와 초두를 통해 본 남원 월산리 고분군」,『운봉고원에 묻힌 가야 무사』, 국립전주박물관 · 전북문화재연구원.
朴升圭, 2000,「考古學을 통해 본 小加耶」,『考古學을 통해 본 加耶』, 韓國考古學會.
朴升圭, 2003,「大加耶土器의 擴散과 관계망」,『韓國考古學報』49, 韓國考古學會.
박중환, 2018,「양직공도 방소국을 통해 본 백제의 대외관」,『중국 양직공도 마한제국』, 마한연구원.
朴天秀, 1996,「大伽耶의 古代國家 形成」,『碩晤尹容鎭敎授停年退任紀念論叢』, 碩晤尹容鎭敎授停年退任紀念論叢刊行委員會.
朴天秀, 1999,「考古學 資料를 통해 본 大加耶」,『考古學을 통해 본 加耶』, 韓國考古學會.

박천수, 2007,「5~6세기 호남동부지역을 둘러싼 大伽耶와 百濟」,『교류와 갈등』, 湖南考古學會.

朴天秀, 2009,「호남 동부지역을 둘러싼 大伽耶와 百濟 -任那四縣과 己汶, 帶沙를 중심으로-」,『韓國上古史學報』, 韓國上古史學會.

박현숙, 2008,「백제의 섬진강유역 영역화와 가야와의 관계」,『백제와 섬진강』, 서경문화사.

方東仁, 1997,「교통」,『한국민족문화대백과사전』3, 한국정신문화연구원.

백승옥, 2007,「己汶 · 帶沙의 위치비정과 6세기 전반대 가라국과 백제」,『5~6세기 동아시아의 국제정세와 대가야』, 고령군 대가야박물관 · 계명대학교 한국학연구원.

백제사연구회, 2007,『백제와 금강』, 서경문화사.

서영일, 1999,『신라육상교통로 연구』, 학연문화사.

徐程錫, 2002,「百濟山城의 立地와 構造」,『清溪史學』16 · 17, 韓國精神文化研究院 清溪史學會.

徐程錫, 2002,「炭峴에 대한 小考」,『中原文化論叢』7輯, 忠北大學校湖西文化研究所.

서정석, 2004,「웅진 · 사비시대 백제 석성의 현단계」,『湖西考古學』第10輯, 湖西考古學會.

成正鏞, 2002,「錦山地域 三國時代 土器編年」,『湖南考古學報』16, 湖南考古學會.

成周鐸, 1977,「錦山地方 城址 調査報告」,『論文集』Ⅳ-3, 忠南大學校 人文科學研究所.

成周鐸, 1990,「百濟 炭峴 小考」,『百濟論叢』2, 百濟文化開發研究院.

申鍾煥, 2006,「陜川 冶爐와 製鐵遺蹟」,『陜川 冶爐 冶鐵地 試掘調査報告書』, 慶南考古學研究所.

심승구, 2017,「세계유산과 전북가야의 미래전략」,『전북가야를 선언하다』, 호남고고학회.

梁起錫, 1996,「百濟 熊津時代와 武寧王」,『百濟武寧王陵』, 忠清南道 · 公州大學校 百濟文化研究所.

양기석, 2007,「5세기 후반 한반도 정세와 대가야」,『5~6세기 동아시아의 국제정세와 대가야』, 고령군 대가야박물관 · 계명대학교 한국학연구원.
연민수, 1998, 『고대한일관계사』, 혜안.
유영춘, 2015, 「운봉고원 출토 마구의 의미와 등장배경」, 『호남고고학보』 제51집, 호남고고학회.
유영춘, 2017, 「전북가야 철기문화의 독자성」, 『전북가야를 선언하다』, 호남고고학회.
유영춘, 2018, 「철기유물로 본 전북지역 가야의 교류」, 『호남고고학보』 제59집, 호남고고학회.
유영춘 외, 2012, 「남원 운봉고원 제철유적」, 『호남지역 문화유적 발굴조사 성과』, 호남고고학회.
柳哲, 1996, 「全北地方 墓制에 대한 小考」, 『湖南考古學報』 3, 湖南考古學會.
유철, 2011, 「문화유산의 보존 · 관리와 활용방안 -장수 · 장계분지의 고분군 · 산성 · 봉수를 중심으로-」, 『전북사학』 제42호, 전북사학회.
유철, 2011, 「장수군 문화유산의 보존 및 활용방안」, 『백제와 가야 그리고 신라의 각축장 금강상류지역』, 한국상고사학회.
尹德香, 2000, 「鎭安 臥停 百濟城」, 『섬진강 주변의 백제산성』, 韓國上古史學會.
尹德香, 2000, 『南陽里』 發掘調查報告書, 全羅北道 長水郡 · 全北大學校博物館.
윤덕향, 2011, 「호남지방 역사고고학의 현황과 전망」, 『백제와 가야 그리고 신라의 각축장 금강상류지역』, 한국상고사학회.
이군, 2017, 「鷄首執壺에 관련된 문제 및 한국의 고대 가야 고분에서 발견된 의의」, 『전북가야를 선언하다』, 호남고고학회.
이남석, 2011, 「경기 · 충청지역 분구묘의 검토」, 『분구묘의 신지평』, 전북대학교BK21 사업단 · 전북대학교박물관.
이동희, 2007, 「백제의 전남동부지역 진출의 고고학적 연구」, 『한국고고학보』 64, 한국고고학회.
이동희, 2008, 「섬진강유역의 고분」, 『백제와 섬진강』, 서경문화사.
이성주, 2001, 「4-5세기 가야사회에 대한 고고학 연구」, 『한국고대사연구』 제24권,

한국고대사학회.
이성주, 2007, 「고령 지산동고분군의 성격」, 『5~6세기 동아시아의 국제정세와 대가야』, 고령군 대가야박물관 · 계명대학교 한국학연구원.
李永植, 1995, 「百濟의 加耶進出過程」, 『韓國古代史論叢』 7, 財團法人 駕洛國史蹟開發研究院.
李販燮, 2007, 「忠南 珍山 · 秋富地域의 古代 交通路」, 『錦江考古』 第4輯, 忠清文化財研究院.
李炯基, 2009, 『大加耶의 形成과 發展 研究』, 景仁文化社.
李熙濬, 1994, 「고령양식 토기 출토 고분의 편년」, 『嶺南考古學』 15, 嶺南考古學會.
李熙濬, 1995, 「토기로 본 大伽耶의 圈域과 그 변천」, 『加耶史研究』, 慶尙北道.
이희준, 2006, 「대가야의 물길과 뱃길」, 『대가야』 학술총서 4, 계명대학교 한국학연구원.
이희준, 2008, 「대가야 토기 양식 확산 재론」, 『영남학』 제13호, 경북대학교 영남문화연구원.
이희준, 2017, 『대가야고고학연구』, 사회평론.
임공빈, 2010, 『내 고향 우리 이름』, 완주문화원.
林永珍, 1997, 「湖南地域 石室墳과 百濟의 關係」, 『湖南考古學의 諸問題』, 湖南考古學會.
林永珍, 2003, 「韓國 墳周土器의 起源과 變遷」, 『湖南考古學報』 第17輯, 湖南考古學會.
林永珍, 2006, 「5~6世紀代 榮山江流域의 情勢 變化」, 『加耶, 洛東江에서 榮山江으로』, 金海市.
임영진, 2011, 「고흥 길두리 안동고분의 발굴조사 성과」, 『고흥 길두리 안동고분의 역사적 성격』, 전남대학교 박물관.
장명엽 · 윤세나, 2010, 「남원 봉대리 고분군 Ⅰ」, 『2009 · 2010 호남지역 문화유적 발굴성과』, 호남고고학회.
장현근, 2016, 「장수군 제철유적지의 지지할적 특성」, 『백두대간을 품은 장수 야철을 밝히다』, 호남고고학회 · 전주문화유산연구원.
全北大學校 全羅文化硏究所, 1989, 『鎭安地方文化遺蹟地表調査報告書』, 全羅北道 · 鎭安郡.
全北鄕土文化硏究會, 1988, 『長水郡文化遺蹟地表調査報告書』, 全羅北道 · 長水郡.

전상학, 2007,「全北 東部地域 竪穴式 石槨墓의 構造 硏究」,『湖南考古學報』25, 湖南考古學會.

전상학, 2011,「장수가야의 지역성과 교류관계」,『백제와 가야 그리고 신라의 각축장 금강상류지역』, 한국상고사학회.

전상학, 2013,「진안고원 가야의 지역성」,『湖南考古學報』43, 湖南考古學會.

전상학, 2016.「마한 · 백제시대의 전북혁신도시」,『고고학으로 밝혀 낸 전북혁신도시』, 호남고고학회.

전상학, 2017,「전북지역 가야고분의 현황과 특징」,『전북가야를 선언하다』, 호남고고학회.

全榮來, 1974,「任實 金城里 石槨墓群」,『全北遺蹟調查報告』第3輯, 全羅北道博物館.

全榮來, 1982,「炭峴에 關한 硏究」,『全北遺蹟調查報告』第13輯, 韓國文化財保護協會 全北道支部.

全榮來, 1983,『南原, 月山里古墳群發掘調查報告』, 圓光大學校 馬韓 · 百濟文化硏究所.

全榮來, 1985,「百濟南方境域의 變遷」,『千寬宇先生還曆紀念韓國史論叢』, 정음문화사.

全榮來, 2003,『全北古代山城調查報告書』, 全羅北道 · 韓西古代學硏究所.

全州大學校 博物館, 1988,『茂朱地方文化遺蹟地表調查報告書』, 全羅北道 · 茂朱郡.

全州大學校 博物館, 2007,『鎭安郡文化遺蹟分布地圖』, 鎭安郡.

정재윤, 2008,「백제의 섬진강 유역 진출에 대한 고찰」,『백제와 섬진강』, 서경문화사.

조명일, 2004,「전북 동부지역 봉수의 분포양상」,『호남지역 문화유적 발굴성과』, 호남고고학회.

조명일, 2011,「금강상류지역의 산성과 봉수의 분포양상」,『백제와 가야 그리고 신라의 각축장 금강상류지역』, 한국상고사학회.

조명일, 2012,「금강 상류지역 산성 및 봉수의 분포양상과 성격」,『湖南考古學報』第41號, 湖南考古學會.

조명일, 2017,「전북가야의 봉수 운영과 역사성」,『전북가야를 선언하다』, 호남고고학회.

조명일, 2018,「全北 東部地域 烽燧에 관한 一考察」,『湖南考古學報』第59號, 湖南考古學會.

趙榮濟, 1990,「三角透窓高杯에 대한 一考察」,『嶺南考古學』第7號, 嶺南考古學會.
주보돈, 2006,「대가야의 성장 배경」,『대가야 학술총서』4, 계명대학교 한국학연구원.
주보돈, 2011,「5~6세기 금강상류지역의 정치세력과 그 향방」,『백제와 가야 그리고 신라의 각축장 금강상류지역』, 한국상고사학회.
주보돈, 2017,『가야사 새로 읽기』, 주류성.
주보돈, 2018,『가야사 이해의 기초』(주류성).
朱甫暾, 1995,「序說-加耶史의 새로운 定立을 위하여-」,『加耶史硏究』, 慶尙北道.
朱甫暾, 2008,「새로운 大伽耶史의 정립을 위하여」,『嶺南學』제13호, 경북대학교 영남문화연구원.
池健吉, 1990,「長水 南陽里 出土 靑銅器 · 鐵器 一括遺物」,『考古學誌』第2輯, 韓國考古美術硏究所.
千寬宇, 1991,『加耶史硏究』, 一潮閣.
崔秉鉉 · 金根完 · 林樹珍, 1992,『錦山 場垈里 古墳群』, 漢南大學校 博物館 · 忠淸南道 · 錦山郡.
최병화, 2004,「금산지역 백제산성에 관한 고찰」,『百濟文化』第33輯, 公州大學校 百濟文化硏究所.
최영준, 2002,「영남대로와 문경」,『길 위의 역사, 고개의 문화』, 실천문학사.
최완규, 2017,「백제 유적의 보존과 활용 사례를 통해 본 가야사 복원 방안」,『가야유적 발굴 · 복원 · 활용 방안 세미나』, 경남발전연구원.
최완규, 2017,「전북가야와 백제의 역동적 교류」,『전북가야를 선언하다』, 호남고고학회.
최인선, 2000,「섬진강 서안지역의 백제산성」,『섬진강 주변의 백제산성』, 한국상고사학회.
최인선, 2008,「섬진강 유역의 백제산성」,『백제와 섬진강』, 서경문화사.
崔鍾澤, 2006,「南漢地域 高句麗 土器의 編年 硏究」,『先史와 古代』24, 韓國古代學會.
河承哲, 2005,「伽耶地域 石室의 受容과 展開」,『伽倻文化』, 伽倻文化硏究院.
漢南大學校中央博物館, 2003,『錦山郡文化遺蹟分布地圖』, 忠淸南道.

한수영, 2011, 「만경강유역의 목관묘 연구」, 『새만금권역의 고고학』, 호남고고학회.

韓修英, 2015, 「全北地域 初期鐵器時代 墳墓 研究」, 全北大學校 大學院 博士學位論文.

홍보식, 2008, 「6세기 전반 가야의 교역 네트워크」, 『6세기대 가야와 주변제국』, 김해시.

今西龍, 1922, 「己汶伴跛考」, 『朝鮮古史の研究』, 近澤書店.

末松保和, 1949, 『任那興亡史』, 大八洲出版.

山本孝文, 2001, 「古墳資料로 본 新羅勢力의 湖西地方 進出」, 『湖西考古學』 第4·5合輯, 湖西考古學會.

田中俊明, 1990, 「于勒十二曲と大加耶聯盟」, 『東洋史學研究』 484.

『양직공도』 백제 제기에 보이는 「방소국」 재고
—6세기 전반의 백제 세력권—

이노우에 나오키 일본 · 京都府立大学

번역/강은영 전남대학교

Ⅰ. 머리말

기존 문헌에는 찾아볼 수 없는 귀중한 정보를 전하고 있는『양직공도』는 관련 사료가 부족한 한국 고대사나 일본 고대사 연구에 있어서 매우 중요하다는 사실은 더 이상 췌언(贅言)을 필요치 않는다. 그러므로『양직공도』에 대해서는 김유락(金維諾)이 남경박물관 구소장본에 대해 언급한 이래[1], 일본에서는 에노키 가즈오(榎一雄)의 종합적인 연구를 거쳐[2], 니시지마(西嶋)[3]・사카모토(坂元)[4]・이성시[5] 등에 의해 왜국사(倭國使)・백제국사(百濟國使)・고구려국사(高句麗國使)의 제기(題記) 등이 연구되었다. 또한 그 동안 한국에서도 이홍직[6]이나 홍사준[7] 등에 의해서 百濟國使의 題記 등에 관한 고찰이 진행되었다.

또한 이들 제국사(諸國使)의 제기에 관한 연구와 함께 대만 고궁박물원 소장의

---

* 이 글은 2018년 마한연구원 국제학술회의(〈중국 양직공도 마한제국〉)에서 발표한 것임.

1) 金維諾, 1960,「"職貢図"的時代与作者」,『文物』1960年 第7期. 더욱이 이『양직공도』는 현재, 북경의 중국국가박물관(中國國家博物館)에 소장되어 있으며, 북송 대의 모본이라는 점에서 북송본(北宋本)이라고도 불린다.

2) 榎一雄, 1963,「梁職貢図について」,『東方学』26; 榎一雄, 1964,「〈梁職貢図について〉補記」,『東方学』27; 榎一雄, 1964,「滑国に関する梁職貢図の記事について」,『東方学』27; 榎一雄, 1969,「梁職貢図の流伝について」,『鎌田博士還暦記念歴史学論叢』, 鎌田先生還暦記念会; 榎一雄, 1970,「梁職貢図に関する玫媿集の記事」,『オリエント』11-1・2; 榎一雄, 1985,「描かれた倭人の使節—北京博物館蔵〈職貢図〉巻」,『歴史と旅』12-1. 이 論文들은『榎一雄著作集』7巻(汲古書院, 1994年)에 수록되어 있음.

3) 西嶋定生, 1964,「倭国使図」,『現代のエスプリ』6(特集；日本国家の起源), 至文堂(後「倭国使図について」,『西嶋定生東アジア史論集』4巻, 岩波書店, 2001年所収).

4) 坂元義種, 1978,「訳注中国史書百済伝・梁職貢図」,『百済史の研究』, 塙書房.

5) 李成市, 1988,「《梁職貢図》の高句麗使図について」,『東アジア史上の国際関係と文化交流』(昭和61・62年度文部省科学研究費補助金総合研究(A) 研究成果報告書).

6) 李弘稙, 1971,「梁職貢図論考-특히 百済国使臣 図経을 中心으로-」,『韓国古代史의 研究』, 新丘文化社.

7) 洪思俊, 1981,「梁代職貢図에 나타난 百済国使의 肖像에 대하여」,『百済研究』12.

百濟國使
百濟國、來〔東〕夷馬韓之屬也。晉末、句麗有遼東・樂浪。亦有遼西・
晉平縣。自晉巳〔已〕來、常修蕃貢。義熙中、其王餘腆、宋元嘉中、其王餘毗、齊永明中、
其王餘太、皆受中國官爵。梁初以太爲征東將軍。尋爲高句驪所破。普
通二年、其王餘隆、遣使奉表云、累破高麗。所治城曰、固麻。謂邑檐魯、於
中國郡縣、有二十二檐魯、分子弟・宗族爲之。旁小國有叛波・卓多・多羅・前羅
・斯羅・止迷・麻連・上巳〔已〕文・下枕〔耽〕羅等附之。言語・衣服、略同高麗、行不張、
拜不申、以帽爲冠、襦白〔曰〕復衫、袴曰褌。其言參諸夏。亦秦韓之遺俗。

그림 1.『梁職貢図』百済国使題記

당(唐) 閻立德(閻立本)의 模本(王會圖), 남당(南唐) 顧德謙의 모본(顧德謙本) 등의 비교작업을 통해『양직공도』그 자체의 계보 등에 대해서도 연구되어 왔다[8].

이러한 중에 근년, 조찬붕(趙燦鵬)의 논문이 발표되어 새롭게 발견된 청(淸)나라 張庚의「제번양직공도권(諸番梁職貢圖卷)」의 일문이 소개되자[9], 일본에서는『양직공도』에 대한 관심이 더욱 높아지고,『양직공도』에 관한 여러 논고를 수록한 스즈키 · 가네코(鈴木 · 金子)의 책이 간행되었고[10], 나아가『양직공도』의 세계관

8) 深津行德, 1999,「台湾故宮博物院所蔵『梁職貢図』模本について」,『学習院大学東洋文化研究所調査研究報告』44.

9) 趙燦鵬, 2011,「南朝梁元帝《職貢図》題記逸文的新発現」,『文史』2011年 1期.

10) 鈴木靖民 · 金子修一編, 2014,『梁職貢図と東部ユーラシア』, 勉誠出版.

을 논급한 가와카미(河上)의 연구도 발표되었다[11]. 또한 한국에서도 윤용구[12] 등에 의한 정력적인 연구가 진행되어 왔다.

이처럼 『양직공도』에 대한 이 분야의 관심도는 높고, 중국사는 물론 한국사 · 조선사의 관점에서 탐구되어 착실한 성과를 축적해 왔다고 할 수 있다. 이와 같은 연구 상황에서 왜국사(倭國使)의 제기(題記) 등과 함께 연구자의 이목을 집중시켰던 것이 백제국사의 제기이다(그림1).

『양직공도』백제국사제기(이하, 『양직공도』는 생략)에는 고구려 · 신라국사의 제기에는 없는 「방소국(旁小國)」이 열거되고, 백제에 「부용(附)」 했다고 기록되어 있는 등, 기존 문헌에서는 찾아볼 수 없는 귀중한 정보가 전해지기 때문이다. 그런 만큼 일본에서도 이에 대한 관심이 높고, 이용현에 의해 본격적으로 연구되었으며[13], 근년에도 새롭게 발견된 청나라 장경의 「제번양직공도권(諸番梁職貢圖卷)」을 활용한 연구도 이루어지고 있다(이성시2014, 赤羽目2014).

이들 연구 성과는 경시할 수 없지만, 백제국사제기, 특히 다른 제 사료에 보이지 않는 백제 국사제기에만 보이는 「방소국(旁小國)」에 대해서는 이용현의 연구가 있을 뿐, 이후 이와 관련된 전론(專論)은 보이지 않아 반드시 적극적으로 연구되어 왔다고 말하기 어렵다. 이미 언급한 바와 같이 「방소국(旁小國)」 관계기사는 기존 문헌에서는 찾아볼 수 없는 백제와 그 주변 제국에 관한 귀중한 정보를 전하고 있고, 6세기 전반의 백제사연구를 심화시키기 위해서도 기왕의 연구 성과를 비판적으로 재검증함으로써 「방소국(旁小國)」 관계기사를 해당 시기의 백제의 사적전개 과정에 맞추어 치밀하게 검토할 것이 요구된다.

---

11) 河上麻由子, 2015, 「『職貢図』とその世界観」, 『東洋史研究』 74-1.

12) 尹龍九, 2012, 「현존 《梁職貢図》百済国記三例」(『百済文化』 46, 2012年); 尹龍九, 2012, 「梁職貢図의 流伝과 摹本」, 『木簡과 文字』 9.

13) 李鎔賢, 1999, 「『梁職貢図』百済使条の「旁小国」」, 『朝鮮史研究会論文集』 37.

따라서 여기에서는 백제국사제기의「방소국(旁小國)」에 관한 연구 성과를 개괄하고,「방소국(旁小國)」에 대해 가장 정력적으로 고찰한 이용현(1999)의 연구를 비판적으로 검증하며, 다시「방소국(旁小國)」과 백제의 관계 등에 대하여 해당 시기의 백제를 둘러싼 정황을 고려하면서 고찰하고, 6세기 전반의 백제 남방진출과정 등을 탐구하는 단서로 삼고자 한다.

Ⅱ.『양직공도』백제국사제기(百濟國使題記)의「방소국(旁小國)」에 대한 기존의 연구 성과

백제국사제기 중에서도 가장 주목받은 것 중의 하나가「방소국(旁小國)」에 관한 기술이다. 일찍이 이에 주목했던 이홍직은「방소국(旁小國)」에 관한 기술이『양서(梁書)』백제전에 보이지 않는다는 점에서 동기사를 백제국사제기 중에서도「가장 귀중한 것」이라 높게 평가했다. 그리고 이들 제국(諸國)은 해당 시기,「백제 · 신라에 병합되지 않았다」고 하고, 구체적으로는 반파(叛跛)를 반파(伴跛) 즉 대가야로, 탁(卓)을 대구, 전라(前羅)를 압독(押督), 사라(斯羅)를 신라, 상기문(上己汶)을 기문(己汶), 하탐라(下耽羅)를 강진(康津)으로 비정하였다. 더욱이 지미(止迷) · 마련(麻連)은 불명이지만 하나의 나라로 인정하고, 이들 제국의 대부분이「낙동강 유역과 섬진강 유역에 점재하는 부락국가」라는 점, 전라도 서남지방에 비정되는 것도 존재한다고 지적하였다. 게다가『양서』백제전에서 해당부분이 삭제된 것은 편집자의「방소국(旁小國)」에 대한 관심의 결여라고 생각하지 않을 수 없다고 설파하였다. 이홍직의 논문은 후술할 사카모토(坂元)나 이용현 등에도 참조되어 백제국사제기의「방소국(旁小國)」에 관한 기본적인 문헌으로서 이후의 연구에도 큰 영향을 미쳤다.

이어서 일본에서도 사카모토(坂元 1978)에 의해 일찍부터 백제국사제기의 역주가 이루어졌다. 사카모토는「방소국(旁小國)」이『양서』백제전에는 없고, 백제의 독자적인 기사임을 지적한 뒤에 이홍직의 위치비정을 인정하면서, 반파(叛跛)를 반파(伴跛), 탁(卓)을 탁순(卓淳), 다라(多羅)를 다라국(多羅國), 기문(己文)을 기문(己汶), 사라(斯羅)를 신라, 침라(枕羅)를 탐라(耽羅)로 비정했지만, 이들 제국과 백제와의 통교관계 등에 대해서는 상술하지 않았다.

이후,「방소국(旁小國)」이나 백제국사제기 전체를 적극적으로 연구한 논고는 보이지 않고, 연구는 저조했다. 이는 관련 사료의 부족이라는 점에 더하여 일본으로 한정한다면, 백제사 연구가 성행하지 않았다는 점과도 관계없지 않다. 1945년 이후, 일본의 백제사에 관한 전문 서적은 겨우 사카모토의 것 밖에 없어 백제국사제기에 대한 관심의 저조는 일본에서의 백제사연구의 부진이라는 점과 궤를 같이한다고 할 수 있다.

이러한 중에 백제의 가야지방 진출과정과 관련하여「방소국(旁小國)」에 주목한 이는 다나카(田中)였다. 다나카[14]는 백제국사제기의「방소국(旁小國)」에 관한 정보가 521년의 신라사를 수반한 백제사에 의해 전달된 것이라고 한 뒤, 백제는 그 후 524 · 534년에도 사절을 파견하고 있기 때문에 백제국사제기에 보이는 정보도 521년 이후, 524년 · 534년의 백제사절로부터 추가적으로 전달되었을 가능성도 있다고 지적하였다. 상세한 내용은 후술하겠지만, 백제사제기는 521년 이후의 기록이 없고, 또한 배자야 찬(裴子野 撰)의『방국사도(方國使圖)』에 의거한 것일 가능성이 높기 때문에, 524년 · 534년의 백제사절 내왕 시에 전달된 정보가 반영되었다고는 생각하기 어렵지만, 백제의 대양외교(對梁外交)와 관련지어 백제국사제기를 논하고 있어 주목된다. 또한 다나카는「방소국(旁小國)」의 사라(斯羅)=신라가 객

---

14) 田中俊明, 1992,『大加耶連盟の興亡と「任那」加耶琴だけが残った』, 吉川弘文館, 161~162쪽.

관적으로 백제에 부용(附傭)하는 세력이 아님에도 백제가 자국에 부용한 것처럼 양에 대해 공언하고 있는 점에 백제의 정치적 주장을 인정하지 않으면 안 되고, 「방소국(旁小國)」은 「현실에서 백제에 '부용하는' 세력뿐만 아니라, '부용'해야 한다고 백제가 인정한 세력을 합쳐 기록하였다」고 한다. 이는 「방소국(旁小國)」과 백제의 관계를 이해함에 있어 대원칙이 되는 것으로 「방소국(旁小國)」과 백제의 관계에 대해서는 이를 전제로 하여 이해하지 않으면 안 된다.

그렇지만, 이후에도 얼마동안 「방소국(旁小國)」에 관한 논고는 보이지 않았다. 이러한 백제사 연구저조 속에서 이를 적극적으로 논한 이가 이용현(1999)이다. 구체적인 연구 성과에 대해서는 나중에 상세히 소개 · 검토하겠지만, 이용현은 남경박물관 구소장본의 사진을 바탕으로 하여 기존의 해석문을 비판적으로 검증하면서 해석문을 확정한 뒤, 「방소국(旁小國)」에 대한 종합적인 연구를 행하였다. 백제국사제기에 보이는 「방소국(旁小國)」에 관한 연구는 이것이 거의 유일한 專論이고, 이에 의해 「방소국(旁小國)」에 대한 연구는 비약적으로 향상되었다고 할 수 있다. 이러한 의미에서 「방소국(旁小國)」에 관한 연구, 나아가 백제사 연구 상, 이용현 연구의 의의는 적지 않다.

이후, 백제국사제기의 「방소국(旁小國)」을 논급한 것은, 겨우 오길환 뿐이다[15]. 오길환은 담로(檐魯)에 관한 연구과정에서 백제국사제기의 「방소국(旁小國)」에 대해서도 언급하고, 이들이 담로(檐魯)에 포함되지 않았기 때문에 「방소국(旁小國)」이 「당시 백제와는 구별된 존재」로 「백제의 군사적 진출이 이루어진 뒤에도 백제의 영역과는 구별하여 취급되었다」고 확언하였다. 이 또한 「방소국(旁小國)」을 이해함에 있어 중요한 성과 중 하나라고 말할 수 있다.

---

15) 呉吉煥, 2003, 「百済熊津時代の領域支配について-「二二檐魯」と「地名王 · 侯」を中心に-」, 『朝鮮学報』 189.

이후, 얼마동안 백제국사제기에 관한 연구는 없었지만, 清 張庚의「제번양직공도권(諸番梁職貢圖卷)」이 발견되어 종래와는 다른 제기가 소개되자 다시 백제국사제기뿐만 아니라『양직공도』전체가 연구자의 이목을 집중시키게 되었고, 기술한 바와 같이 많은 연구자들에 의해『양직공도』는 논구되어 그 연구 성과는 스즈키 · 가네코(鈴木 · 金子)의 저서로서 결실을 맺게 되었다[16]. 이러한 연구 중에는 백제국제기의「방소국(旁小國)」과 관련된 것도 몇 가지 포함되어 있다. 따라서 여기서는 이들 연구 성과 중, 백제국사제기의「방소국(旁小國)」과 관련된 연구 성과를 몇 가지 소개하고자 한다.

이러한 연구 중,「방소국(旁小國)」을「동부 유라시아 세계」의 관점에서 언급했던 이가 스즈키(鈴木)이다. 스즈키[17]는 양과 활국(滑國) · 파사(波斯)의 대국, 더나가 그 주변제국과의 관계에서 양(대국)-활국 혹은 파사(대국)-주변제국이라는 국제관계를 추출할 수 있다고 하고, 양과 활국 혹은 파사(대국)라는「대국」간의 교류는 그 밖에 있는 주변의「소국」군(=「방소국」)에도 각각 정치적 · 경제적으로 영향력을 가지고 있었다고 해석하였다.「대국」은「외교관계를 포함한 다양한 교류(교통) 형태를 요소로 하여 일정한 국제질서를 지역마다 구축하고 있었다고 추정할 수 있다」고 하고, 이를 바탕으로 해당 시기의 동부 유라시아 세계가 중심(중앙)-중국왕조의 주변국(각 지역권에서의 중심)-변경(지역권에서의 주변국)이라는 삼층 구조로 되어 있다고 추정했다. 그리고 백제의 경우도「「대국」인 백제와의 동시 입조를 통해」, 백제를 중심으로 한「방소국」과의 관계가 형성되어 있었다고 이해했다.

더욱이 이와 같이 활국 · 파사를 대국으로 하고, 양과 다른 독자적인 세계로 파

---

16) 鈴木靖民 · 金子修一編, 2014,『梁職貢図と東部ユーラシア』, 勉誠出版.

17) 鈴木靖民, 2014,「東部ユーラシア世界史と東アジア世界史」,『梁職貢図と東部ユーラシア』(鈴木靖民 · 金子修一編), 勉誠出版.

악한 스즈키에 대해 왕소(王素)[18]는「대국」은 양 뿐이고 기타의「대국」,「소국」,「방국」은「각 지역에 있어서 지정학적으로 교통 상 상대적인 개념에 지나지 않는 것은 아닐까」라고 반론하였다. 이러한 논의는「방소국」을 어떻게 위치 지울까라는 점과 관련된 것으로 그러한 만큼 이미 논의되고 있지만, 백제만이 아닌 다른 제국의 사례와의 비교검토에서 논할 필요가 있고, 향후 그러한 연구의 진전을 기대한다.

한편, 청 장경의「제번양직공도권」의 백제국사제기에 대해 구체적으로 연구한 이는 이성시와 아카바메(赤羽目)이다. 이성시[19]는 윤용구의 연구에 입각하면서 제본에 보이는 백제국사제기의 비교검토를 통해, 종래『양서』편찬에 관해서는 백제국사제기 이외의 사료도 참조되고 가필되었다고 하는 견해에 대해 동전(同傳)「中大通6年」이전의 사료는 백제국사제기가 그대로 채용되었다고 하여 백제국사제기의 사료적 의의가 높다고 지적했다. 또한 아카바메[20]는 청 장경의「제번양직공도권」의 백제국사제기를 고찰하고, 이용현이 지적한 백제「방소국」의 위치비정이나「방소국」의「반파(叛跛)」·「지미(止美)」등에 보이는 백제의 주변제국에 대한 주변 제국 멸시관을 추인하였다.

이처럼 백제국사제기에 보이는「방소국」, 게다가 이를 포함한 제기 자체에 관한 검토가 진행되었다. 이들 연구 성과는 경시할 수 없지만, 이미 언급한 바와 같이 이용현의 연구를 비판적으로 검증하고, 보다 적극적으로 논증한 것은 찾아볼 수 없다. 다만, 백제사연구를 심화시키고, 해당 시기의 백제사의 사적전개과정을 해명하기 위해서도 이에 대한 비판적 재검증은 필요불가결한 작업이다. 따라서 다시

---

18) 王素(菊池大・速水大訳), 2014,「梁職貢図と西域諸国-新出清張庚模本「諸番職貢図巻」がもたらす問題-」,『梁職貢図と東部ユーラシア』(鈴木靖民・金子修一編), 勉誠出版.

19) 李成市, 2014,「「梁職貢図」高句麗・百済・新羅の題記について」,『梁職貢図と東部ユーラシア』(鈴木靖民・金子修一編), 勉誠出版.

20) 赤羽目匡由, 2014,「新出「梁職貢図」題記逸文の朝鮮関係記事二、三をめぐって」,『梁職貢図と東部ユーラシア』(鈴木靖民・金子修一編), 勉誠出版.

적극적으로 백제국사제기의 「방소국」에 대해 논급한 이용현의 상세한 내용을 소개하고 이에 대한 비판적 검토를 행하고자 한다.

Ⅲ. 백제국사제기(百濟國使題記)의 작성연대와 「방소국」의 위치비정에 대한 비판적 검토

1. 백제국사제기 및 「방소국」과 백제의 관계에 대한 이용현설의 개요

이용현(1999)은 먼저 에노키(榎, 1963 · 1964a · 1964b · 1969 · 1970 · 1985) 등의 기존 연구 성과 등에 입각하면서 백제국사제기의 작성과정에 대해 검토를 더하고, 백제국사제기와 이를 바탕으로 편찬되었다고 이해되는 『양서』 백제전과의 비교검토를 행하여 첫째, 백제국사제기에 보통2년(521) 이후의 백제와 양의 통교기사가 인정되지 않는다는 점, 두 번째, 固麻(웅진)를 백제왕도로 하고 있어 백제국사제기가 성왕16년(538)의 사비천도 이전의 상황을 전하고 있는 점, 세 번째, 『양직공도』 작성 시기에 해당하는 소역(蕭繹)의 형주자사 재임시기가 보통7년(526)~대동5년(539)인 점, 534년에 백제의 사절파견에 관한 기록이 『양직공도』에 보이지 않는 점에서 백제국사제기 작성의 상한은 521년이고, 그 하한은 537년이 된다고 지적하였다. 이는 배자야 찬의 『방국사도(方國使圖)』 집필시기에도 해당한다는 점에서 백제국사제기는 『방국사도』의 백제국사도(百濟國使圖)를 옮겨 기재하였다고 하고, 게다가 백제국사제기에 관한 정보는 보통2년(521) 무렵까지 수집되었다고 하였으며, 백제국사제기가 배자야 찬의 『방국사도』 소재 백제국사도의 증보판이라고 한 에노키 카즈오 설의 타당성을 인정하였다.

이러한 기초적 사실의 확인을 한 뒤, 주로 이홍직 등의 선행연구를 참조하면서

「방소국」에 대한 위치비정을 행하였다. 이용현은 이들 「방소국」의 ①叛波 · ②卓 · ③多羅 · ④前羅 · ⑤斯羅 · ⑥止美 · ⑦麻連 · ⑧上己文 · ⑨下枕羅 중, ①을 伴跛, ②의 卓을 탁순, ③의 多羅를 多羅, ⑤斯羅를 신라, ⑧上己文을 己汶, ⑨下枕羅를 침미다례(忱彌多禮)로 비정한 이홍직의 견해는 문제가 없다고 하여 이를 인정하였다.

또한 이홍직이 押督이라 하고, 다케다 유키오(武田幸男)[21]가 南加羅(=금관), 김태식[22]이 安羅라고 하는 등, 견해가 일치하지 않는 ④前羅에 대해 논급하고, 가야제국의 실상을 전하는 『일본서기』 계체기(이하 『일본서기』는 생략)에 의하면, 6세기 전반, 남가라는 약체화되어 있고, 해당 시기의 가야제국의 주역으로 보기 어려우며, 오히려 남부가야제국을 대표한 것은 안라였다는 점에서 안라로 이해해야 한다고 하였다.

다음으로 이홍직의 연구에서는 불명으로 처리되었던 ⑥止美 · ⑦麻連에 대하여 검토를 더하였다. 이홍직은 이를 하나의 나라로 보았지만, 이용현은 『신찬성씨록』 河內國皇別 · 止美連條[23]를 주목하고, ⑥止美 · ⑦麻連은 각각의 개별 소국이고 2국으로 이해하였다.

먼저 ⑥止美는 【사료1】『新撰姓氏錄』 河內國皇別 · 止美連條에 다음과 같이 기술되어 있다.

【사료1】『新撰姓氏錄』 河內國皇別 · 止美連條

尋來津公과 조상이 같다. 豊城入彦命의 후손이다. 4세손 荒田別命의 아들 田道公이

---

21) 武田幸男, 1992, 「文献よりみた伽倻」, 『伽倻文化展』, 朝日新聞.

22) 金泰植, 1988, 「6세기 전반 加耶南部諸国의 소멸과정 고찰」, 『韓国古代史研究』 1.

23) 이용현(1999)은 「神別左京下 · 止美連條」라고 하였지만, 인용사료의 내용으로 보아 「河內國皇別 · 止美連條」의 오기이다.

백제국으로 파견되어 止美邑의 吳女를 취하여 아들 持君을 낳았다. 3세손 熊과 차남 新羅 등이 흠명천황대에 왔다. 新羅의 아들 吉雄에게는 거한 곳에 따라 止美連의 성을 사여하였다. 일본서기에는 빠졌다.

(尋來津公同祖, 豊城入彦命之後也. 四世孫荒田別命男田道公, 被遣百濟國, 娶止美邑吳女, 生男持君. 三世孫熊, 次新羅等, 欽明天皇御世, 參來. 新羅男吉雄, 依居賜姓止美連也. 日本紀漏.)

여기에 보이는 백제의「止美邑」의 오녀를 취했다는 부분에 주목하고, 백제에는 일찍이「止美邑」이 존재하였고, 이「止美」는「止迷」와 유사성을 갖는다고 지적하며, 実於山(鳳凰), 水川(森溪)이나, 道武(강진), 冬音(大口)이 후보가 될 수 있다고 주장하였다.

⑦麻連은 毛良夫里(고창), 武尸伊(영광), 武珍(광주), 勿阿兮(무안), 勿慧가 주목되지만, 이 중, 勿慧는 대가야와의 관계에서 등장하기 때문에 제외해야 하고, 계체기 6년조(512)에 보이는 牟婁를「시기적 혹은 상황적으로 麻連으로 봐야한다」고 주장하였다.

그리고, 이「방소국」은「지역적으로 일정한 기재 규칙」이 있고, 백제에 의해 의도적으로 신라가 9국의「한 중앙」에 두어져 그 앞을 경상도의 가야제국과 그 뒤를 舊馬韓 지역으로 구분하였다고 이해했다. 이러한 배열은 백제가 신라를 강하게 의식하고「신라를 필두」로 하여 남방의 탐라를 남만으로 하는 방위관이 나타나 있다고 하였다. 또한 이와 같은 백제에 의한 의도성은「방소국」의 국명표기에도 나타나 있다고 하였다. 즉, ①叛破는 伴跛·대가야 등의 호칭이 있었음에도 불구하고, 오히려「반란의 물결」을 의도하여 叛波라고 改惡하였고, 이는「백제의 남방진출과정에서 적대국에 대한 적개심의 발로」였다고 해석하였다. 또한 ⑤斯羅에 대해서도 신라라는 새로운 국명이 있음에도 불구하고 오히려 구래의 사라를 이용한 것은「503

년 이후 신라의 발전을 인정하지 않으려고 하는 의도」가 엿보인다고 논하였다.

이처럼 이용현은 백제국사제기의 「방소국」에 대해 상세히 검토하고, 여기에서 백제의 정치적 퍼포먼스를 찾아볼 수 있다고 재차 주장한 것이었다. 「방소국」의 상세한 검토 등, 그 성과는 이미 언급한 바와 같이 아카바메(赤羽目)의 연구에서도 인정받는 등 이후 연구에도 큰 영향을 미쳤다.

그렇다고 하더라도 이용현의 견해에 대해 의문이 없는 것은 아니다. 따라서 다음 절에서는 이용현의 문제점을 지적하고 재차 「방소국」을 추적하기 위한 단서로 삼고자 한다.

2. 백제국사제기(百濟國使題記) 작성 시기의 비판적 검토

문제의 첫 번째는 백제국사제기의 작성 시기 하한을 537년으로 한다는 점이다. 이용현은 전술한 바와 같이 이를 배자야 찬의 『방국사도』를 옮겨 실은 것이라고 하면서도 그 작성연대의 하한을 537년으로 하였다. 이는 그 내용이 백제의 538년 사비천도 이전의 일임을 바탕으로 한 것이었다. 백제국사제기는 이용현이 지적한 바와 같이 실제 백제사절의 관찰에 입각한 것으로 생각되기 때문에 적어도 보통2년(521)의 백제 對梁 통교 이후에 작성되었다고 봐도 무방할 것이다.

그렇지만, 그 하한을 대동3년(537)으로 상정해 버리면, 그 이후 백제와의 통교도 거기에 기재될 가능성이 생겨버린다. 그러나 실제로는 기술한 바와 같이 보통2년(521) 이후의 백제와 양의 통교기사는 수록되어 있지 않기 때문에(그림2 참조) 대동3년(537)을 하한으로 하는 것은 문제일 것이다.

더욱이 보통2년 이후의 보통5년(524) · 중대통6년(534) 백제의 양에 대한 견사기사도 반영되어 있지 않기 때문에 그 하한은 보통2년 11월의 견사에서 다음 보통 5년(524) 11월까지의 사이로 우선 설정할 수 있지 않을까[24]. 왜냐하면 설령 그 이후라고 한다면, 당연히 해당시기의 통교정보 등이 기재되어 있어야 하는데 보이지 않기 때문이다. 예를 들면 보통5년(524)의 경우, 무령왕의 훙거 · 성왕의 즉위 · 책립 등 백제에 관한 중요사항이 전해지고 있는데(『양서』 백제전), 이에 관해서는 『양서』 백제전에는 보이지만, 백제국사제기에는 보이지 않는다. 이는 백제국사제기가 그 이전에 작성되었을 가능성이 높음을 나타내고 있다.

게다가 문제가 되는 것은 537년이 배자야의 『방국사도』의 작성시기보다도 큰 폭으로 내려간다는 점이

年号	年	西暦	『方国使図』編纂	蕭衍荊州刺史	百済国史題記	百済対梁通交
天監	15	516				
	16	517				
	17	518				
	18	519				
普通	1	520				
	2	521				○◎■
	3	522				○誤 ×
	4	523				
	5	524				◎×
	6	525				
	7	526				
大通	1	527				
	2	528				
中大通	1	529				
	2	530				
	3	531				
	4	529				
	5	530				
	6	531				
大同	1	532				
	2	533				
	3	534				○×
	4	535				
	5	536				
	6	537				
	1	538				
	2	539				
	3	540				
	4	541				
	5	542				

※○：百済の朝貢◎：梁の冊封記事■：題記記載あり 誤：史料の誤り ×：題記に記載無し

그림 2. 百済題記作成年代関連表

24) 이용현(1999)은 註에서 사카모토(坂元, 1978)에 의거하여 6세기 전반의 백제와 양의 통교시기를 521년, 522년, 524년, 534년, 541년, 549년이라고 하였다. 그러나 여기에 기재된 522년은 문제다. 522년의 통교기사는 『책부원귀』조공1 · 보통3년조의 「(普通)三年十一月百濟國遣使朝貢」라는 것에 바탕을 두고 있지만, 이용현(1999)이 참조한 사카모토(坂元, 1978, 55-58쪽, 183쪽)에서는 이미 그것이 보통3년이 아니라 「보통2년 11월」의 오기임이 지적되어 있다. 이용현(1999)이 同書를 참조하면서 이 지적을 무시한 것인지, 혹은 알아채지 못했는지는 알 수 없지만, 여하튼 문제로 보통3년(522) 백제의 양에 대한 견사 기사는 인정할 수 없기 때문에 여기에서도 보통3년은 고찰 대장에서 제외한다.

다. 이용현은 『양서』 배자야전에 보이는 『방국사도』의 편찬이 이들 양국의 양에 대한 조공과 관련 있다고 기록하고 있고, 또한 백제(白題,박트리아) · 활국(滑國,에프탈Ephthalites)의 양에 대한 최초의 내조가 보통3년(522) 8월과 천감15년(516)이기 때문에 배자야의 『방국사도』 편찬 그보다도 소급할 것으로 보기 어렵다는 점, 또한 『양서』 배자야전의 『방국사도』의 작성에 관한 기술이 천감2년(503)~보통6년(525)으로 인정된다는 점에서 『방국사도』 편찬은 천감15년(516) 이후, 보통6년(525)까지 작성되었다고 추정했다.

백제국사제기가 배자야 찬의 『방국사도』에 수록되어 있었다고 한다면, 그 기사 내용의 하한은 『방국사도』 편찬의 하한인 보통6년(525) 이전이 아니면 안 된다. 백제국사제기에 나타난 최후의 백제와 양의 통교 해인 보통2년(521)이 범위 안에 들어간다. 기술한 바와 같이 보통2년 이후인 보통5년(524)의 백제와 양의 통교관계 기사, 그에 수반하는 백제의 정보가 인정되지 않는다는 점에서 보아 백제국사제기 작성의 하한은 524년 백제의 대양통교 이전으로 보는 편이 자연스러울 것이다.

이러한 점에 입각하여 보통2년 사절의 실견(実見)을 전제로 하고, 또한 그 이전의 백제관련기사가 보이지 않는 점에서 백제국사제기의 작성은 보통2년 이후가 되며, 그 하한은 배자야 찬의 『방국사도』 작성시기의 하한인 보통6년(525) 이전, 혹은 보통 5년(524)의 백제정보에 관한 기사 결여를 고려하여 524년의 백제 대양통교 이전으로 생각하지 않으면 안 되기 때문이다. 즉 『양직공도』에 보이는 백제국사제기는 이용현이 지적한 보통2년(521)에서 대동3년(537)까지가 아니라 그보다도 시기를 좁혀 보통2년부터 보통5년(524)까지의 약 4년 사이에 작성되었고, 이것이 『양직공도』 작성 시에 옮겨 실리게 되었다고 생각하지 않으면 안 된다.

3. 「방소국」의 위치비정에 대한 비판적 검토

두 번째의 문제는 「방소국」의 위치 비정이다. 특히 의문시되는 것은 ⑥止美, ⑦麻連이다. 이미 언급한 바와 같이 이용현(1999)은【사료1】『新撰姓氏錄』河內國皇別 · 止美連條에 보이는 「止美邑」이 止美와 「유사성을 가진다」고 하여, 실어산(봉황), 수천(삼계), 도무(강진), 동음(대구)을 비정후보지로 하였다. 게다가 「봉황에 가까운 나주반남이 주목되는 등, 영산강지역 및 그 연장선상에 있는 서남해안 지역으로 비정할 수 있다」고 하였다. 그러나 영산강유역으로 비정하는 구체적인 설

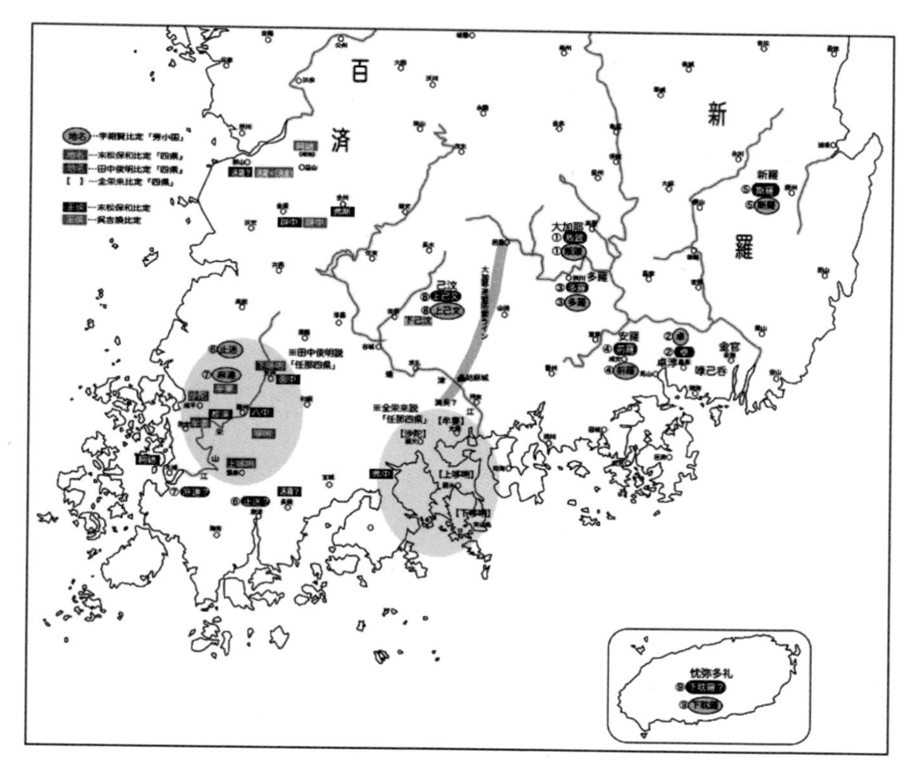

그림 3. 「旁小国」関連地図

명은 전혀 없고, 왜 그렇게 이해할 수 있는지 불명이다.

게다가 ⑦麻連에 대해서도 발음의 유사성에서 모량부리(고창), 무시이(영광), 무진(광주), 물아혜(무안), 물혜를 비정후보지로 하고, 계체기6년(512)조에 보이는 牟婁를「시기적 또한 상황적으로 마련으로 봐야 한다」고 하였다. 그러나 이도 어째서 모루가 갑자기 나오는지 혹은 그것이 왜 마련의 비정지가 되는지 사료적 근거나 그와 같은 비정에 이르는 과정이 전혀 없어 문제이다. ⑦마련의 위치비정에 대해서는 이홍직(1971), 홍사준(1981), 다나카(田中, 1992), 오길환(2003) 등도 불명이라고 하고 있기 때문에 적어도 제대로 된 설명이 요구된다. 요컨대, 이용현(1999)에서는 사료에 따른 구체적인 설명이나 고증과정이 명시되지 않는 채, ⑥止美 · ⑦麻連을 영산강유역에 비정한다(그림3 참조).

따라서 다시 사료에 준거하면서 이 문제에 대해 검토하고자 한다. 이용현(1999)에서도 지적한【사료1】에 보이는「止美連」인데,『新撰姓氏錄』和泉國皇別條에는「登美首」가 있어 동족이라 생각된다[25]. 더욱이【사료2】『일본후기』延曆18年(799) 12월 갑술조에는 다음과 같은 기술이 있다.

【사료2】『日本後紀』延曆18年(799) 12月 甲戌條

갑술, 가이국(甲斐國) 사람인 도미노 와카무시(止彌若虫) · 구시지노 다카나가(久信耳鷹長) 등 190인이 말하기를 "우리들 선조는 본래 백제인입니다. 聖朝를 사모하여 바다를 건너 귀화하였습니다. 그러한즉 天朝께서 윤지(綸旨)를 내려 세츠노 쇼쿠(攝津職)에 안치하셨습니다. 후에 병인년 정월 27일 격(格)에 의해 더욱이 가이국(甲斐國)으로 옮겼습니다. …(후략)

(甲戌, 甲斐國人止彌若虫 · 久信耳鷹長等 一百九十人言, 己等先祖, 元是百濟人也. 仰

25) 佐伯有清, 1982,『新撰姓氏録の研究』(考証編第2), 吉川弘文館, 498쪽.

慕聖朝, 航海投化, 即天朝降綸旨, 安置攝津職, 後依丙寅勢正月廿七日格, 更遷甲斐國. …)

위의 기사는 도미(止彌) 일족이 백제에서 도래하였던 사실을 전하고 있어, 「止迷」=「止彌」를 백제에서 찾을 수 있다. 그런데 【사료1】에 보이는 「止美」를 검토한 사에키[26]는 「止美」가 신공기 섭정 49년 3월조, 응신기 8년 3월조 소인 『백제기』에 보이는 「忱彌多禮」에 해당하고, 『삼국사기』 지리지 · 무주조의 武道郡 冬音縣(강진군 강진읍)에 해당한다고 하였다. 사에키가 이처럼 이해한 것은 스에마쓰[27]에 의거했기 때문이다.

【사료3】 神功紀 攝政49年 3月條

춘3월, 荒田別 · 鹿我別을 장군으로 삼았다. 즉 구저 등과 함께 병사를 거느리고 건너가 탁순국에 이르러 신라를 치고자 하였다. 이때 혹자가 말하기를 "병사가 적어 신라를 깨뜨릴 수가 없습니다. 다시 사백 · 개로에게 올려 군사의 증가를 청하라고 하였다." 그러한즉 목라근자 · 사사노궤[이 두 사람은 그 성을 모르는 사람이다. 다만 목라근자는 백제의 장수이다]는 정병을 거느리고 사백 · 개로를 함께 파견하였다. 모두 탁순에 모여 신라를 쳐서 깨뜨렸다. 인하여 비자발 · 남가라 · 탁국 · 안라 · 다라 · 탁순 · 가라 7국을 평정하였다. 이내 병사를 옮겨 서쪽으로 돌려 고해진에 이르렀고, 남만 침미다례를 도륙하고, 백제에게 주었다.

(春三月。以荒田別。鹿我別爲將軍。則與久氐等共勒兵而度之。至卓淳國。將襲新羅。時或曰。兵衆少之。不可破新羅。更復奉上沙白。盖盧。請增軍士。即命木羅斤資。沙沙奴跪。[是

26) 佐伯有清, 1982, 『新撰姓氏録の研究』(考証編第2), 吉川弘文館 461~462쪽.

27) 末松保和, 1996, 「任那興亡史」, 『末松保和朝鮮史著作集4-古代の日本と朝鮮』, 吉川弘文館, 38~39쪽(初出 1949, 大八洲出版).

二人不知其姓人也。但木羅斤資者。百濟將也] 領精兵與沙白。盖盧共遣之。俱集于卓淳。擊新羅而破之。因以平定比自体。南加羅。喙國。安羅。多羅。卓淳。加羅七國。仍移兵西廻至古爰津。屠南蠻。彌多禮。以賜百濟)

즉 스에마쓰는【사료3】신공기 섭정 49년 3월조에 보이는 지명고증을 행하여 침미다례가『삼국사기』지리지 · 武州條의 道武郡, 冬音縣에 해당한다고 주장하였다. 스에마쓰는 이들이 별도의 지명으로 되어 있지만,「원래는 道武의 땅이 분화한 것」이라고 하고 이를 강진으로 이해하였다.

게다가 스에마쓰는【사료3】의 침미다례에는「남만」이 붙어있기 때문에 침미다례를 그대로 道武 또는 冬音의 땅이라고 생각할 수 없다고 하고, 남만 침미다례란 제주도일 것으로 추측했다. 한편으로는 道武 · 冬音은 남만 침미다례로부터의 착선지(着船地), 남만 침미다례로부터의 이주지 등 뭔가 관계있는 토지였다고 보았다.

여하튼「止美」는 道武 · 冬音, 즉 강진과 관련 있는 지명일 가능성은 충분하다. 이용현도 도무 · 동음을 비정후보로 들고 있다. 그러나 이용현은【사료1】『신찬성씨록』을 인용하면서도 그 연구를 행한 사에키, 그 논거가 되었던 스에마쓰를 언급하지 않고, 어째서인지 구체적인 논증도 없는 채,「止美」를 실어산(봉황)에 가까운 나주 반남, 더나가 영산강유역과 관련지었다.

【사료4】『新增東國輿地勝覽』南平縣 · 古跡條

鐵冶廢縣[현에서 남쪽으로 30리 떨어져 있다. 본래는 백제 실어산현이다. 신라 때 지금의 이름으로 바꿔 나주에 붙였고, 고려에서는 그대로 따랐다가 후에 능성현에 붙였고, 본조 태종15년에 내속되었다]

鐵冶廢縣[在縣南三十里, 本百濟実於山縣. 新羅改今名, 屬羅州. 高麗因之. 後屬綾城縣本朝太宗十五年, 來屬]

이용현이 「止美」를 실어산에 비정한 구체적인 근거는 명시되지 않았지만, 아마도 【사료4】『신증동국여지승람』 남평현 · 고적조에 보이는 「철야폐현」의 백제시대 지명인 「실어산」이 「止美」와 음통한다고 생각했을지도 모른다. 다만 이미 지적한 바와 같이 「止美」(=「登彌」)는 「登美」와 동족으로 이해되어 그 음은 「tomi」로 생각되기 때문에[28] 「실어산」과는 반드시 음이 통하는 것은 아니다. 오히려 마찬가지로 후보지로 했던 도무 · 동음 쪽의 음이 가깝다고 할 수 있다. 따라서 이러한 것을 배제하여 「止美」를 실어산(봉황), 즉 영산강 유역 방면으로 비정하는 이해는 바로 수긍하기 어렵다. 더욱이 이용현은 水川(삼계)도 「止美」의 비정후보지로 하고 있지만, 이것도 어째서 후보지가 되는지 구체적인 설명이 없고, 상세하지 않아 갑작스레 따르기 어렵다. 이러한 이해에 큰 잘못이 없다면, 「止美」는 바로 道武 · 冬音=강진지역에 비정해도 좋지 않을까 한다.

다음으로 ⑦麻連에 대해서도 비판적으로 살펴보자. 이미 언급한 것처럼 이용현은 마련의 음 유사성에서 毛良夫里(고창), 武尸伊(영광), 武珍(광주), 勿阿兮(무안), 勿慧가 주목된다고 했지만, 결국 牟婁를 「시기적 혹은 상황적으로 마련으로 보아야 한다」고 하고, 마련=모루라고 하였다. 그러나 이에 관해서도 그 구체적인 근거가 제시되지 않아 문제이다.

이용현이 마련을 모루로 하고, 영산강일대라고 이해한 구체적인 근거는 기술한 것처럼 자세하지 않지만, 모루를 스에마쓰[29]가 (1)武尸伊郡 (영광) · (2)毛良大里縣(고창) · (3)勿阿兮郡(무안)의 영산강 서쪽 방면의 어딘가에 해당한다고 한 점과 김태식[30]이 麻連=勿慧=牟婁=滿溪라고 한 것과도 관계가 있을 것이다. 김태식이

28) 佐伯(1982, 416쪽)도 「止美邑」을 「도미노무라」라고 하고 있다.

29) 末松保和, 1996, 「任那興亡史」, 『末松保和朝鮮史著作集4-古代の日本と朝鮮』, 吉川弘文館, 87쪽(初出 1949, 大八洲出版).

30) 金泰植, 1997, 「百済의 加耶地域関係史 : 交渉과 征服」, 『百済의 中央과 地方』, 忠南大学校百

마련과 동일지역으로 이해한 모루는【사료5】에 다음과 같이 기술되어 있다.

【사료5】 繼體紀6년(512) 12月條

겨울 12월, 백제사 사신을 보내 조를 바쳤다. 별표를 올려 임나국의 상다리 · 하다리 · 사타 · 모루 4현을 청하였다. …이로 말미암아 다시 사신을 보내어 칙서하고, 물건과 칙의 요지를 주어 표로 올린대로 표에 의해 임나4현을 하사하였다.

(冬十二月。百濟遣使貢調。別表請任那國上哆唎。下哆唎。娑陀。牟婁四縣。… 由是改使而宣勅。付賜物并制旨。依表賜任那四縣)

모루는【사료5】繼體紀6년(512) 12月條에는 소위「임나4현 할양」의 하나로서 보인다. 김태식은 상술한 것처럼 마련과 모루를 동일하다고 이해하지만, 이에 대해서 이용현은 아래의【사료6】繼體紀8년(514)3월조의 기사를 인용하고 있다.

【사료6】 繼體紀8年(514) 3月條

3월, 반파가 성을 자탄과 대사에 쌓아 滿溪와 연결하고 烽候 · 邸閣을 두어 일본에 대비하였다.

(三月。伴跛築城於子呑帶沙。而連滿奚。置烽候邸閣。以備日本)

【사료6】에 따르면 514년에 伴破(대가야)가 子呑 · 帶沙에 성을 쌓아 만계와 연결되게 하고, 봉후와 저각을 설치하여 일본에 대비하였다고 하는 기사에 만계가 보인다는 점에 주목하였다. 즉【사료6】의 일본은 백제를 가리키는 것으로[31], 만계가 백

濟研究所.

31) 田中俊明, 1992,『大加耶連盟の興亡と「任那」加耶琴だけが残った』, 吉川弘文館, 131쪽.

제의 帶沙 진출과도 관계있는 지명이기 때문에 만계가 「임나4현 할양」에 보이는 모루나 마련과 같은 지역으로 이해할 수 없다고 김태식설을 비판하고, 모루=만계는 성립하기 어렵다고 이해하였다. 게다가 모루=마련은 성립한다고 지적하고, 아마도 스에마쓰를 따라 모루=마련을 영산강유역으로 설정하였던 것일 것이다.

그런데 【사료6】에는 반파(대가야)가 자탄 · 대사에 성을 쌓아 만계와 연결되도록 하고, 봉후와 저각을 설치하여 백제를 대비하였다고 하기 때문에 김태식과 같이 마련=물혜=모루=만계로 이해한다면, 모루는 대사 · 만계 방면으로 생각하지 않으면 안 되지만, 김태식은 광양시에 馬龍里라 불리는 지명이 남아 있고 이것이 마련과 통한다는 점에서 마련을 섬진강 서안의 광양시에 비정하였다. 이용현은 아마도 모루를 스에마쓰에 의거하여 「임나4현 할양」에 보이는 영산강유역으로 이해하고, 백제의 대사진출과도 관련된 만계와 동일지역으로 볼 수 없다고 하여 김태식을 비판했지만, 김태식과 같이 마련=모루가 대사 근처의 광양시로 비정될 수 있다면, 그것은 또한 대사의 근처에 있었던 만계와도 근접하게 되며 그렇다면 김태식과 같이 마련=만계=모루로 하여 마련을 백제의 대사 진출과도 관련 있는 지방으로서 이해할 수 없는 것도 아니다.

그래서 다시 모루의 비정이 중요하게 되는데 모루가 「임나4현 할양」의 하나였다는 점도 있고, 이는 「임나4현」의 위치비정과도 관련된 문제이기도 하다. 기술한 바와 같이 스에마쓰는 이를 영산강 서쪽 연안지대로 보았다. 이에 대해 전영래[32]는 스에마쓰를 「지명의 비교, 지정학적 상식을 전혀 도외시하였다」고 비판하고, ①상다리 · ②하다리를 여수반도와 돌산도(여수의 고명, 猿村, 돌산도는 突山), ③沙陀를 순천(古名:沙平), ④모루를 광양(馬老)에 각각 비정하고, 「임나4현」을 섬진강 하

---

32) 全栄来(中山清隆訳), 1991, 「百済南方境域の変遷」, 『論争 日本古代史』(山中裕 · 森田悌編), 河出書房新社.

류 이서의 광양 · 순천 · 여수 · 돌산도 일대라고 이해하였다. 김태식도 전영래설을 참조하고 그와 같이 이해하고 있다. 덧붙이자면 전영래는 보성지방까지 남해안을 동진한 백제가 「남해를 우회해서」, 이들 지방을 탈취함으로써 섬진강지역에 도달하고, 이듬해 기문 · 대사지방(남원 · 구례 · 하동)을 침탈했다고 이해하였다.

이에 대해 다나카[33]는 근년 기문 · 대사 관계기사가 『백제본기』를 바탕으로 한 것임에 비해, 「임나4현 할양」기사는 조작기사일 가능성이 높고 계년(繫年)에 대해서도 신뢰성이 없다고 한 뒤, 그것이 백제의 기문 진출 이전으로 되어 있는 것은 의도적이라고 하였다. 나아가 계체기6년(512) 12월조에 「哆唎國守」가 보이고, 「4현 할양」의 하나인 「哆唎」에는 「國守」가 파견되었던 점에서 해당지역은 현보다도 광대한 지역을 나타내고 있고, 「임나4현」은 「백제가 현실적으로 己汶 · 多沙라는 가야지역에 진출하기 이전에 몇 년에 걸쳐 영유하게 된 넓은 지역이라고 생각해도 좋을 것이다」고 주장하였다.

또한, 「임나4현」을 섬진강 서측, 전라남도 동남부로 한정한 전영래설은 「적절하다고 생각할 수 없다」고 하고, 다시 「임나4현」의 ①상다리를 영암, ②하다리를 광주, ③沙陀를 함평 · 무장, ④모루를 영광 · 무안으로 비정하였다.

본디 전영래는 기술한 바와 같이 백제가 보성지방까지 남해안을 동진한 뒤에 기문 · 대사지역을 탈취했다고 하지만, 「임나4현 할양」이 계체기6년(512) 12월조로 백제의 기문 · 대사진 진출은 계체7년(513) 11월조에 보여서 그 무렵이었다고 생각되기 때문에 계년이 정확하다고 한다면, 백제는 기문 · 대사 진출 이전에 섬진강 서안에 해당하는「임나4현」을 세력권에 넣었던 것이다.

이 경우, 문제가 되는 것이【사료6】계체기8년(514) 3월조에 대가야가 자탄 · 대사에 성을 쌓고, 만계와 연계하여 봉화대 등을 설시하여 백제의 대사진출에 대비

33) 田中俊明, 2009, 『古代の日本と加耶』, 山川出版社, 77~81쪽.

하였다는 점이다. 아유카이[34]는 대사가 하동읍 · 小滯沙(嶽陽=岳陽)로 섬진강 하류 동안 일대를, 자탄은 거창, 만계는 섬진강구의 서측에 있는 광양의 고명인 「馬老」에 해당한다고 추측하였다. 이에 대해 다나카[35]도 滯沙를 하동군 악양면의 고소성, 자탄을 거창군 거창읍에 비정하고, 만계의 구체적인 비정지는 정확하지는 않지만, 섬진강 서안이라고 하였다.

설령 「임나4현」의 모루가 전영래가 지적한 것처럼 섬진강 서안의 광양시라면, 대가야연맹은 백제의 지배영역이었던 광양시 일대에 백제에 대한 방어시설을 구축하고 그 침공에 대비하였던 것이 된다. 과연 그와 같은 일이 있을 수 있을 것인가. 더욱이 이는 만계=모루라고 하여 광양시에 비정하였던 김태식에 대해서도 마찬가지다. 어떠한 지배가 행해졌는가는 자세하지 않지만, 백제의 지배하에 있던 「임나4현」에 대가야가 백제의 동진을 막기 위한 방어라인을 설정하였다고는 이해하기 어렵다. 따라서 모루를 섬진강 서안의 광양시에 비정하고, 대가야의 방어라인의 하나인 만계와 동일지역으로 설정하며, 대사진출 이전에 백제가 섬진강 서안을 지배하고 있었다는 견해는 바로 수긍할 수 없다.

본래 이러한 방어라인은 섬진강을 따라 내려간다는 백제의 침공루트를 상정하고 있고, 실제로 백제는 516년 무렵까지는 섬진강루트를 따라 상기문 · 하기문(남원지역)을 탈취하고 있다[36]. 그러나 그때까지 섬진강 서안의 광양시 일대의 「임나4현」을 탈취했다고 한다면, 서쪽에서 대사로 진출하는 일도 가능하였을 터이다. 그러나 그러지 않았다는 것은 후술하는 바와 같이 백제의 전라도 남안지역, 섬진강 서안 진출이 그보다는 나중의 일이었기 때문은 아닐까. 즉 전라남도 남해안지역,

34) 鮎貝房之進, 1971, 『日本書記地名考』, 国書刊行会, 479~480쪽(初版 1937).

35) 田中俊明, 1992, 『大加耶連盟の興亡と「任那」加耶琴だけが残った』, 吉川弘文館, 130~131쪽.

36) 田中俊明, 1992, 『大加耶連盟の興亡と「任那」加耶琴だけが残った』, 吉川弘文館, 133~134쪽; 田中俊明, 2009, 『古代の日本と加耶』, 山川出版社, 72~76쪽.

섬진강 서안지역 일대의 백제 영유는 대사의 땅을 탈취하고, 나아가 영산강유역의 지배 이후였을 가능성도 상정할 수 있을 것이다. 그 내용은 잘 알 수 없지만, 여하튼 모루를 대가야의 백제 동방진출의 방어라인의 하나였던 만계와 동일시할 수는 없을 것이다.

이러한 견해에 큰 잘못이 없다면, 「임나4현」은 다나카[37]와 같이 영산강유역으로 비정하는 편이 이해하기 쉽다. 그렇다면, 가령 모루=⑦마련이라고 한다면, 그것은 영산강유역이 될 것이다. 이용현도 아마 이와 같이 이해했던 것일 것이지만, 이 경우, 기술한 바와 같이 어째서 모루=마련이 되는지가 전혀 설명되어 있지 않다. 누차 언급한 것처럼 이용현은 김태식의 마련=만해(滿奚)=모루=물혜 중 만계 · 물혜가 대사 방면에 있었다는 점에서 이를 제외하고, 마련=모루라고 하여 아마도 모루를 영산강유역으로 하는 스에마쓰에 의거하여 마련도 또한 영산강유역으로 해석한 것일 것이다. 이는 이용현이 지적한 마련의 비정후보지가 모두 스에마쓰의 모루 추정지와 같다는 점에서도 명확하다. 그러나 기술한 바와 같이 이용현은 구체적인 설명이 없는 채로 마련=모루로 하고 있기 때문에 문제이다

덧붙이자면, 전영래[38]는 마련이 밀양의 옛 명칭인 「推火」에 가깝다고 하지만, 그것은 音만이 중시되어 반드시 해당시기의 백제 세력 확대와 합치하는 것은 아니다. 이 때문에 바로 이러한 이해를 따를 수 없다. 그 이외에도 연구자들도 동지역을 불명으로 하고 있고, 명확한 증거가 결여되어 있다는 것이 정직한 상황이다.

그런데 시점을 바꾸어 이용현이 「방소국」에는 「지역적으로 일정한 기재 규칙이 있다」고 한 「방소국」의 열거순서에 주목하고, 거기에서 ⑦마련의 위치를 탐구하고, 아울러 이용현이 지적한 「방소국」의 서열에서 엿볼 수 있는 백제의 정치성을 비판적

37) 田中俊明, 2009, 『古代の日本と加耶』, 山川出版社, 77~81쪽.

38) 全栄来(中山清隆訳), 1991, 「百済南方境域の変遷」, 『論争 日本古代史』(山中裕 · 森田悌編), 河出書房新社, 321쪽.

으로 검증하며, 이를 바탕으로 해당시기 백제의 사적 전개과정을 고찰하고자 한다.

Ⅳ. 520년 무렵의 백제 남방진출과 「방소국」

1. 「방소국」과 6세기 전반에 있어서 백제의 정치적 과제

백제국사제기에 보이는 백제의 「방소국」의 기재순서 등에 주목하고, 이를 적극적으로 논한 이도 이용현(1999)이었다. 이용현은 백제가 의도적으로 이들 「방소국」의 중심에 신라를 배치하고, 그보다 앞에 경상도의 가야제국을, 그 이후를 구마한지역으로서 구분했다고 주장하였다. 그리고 이는 신라를 강하게 의식하고, 「신라를 필두」로 하여 남쪽에 있는 탐라를 남만으로 하는 방위관이 나타났다고 한다. 확실히 백제의 동방인 ①반파를 맨 앞에 두고, 신공기 49년 3월조에 「남만 침미다례」라고 되어 있고, 계체기2년(508)조에 「南海中耽羅人」으로 되어 있는 ⑨하침라(탐라)를 마지막에 배치하는 등, 이들 「방소국」의 열거 방식에는 이용현이 지적한 것처럼 백제의 의도가 엿보인다.

다만, 이러한 지적을 바탕으로 더욱이 의문시하지 않으면 안 되는 것은 백제의 방위관이 어째서 백제를 중심으로 하지 않고 신라를 중심으로 하고 있는가라는 점이다. 「방소국」에 열거된 소국 등은 백제를 중심으로 하는 세계관이 반영되어 있다고 생각되며, 이용현도 이러한 백제의 방위관을 「백제중심의 화이사상」이라고 하고, 백제의 방위관은 고구려가 5세기에 신라를 「동이」라고 한 것에 비견되는 것이었다고 지적하였다. 그렇다면, 이들 세계관이 반영된 「방소국」의 배열도 또한 백제를 전제로 하지 않으면 안 되고, 당연히 그 중심은 백제가 되어야 할 것이다. 그러나 이용현은 백제가 아닌 신라를 중심으로 했다고 주장한다. 백제의 세계관이 반영된「방소국」을 어째서 백제를 중심으로 하지 않고 신라를 중심으로 할 필요가 있었을까. 이 점이 다시 문제가 되고 이를 이용현설의 세 번째 문제점으로 할 수 있을 것이다.

이와 관련하여 문제시하지 않을 수 없는 것은「방소국」의 기재순서이다. 기술한 바와 같이 이용현의 논문에서는 이들 소국의 배열에는「일정의 기재 규칙이 인정된다」고 한다. 이는 기술한 바와 같이 신라보다 앞을 경상도, 그 이후를 전라도 방면으로 한다는 지적에 멈춰있다. 확실히 그렇게 이해할 수도 있겠으나, 구체적인 위치비정 등의 자세한 내용은 후술하겠지만, 문제는 같은 경상도 가야제국이더라도 북부가야인 ①반파의 다음에 남부가야인 ②탁이, 그 다음으로 다시 북부가야인 ③다라가, 나아가 그 다음으로는 남부가야인 ④전라가 오는 등, 반드시 규칙적으로 배치되어 있지 않다는 점이다. 따라서「방소국」의 기재방식은 경상도 방면, 전라도 방면이라는 막연한 방향만이 아니라 세밀하게 백제에 의해 의도적으로 열거된 것일 것이다. 이용현은 이렇게 세밀한 서열의 차이에 대해 전혀 논급하지 않았다. 이것도 이용현설의 네 번째 문제점으로서 지적할 수 있을 것이다. 이들 문제점을 고찰하기 위해서도 다시 백제와「방소국」과의 관계 등에 입각하여 이들「방소국」의 기재순서 등을 종합적으로 고찰할 필요가 있다.

「방소국」의 기재순서를 검토함에 있어 기본이 되는 것은 이제까지 이용현에 의해 지적되어 온 바와 같이「방소국」이 각각 백제 동방의 경상도 방면과 남방의 전라도 방면으로 분별되어 열기되어 있다고 생각되었던 점이다. 누차 설명한 바와 같이 이용현은 이를 신라중심으로 하였다고 보고 있지만, 신라를 중심으로 한다는 점을 빼면, 이들이 백제의 동방과 남방으로 대별된다는 견해는 무시할 수 없고, 이는「방소국」의 기재를 이해함에 있어 대원칙이 된다. 우선 이를 지적해 두고 싶다.

게다가 이들「방소국」의 기재순서가 해당시기의 백제를 둘러싼 제정세(諸政勢)와 어떻게 관련 있는가, 혹은 관련되지 않는가 등을 고찰할 필요가 있다. 이를 위해 해당시기 이들 제국과 백제와의 관계를 검증해 보고자 한다.

우선, 「방소국」 중, 백제 동방의 경상도 방면에 있는 ①반파 · ②탁 · ③다라 · ④전라 · ⑤사라부터 논급해 보자(이하 이들 제국을 동방제국으로 하고, 그 이외의 제국을 남방제국이라 한다). ①반파는 대가야(고령)라는 점에 이론은 없다. 다나카[39]가 이미 지적한 것처럼 대가야는 多羅國을 포함해 주변 12개국으로 이루어진 「대가야연맹」을 형성하고, 그 맹주라고도 할 수 있는 존재였다. 이 대가야와 백제와의 관계를 이해함에 있어 경시할 수 없는 것이 아래의 【사료7】 신공기62년(262→442)조이다.

【사료7】 神功紀62年條

62년, 신라가 오지 않았다. 이해에 습진언을 보내, 신라를 치게 하였다. <백제기에 말하였다. 임오해(이해)에 신라가 귀국에 가지 않았다. 귀국은 사지비궤를 보내 치게 하였다. 신라인은 미녀2인을 단장하여 항구에서 마중하여 유혹하였다. 사지비궤는 그 미녀를 받고서는 도리어 가라국을 쳤다. 가라국왕 기본한기 및 아들 백구지, 아수지, 국사리, 이라마주, 이문지 등이 그 인민을 거느리고 백제로 도망하였다. 백제는 후하게 대우하였다. 가라국왕의 누이 기전지가 대왜를 향하여 가서, "천황은 사지비궤를 보내 신라를 치게 하셨습니다. 그런데 신라의 미녀를 받고는 버려서 치지 않고, 도리어 우리나라를 멸망시켰습니다. 형제, 인민이 모두 유랑하였습니다. 근심을 이기지 못하여 와서 여쭙니다"고 말하였다. 천황이 크게 노하여 목라근자를 보내 군사를 거느리고 가라에 이르러 그 사직을 되돌렸다 하였다. …후략>

(六十二年。新羅不朝。即年遣襲津彦擊新羅。〈百濟記云。壬午年。新羅不奉貴國。貴國遣沙至比跪令討之。新羅人莊餝美女二人。迎誘於津。沙至比跪受其美女。反伐加羅國。加羅國

---

39) 田中俊明, 1992,『大加耶連盟の興亡と「任那」加耶琴だけが残った』, 吉川弘文館, 70~80쪽.

王己本旱岐。及兒百久至。阿首至。國沙利。伊羅麻酒。爾汶至等。將其人民。來奔百濟。百濟厚遇之。加羅國王妹既殿至。向大倭啓云。天皇遣沙至比跪。以討新羅。而纒新羅美女捨而不討。反滅我國。兄弟人民皆爲流沈。不任憂思。故以來啓。天皇大怒。既遣木羅斤資。領兵衆來集加羅。復其社稷。…後略>)

이에 의하면, 왜가 사지비궤(沙至比跪)를 파견하여 신라를 공격했지만, 사지비궤는 신라로부터 미녀를 받고 도리어 가라국을 공격했기 때문에 가라국왕인 기본한기(己本旱岐) 등은 백제로 도망하고, 국왕의 여동생인 기전지(既殿至)는 왜로 가서 천황에게 호소하였다. 이 때문에 천황이 노하여 목라근자를 파견하여 가라국을 부흥시키게 된다.

그러나 여기에 보이는 목라근자는 신공기 49년조에 「목라근자는 백제의 장수다」라고 하여 백제의 장군이다. 게다가 【사료8】 응신기25년조 소인 「백제기」에는 다음과 같이 기술하였다.

【사료8】 應神紀25年條 所引『百濟記』

백제기에 이르기를, 목만치는 목라근자가 신라를 토벌할 때 그 나라의 여인을 얻어 낳았다. 그 부친의 공으로서 임나에서 전횡하였다. …후략

(百濟記云。木滿致者是木羅斤資討新羅時。娶其國婦而所生也。以其父功專於任那。…後略)

【사료8】 응신기25년조 소인 「백제기」에는 목라근자의 아들로서 목만치가 보이는데 이 목만치는 아래 【사료9】 백제본기, 개로왕21년(475)조에 보이는 木劦滿致와 동일 인물이기 때문에 목라근자는 백제인으로 이해해도 좋다.

【사료9】百濟本紀 · 蓋鹵王21년(475)條

문주와 木劦(刕의 잘못, 이하 마찬가지)滿致 · 組彌桀取(목협 · 저미 모두 복성이다. 수서는 목협을 2개의 성으로 삼았다. 어떤 것이 맞는지 알 수 없다)가 남쪽으로 갔다.

(文周乃與木劦滿致 · 組彌桀取(木劦 · 祖彌皆複姓, 隋書以木劦爲二姓, 未知孰是) 南行焉.

따라서【사료7】은 왜가 목라근자를 파견한 것이 아니고 백제가 목라근자를 가라국(=대가야)에 파견했다고 이해된다[40]. 게다가 야마오[41]는 이를 442년, 「야마토왕권의 독자적 작전」에 의해 사지비궤가 대가야를 공격하고, 그에 대해 백제는 목라근자를 파견하여 왜병을 구축하고 이로써 대가야의 목라근자(=백제)에게로의 의존도가 높아졌다고 하였다. 야마오가 이렇게 이해한 것은【사료8】에 목만치가「그 부친의 공에 의해 임나에서 전횡하다」고 했기 때문으로 야마오[42]는 목라근자 · 목만치 등이「대가야 지방에 독자적인 기반을 보지한 채 백제 왕권을 구성하고 있었다」고 인식하였다.

이에 대해 高寬敏[43]은 사지비궤의 대가야 공격 이유가 없고, 또한 내륙으로 진출할 수 없었다고 하여「당시의 역사적 현실에 대해 설명하는 것은 불가능하다는 점」에서【사료7】을「가공의 일」로서 史實로 인정하지 않았다. 한편, 다나카[44]는 기본적으로 山尾說을 인정하면서도 목라근자-목만치가 대가야에 대한 독자적인 세

40) 山尾幸久, 1989,『古代の日朝關係』, 塙書房, 122~124쪽; 田中俊明, 1992,『大加耶連盟の興亡と「任那」加耶琴だけが残った』, 吉川弘文館, 64~65쪽

41) 山尾幸久, 1989,『古代の日朝關係』, 塙書房, 126쪽.

42) 山尾幸久, 1989,『古代の日朝關係』, 塙書房, 154~155쪽.

43) 高寬敏, 1997,『古代朝鮮諸国と倭国』, 雄山閣, 112쪽.

44) 田中俊明, 1992,『大加耶連盟の興亡と「任那」加耶琴だけが残った』, 吉川弘文館, 96~98쪽.

력을 구축했다고 하는 사료적 근거의 결여에서【사료7】을 왜가 일찍부터 동맹국인 금관국 혹은 안라국을 발판으로 하여 독자적으로 대가야에 진출하려 하였지만, 대가야의 구원요청을 받은 백제의 공격에 의해 실패했다고 주장했다. 또한 다나카[45]는 왜가 그때까지 우호관계에 있던 가야 남부세력을 기반으로 하여 내륙부의 대가야까지 진출한 일은 충분히 가능하고, 당시 발흥하고 있던 대가야에 대해「舊來로부터의 세력인 가야남부 제국이 이를 막으려 하였다는 것은 불가해한 일은 아니고, 충분히 역사적 현실에 직면하여 설명할 수 있다」고 하여 고관민설을 비판하고, 왜의 대가야공격을 인정하였다.

이러한 이해에 큰 잘못이 없다고 한다면, 대가야와 왜는 5세기 중반에 군사적으로 충돌한 일이 있었다고 상정되지만, 중요한 것은 다나카[46]가 지적한 것처럼, 왜의 군사행동에 대해 백제가 대가야를 지원하고 있었다는 점이다. 이러한 점에 바탕을 두고 다나카는「이후, 대가야는 백제에 의존하는 일이 강해졌다고 상상할 수 있고, 백제가 대가야에 영향력을 가졌다고 생각할 수 있다」고 설파하였다. 대가야가 왜와의 대립과정에서 친백제정책을 취했던 것은 쉽게 상정되고, 백제의 對大伽倻 교섭담당자로서 목만치가 중시되었을 것이다.【사료7】은 그러한 측면을 나타내고 있다고 이해할 수 있을 것이다.

이처럼 적어도 5세기 중반, 백제와 대가야는 그 나름대로 양호한 관계였다. 그런데 475년에 백제가 일시 멸망하고, 웅진으로 천도하여 남방으로 세력을 확대하게 되자, 기존의 관계는 붕괴하고, 대립으로 변화해 가게 된다.

이를 단적으로 전하는 것이 다음【사료10-1~10-9】『일본서기』에 보이는 백제의 기문·대사 지역으로의 진출기사이다.

---

45) 田中俊明, 2009,『古代の日本と加耶』, 山川出版社, 68~69쪽.
46) 田中俊明, 1992,『大加耶連盟の興亡と「任那」加耶琴だけが残った』, 吉川弘文館, 97~98쪽.

【사료10-1】 繼體紀7年(513) 7月條

7년 여름 6월, 백제는 저미문귀장군(姐彌文貴將軍) · 주리즉이장군(州利即爾將軍)을 보내어 穗積臣押臣을 따라서 [百濟本紀에는 왜(委)의 오시이마키미(意斯移麻岐彌)라고 하였다] 오경박사 단양이를 보냈다. 별도로 주상하여 말하기를, "伴破國이 신의 나라 己汶의 땅을 빼앗았습니다. 엎드려 원하옵건대 천은으로 판단하여 본국에 돌려주소서"라고 하였다.

(七年夏六月。百濟遣姐彌文貴將軍。洲利即爾將軍。副穗積臣押山。〈百濟本記云。委意斯移麻岐彌。〉貢五經博士段楊爾。別奏云。伴跛國略奪臣國己汶之地。伏請。天恩判還本屬。)

【사료10-2】 繼體紀7年(513) 11月條

겨울 11월 신해삭 을묘, 조정에서 백제의 저미문귀장군, 사라의 문득지, 안라의 辛已奚 및 분파위좌, 반파의 기전해 및 죽문지 등을 나란히 세우고 은칙을 내렸다. 기문, 대사를 백제에게 주었다.

(冬十一月辛亥朔乙卯。於朝庭引列百濟姐彌文貴將軍。斯羅汶得至。安羅辛已奚及賁巴委佐。伴跛既殿奚及竹汶至等。奉宣恩勅。以己汶滯沙賜百濟國。)

【사료10-3】 繼體紀7年(513) 11月 是月條

이달, 반파국이 시지를 보내어 진보를 바치고, 기문의 땅을 구걸하였다. 끝내 내려주지 않았다.

(是月。伴跛國遣戢支。獻珍寶乞己汶之地。而終不賜國。)

【사료10-4】 繼體紀8年(514) 3月條

3월, 반파는 자탄과 대사에 성을 쌓아 만해와 연결하고 봉후 · 저각을 두어 일본을 방비하였다.

(三月。伴跛築城於子呑帶沙。而連滿奚。置烽候邸閣。以備日本。)

【사료10-5】繼體紀9年(515) 2月條 · 是月條

9년 봄 2월 갑술삭 정축, 백제의 사자 문귀장군 등이 귀국하려고 청하였다. 칙하여 물부련[이름이 빠졌다]을 딸려 돌려 보냈다[백제본기에 물부지지련이라 하였다].

이 달에 沙都島에 이르러 소문에 반파인이 원한을 품고 강한 것을 믿고 포악한 일을 마음대로 한다고 들었다. 고로 물부련이 수군 500을 거느리고 대사강으로 직행하였다. 문귀장군은 신라를 경유하여 귀국하였다.

(九年春二月甲戌朔丁丑。百濟使者文貴將軍等請罷。仍勅副物部連〈闕名〉。遣罷歸之。〈百濟本記云。物部至至連〉。是月。到于沙都嶋。傳聞。伴跛人懷恨御毒。恃強縱虐。故物部連率舟師五百。直詣帶沙江。文貴將軍自新羅去。)

【사료10-6】繼體紀9年(515) 4月條

여름 4월, 물부련이 대사강에 머무른 지 6일, 반파가 군사를 일으켜 나아가 쳤다. 옷을 벗기고, 물건을 빼앗고 장막을 모두 태웠다. 물부련 등은 두려워 도망하였다. 근근히 생명을 보존하여 문모라[문무라는 섬 이름이다]로 도망하였다.

(夏四月。物部連於帶沙江停住六日。伴跛興師往伐。逼脱衣裳劫掠所賚。盡燒帷幕。物部連等怖畏逃遁。僅存身命泊汶慕羅〈汶慕羅。嶋名也〉。)

【사료10-7】繼體紀10年(516) 5月條

10년 여름 5월, 백제가 전부 목리불마갑배를 보내어 물부련 등을 기문에서 맞이하여 위로하고 나라로 인도하였다.

(十年夏五月。百濟遣前部木刕不麻甲背。迎勞物部連等於己汶。而引導入國。)

【사료10-8】繼體紀10年(516) 9月條

가을 9월, 백제가 주리즉차장군을 보냈는데 물부련과 같이 와서 기문의 땅을 준 것을 감사하였다. 따로 오경박사 漢高安茂를 바치고, 박사 단양이를 대신하려고 청하였다. 청대로 바꾸었다.

(秋九月。百濟遣州利即次將軍副物部連來謝賜己汶之地。別貢五經博士漢高安茂請代博士段楊爾。依請代之。)

【사료10-9】繼體紀23年(529) 3月條

23년 봄 3월, 백제왕이 하다리국수 穗積押山臣에 "조공하러 가는 사자들이 항상 섬의 돌출부를 피할 때마다[해중의 島曲의 碕岸을 말한다. 세속에 美佐祁라 한다] 매양 풍파에 시달립니다. 이로 인하여 가지고 가는 것을 적시고 망가지게 합니다. 그러니 가라의 다사진을 신이 조공하는 길로 하겠습니다"라고 하였다. 이를 押山臣에게 전하여 주하였다. 이달, 物部伊勢連父根, 吉士老 등을 보내 항구를 백제왕에게 주었다. 이에 가라왕이 칙사에게 "이 항구는 관가를 둔 이래, 신이 조공할 때 기항하는 항구입니다. 어째서 쉽게 이웃 나라에 주십니까. 원래의 지정하여 주신 경계를 침범하는 것입니다"라고 말하였다. 칙사 父根 등이 이로 인하여 눈앞에서 주는 것이 어려워서 大島로 물러갔다. 따로 문서계원을 보내 부여에게 주었다. 이 때문에 가라가 신라와 같이 일본을 원망하였다.

廿三年春三月。百濟王謂下哆唎國守穗積押山臣曰。夫朝貢使者恒避嶋曲〈謂海中嶋曲碕岸也。俗云美佐祁。〉每苦風波。因玆濕所賚。全壞無色。請以加羅多沙津爲臣朝貢津路。是以。押山臣爲請聞奏。是月。遣物部伊勢連父根。吉士老等。以津賜百濟王。於是。加羅王謂勅使云。此津從置官家以來。爲臣朝貢津涉。安得輙改賜隣國。違元所封限地。勅使父根等因斯難以面賜。却還大嶋。別遣錄史果賜扶余。由是加羅結儻新羅。生怨日本。)

이들 계체기의 기문 · 대사 관계기사에 대해서는 이미 다나카[47]에 의해 상세히 검토되었고, 백제의 기문 · 대사지역으로의 구체적인 진출과정이 명확히 되어 있다. 이러한 연구를 참조하면서 다시 백제의 기문 · 대사지역 진출과정을 개관해 두면, 백제는 대사(=하동군 하동읍)로의 진출을 도모하자, 반파(=대가야)가 이에 대해 자탄에 성을 쌓고, 滿奚와 연계하여 백제의 진출을 막고자 하였지만(【사료10-4】), 결국 백제는 기문 · 대사의 땅까지 진출하였다. 【사료10-8 · 9】에는 왜가 기문이나 다사(=대사)를 백제에게 주었던 것처럼 기록하고 있지만, 이는 『일본서기』의 서법이고, 실제로는 백제가 실력으로 탈취한 것에 지나지 않는다. 그렇다면, 다시 백제의 기문 · 대사진출의 구체적인 시기가 문제가 되는데, 【사료10-7】에는 백제가 기문을 지배하고 있었던 일을 구체적으로 나타내고 있기 때문에 백제는 516년 5월까지는 기문을 제압했다고 생각된다[48].

한편, 대사는 【사료10-9】의 계년에 따르면 529년이 되지만, 거기에는 대사를 빼앗긴 「가라」=대가야가 「신라와 결당하여 일본을 원망하였다」고 하고, 신라와 우호를 통했다고 전하고 있다. 【사료10-9】는 대가야가 신라와 연결하여 「일본」과 적대했다고 하지만, 이 일본은 당연히 백제이다. 그런데, 대가야와 신라의 혼인은 【사료11】 신라본기 · 법흥왕9년(522)조에 다음과 같이 기술하였다.

【사료11】 신라본기 · 법흥왕9년(522)조

9년 봄 3월, 가야국왕이 사신을 보내어 청혼하였다. 왕은 이찬 비조부의 누이를 보냈다.

(九年春三月, 加耶國王遣使請婚, 王以伊飡比助夫之妹送之)

47) 田中俊明, 1992,『大加耶連盟の興亡と「任那」加耶琴だけが残った』, 吉川弘文館, 125~136쪽.
48) 田中俊明, 1992,『大加耶連盟の興亡と「任那」加耶琴だけが残った』, 吉川弘文館, 133~134쪽.

신라본기는 522년에 대가야와 신라가 통혼했다고 한다. 이는【사료12】계체기 23년(529) 3월조에도 인정된다.

【사료12】繼體紀23年(529) 3月 是月條

가라왕이 신라왕녀를 취하여 마침내 아들 하나를 두었다. 신라가 처음 딸을 보낼 때, 함께 100명을 보내어 딸의 종자로 하였다. 이를 받아서 여러 곳에 분산하여 놓고, 신라의 의복을 입혔다. 아리사등이 나라의 복제에 따르지 않는 것을 보고 노하여 사람을 보내어 돌려보냈다. 신라는 크게 수치스럽게 생각하고 딸을 소환하려고 "전에 그대가 혼인할 것을 승인하고, 내가 이미 허혼하였다. 지금 일이 이렇게 되었으므로 왕녀를 돌려달라"고 하였다.

(加羅王娶新羅王女遂有兒息。新羅初送女時。并遣百人。爲女從。受而散置諸懸。令着新羅衣冠。阿利斯等嗔其變服。遣使徵還。新羅大羞。飜欲還女曰。前承汝聘吾便許婚。今既若斯。請還王女。)

【사료11】과【사료12】는 같은 내용을 전하고 있다. 그러나【사료12】에는 통혼의 연차가 반드시 직접적으로 나타나 있는 것은 아니고, 혼인에서 파탄까지의 일련의 사건을 계체기 23년조에 걸어 놓은 것에 지나지 않고,「정확한 연차를 생각하는 경우에는 단지 참고정도로만 해야 할 것」이고,「『삼국사기』의 기년에 특별히 의문이 없는 한, 이에 따라서 법흥왕9년으로 해야 한다」고 지적하고 있어[49], 이처럼 이해해도 문제없다. 백제가 대사진을 탈취한 뒤, 대가야는 신라와 혼인하였다고 생각되기 때문에 백제의 대사진출은 522년까지라고 이해해도 좋을 것이다.

이상, 이제까지 길게 백제와 대가야와의 관계를 살펴보았지만, 상술한 것처럼

49) 武田幸男, 1974,「新羅 · 法興王代の律令と衣冠制」,『古代朝鮮と日本』, 朝鮮史研究会, 龍溪書舍.

제사료를 해석할 수 있다면, 백제국사제기 작성 시기, 백제는 대사의 진출을 둘러싸고 실로 대가야와 대립하고 있었다고 인정해도 좋을 것이다.

다음으로 ②卓에 대해 살펴보자. 탁을 대구방면으로 하는 견해도 있지만[50], 해당 지역이 백제의 지배권 확대와 직접 관련되어 있다고 상정할 수 없기 때문에 坂元(1978) · 이용현(1999) · 田中(1992) · 오길환(2003)과 같이 탁순국으로 이해해도 좋을 것이다. 이 탁순국은 창원으로 추정되고 있다[51]. 탁순국은 신공기49년조에 보이고, 일찍부터 왜와 통교하였으며, 4세기 후반, 백제는 이 탁순국을 매개로 하여 왜국과 처음으로 통교했던 것이다(田中, 1992, 194-199쪽). 따라서 백제에 있어서도 탁순국은 대왜외교상 금관국과 더불어 중요했을 터이다.

백제에 있어서 탁순국의 중요성은 흠명기2년(541) 6월조의 소위「임나부흥회의」에서 부흥시켜야 할「임나」(남가라〈=금관국〉 · 탁순국 · 탁기탄의 3국)로서 열거되고 있는 점에서도 분명하다. 탁순국은 백제에 있어 대왜외교상, 매우 중요했다. 한편, 기술한 바와 같이 해당시기 백제는 기문 · 대사 진출과 관련하여 병력의 제공 등을 왜에 요청하고, 그에 대한 대가로서【사료10-1 · 8】에 보이는 것처럼 왜에 오경박사를 파견하였다[52]. 구체적인 경위는 그다지 상세하지는 않지만, 적어도 백제의 기문 · 대사진출과 관련하여 백제가 왜에 대하여 오경박사를 파견하였다는 점을 보아 백제의 해당지역 진출은 왜와의 관계도 고려하지 않을 수 없었을 것이다. 그렇기 때문이야 말로 백제로부터 일부러 오경박사가 파견되었고, 이는 해당시기 백제의 대왜외교의 중요성을 이야기한다고 할 수 있을 것이다. 이러한 점과도 관련하여 백제의 대왜외교상, 큰 역할을 담당하고 있던 탁순국도 해당시기

---

50) 全栄来(中山清隆訳), 1991,「百済南方境域の変遷」,『論争 日本古代史』(山中裕 · 森田悌編), 河出書房新社; 武田幸男, 1992,「文献よりみた伽倻」,『伽倻文化展』, 朝日新聞.

51) 田中俊明, 1992,『大加耶連盟の興亡と「任那」加耶琴だけが残った』, 吉川弘文館, 233~234쪽.

52) 田中俊明, 1992,『大加耶連盟の興亡と「任那」加耶琴だけが残った』, 吉川弘文館, 133쪽

의 백제에게 있어서는 매우 중요했을 터이다.

이에 더하여 경시할 수 없는 것은 탁순국이 신라의 남부가야지역에 대한 군사적 압력이 미치는 최전선에 위치하고 있다는 점이다. 신라의 금관국이나 탁순국 등으로의 구체적인 군사적 침공개시 시기는 그다지 자세하지 않지만, 아래의【사료13】신라본기 · 법흥왕11년(524) 9월조에 의하면 신라는 524년에 법흥왕이 신라의 남경을 확대시키고 있었다.

【사료13】신라본기 · 법흥왕11년(524) 9월조

가을 9월, 왕이 나와 남경 탁지를 순행하였다. 가야국왕이 와서 만났다.

(秋九月, 王出巡南境拓地, 加耶國王來會)

게다가【사료14】繼體紀21년(527) 7月 條에는 다음과 같이 기술하였다.

【사료14】繼體紀21년(527) 6月 條

21년 여름 6월 임진삭 갑오(3일), 근강모야신은 6만의 군사를 이끌고, 임나에 가서 신라에 패한 바 있는 남가라, 탁기탄을 회복하고 부흥시켜 임나에 합하고자 하였다.

(廿一年夏六月壬辰朔甲午。近江毛野臣率衆六萬。欲往任那爲復興建新羅所破南加羅。喙己呑而合任那。)

이미 524년, 탁순국의 동쪽에 있던 탁기탄과 남가라(=금관국)가 신라의 공격에 의해 큰 피해를 받았다. 이들 사료는 520년대의 금관국 · 탁기탄에 대한 신라의 군사적 침공과정을 나타내고 있지만[53],【사료13 · 14】는 그 결과를 나타내는 것에 지

53) 田中俊明, 1992,『大加耶連盟の興亡と「任那」加耶琴だけが残った』, 吉川弘文館, 225~229쪽

나지 않는다. 신라가 갑자기 이들 지역을 지배했다 라기 보다는 그 이전부터 해당 지역으로의 세력 확대를 도모했고, 어떠한 조치가 강구되었을 터이다. 그렇다면, 금관국 · 탁기탄은 물론, 이에 인접한 탁순국도 신라의 군사적 위협에 처해져 있었을 가능성이 높다. 탁순국은 이들 3국 중에서는 가장 서쪽에 위치하고, 이는 백제에서 본다면, 동방에서 세력을 확대하는 신라에 대한 최전선 혹은 최종방위라인이라고 해야 할 땅이기도 했다.

한편, 탁순국의 멸망에 대해서도【사료15】欽明紀2년(541) 4월조 ·【사료16】欽明紀5년(544) 3월조 성명왕의 상표문에 잘 나타나 있다.

【사료15】欽明紀2年(541) 4月條

임나도 구원할 수가 없었다. 이로 말미암아 망한 것이다. 남가라는 땅이 협소하여 졸지에 방비할 길이 없고 의탁할 곳이 없었다. 이로 인하여 망하였다. 탁순은 상하 둘로 갈라져 있었다. 군주는 스스로 복종하리라는 생각이 있어 신라에 내응하였다. 이로 인하여 멸망하였다. 자세히 보니 삼국의 패망은 다 까닭이 있다.

(任那無能救援。由是見亡。其南加羅。蕞爾狹小。不能卒備。不知所託。由是見亡。其卓淳上下携貳。主欲自附。內應新羅。由是見亡。因斯而觀三國之敗。良有以也。)

【사료16】欽明紀5年(544) 3月條

무릇 탁국이 망한 것은 다른 까닭이 아니라, 탁국의 함파한기가 가라국에 다른 마음이 있어 신라에 내응하여 가라는 밖에서부터의 싸움과 합쳐 싸웠습니다. 이 때문에 망한 것입니다. 만약 함파한기가 내응하지 않았더라면 탁국은 비록 소국이지만 망하지 않았을 것입니다. 탁순의 경우도 또한 그렇습니다. 만일 탁순국의 왕이 신라에 내응하여 원수를 불러들이지 않았더라면 어찌 멸망에까지 이르렀겠습니까.

(夫喙國之滅, 匪由他也. 喙國之函破旱岐貳心加羅國, 而內應新羅, 加羅自外合戰. 由是滅焉. 若使函破旱岐, 不爲內應, 喙國數少, 未必亡也. 至於卓淳, 亦復然之. 假使卓淳國主, 不爲內應新羅招寇, 豈至滅乎.)

백제는 탁국(탁기탄)이나 탁순국이 신라에 내응하여 버렸기 때문에 멸망하였다고 언급하였다. 이는 백제의 일방적인 주장일 뿐으로 그 當否는 보류하지 않을 수 없는 부분도 있을 것이나, 설령 그 지적대로였다면, 이들 제국의 신라로의 내응은 현실적으로 압박해 오는 신라의 군사적 압력에 기인한 것일 것이다. 이는 구체적으로 언제부터인가는 자세하지는 않지만, 기술한 바와 같이 520년 전후부터 신라는 군사적 압력을 강화시키고, 그러한 위기적 상황 속에서 탁순국 안에서도 신라로의 내응을 획책하였을 가능성도 없는 것은 아닐 것이다. 이는 백제에 있어서 매우 심각한 문제였다. 그렇기 때문이야 말로 훗날 성왕은 이를 재차 주장하였던 것이다.

이러한 이해에 큰 잘못이 없다면, 탁순국은 백제에게 있어 대왜외교뿐만 아니라 금관국 · 탁기탄 등을 포함한 신라의 남부 가야제국으로의 세력 확대라는 현실적인 문제 속에서 매우 중요지역 중 하나로서 인식되었다고 말할 수 있을 것이다.

그렇다면, 오래전부터 왜나 백제와도 밀접한 관계가 있던 금관국도 중요했을 터이다. 이 금관국도 기술한 바와 같이 탁순국과 함께 「복건」되어야 할 나라 중 하나였기 때문이다. 아마도 백제로서도 금관국을 탁순국과 마찬가지로 매우 중시했다고 생각된다. 그러나 백제국사제기가 작성되었던 6세기 전반, 금관국에 대한 신라의 군사적 압력은 상당히 강화되었고, 백제에 의한 금관국 지배는 이미 실현불가능하다고 생각되었을 것이다. 때문에 백제는 오히려 금관국을 백제에 복속되어야 할 「방소국」의 하나로서 주장하지 않았을 것이다. 이는 탁기탄도 마찬가지이다. 반대로 그렇기 때문이야말로 이들 2국에 비하여 백제의 탁순국에 대한 중요성은 높아지고, 탁순국에 대한 백제의 지배력을 양에게 호소하며, 이를 양에게 인정시킴으로써

서서히 강해지고 있던 신라의 탁순국이나 남부가야 제국에의 군사적 압력에 대항한다는 외교 전략을 백제는 채용한 것은 아닐까 상정된다. 탁순국은 현실적으로 진행하는 신라의 세력 확대에 대항한다는 관점에서도 백제에게 중시 되었다.

다음으로 ③多羅인데, 이는 기술한 바와 같이 대가야와 함께「대가야연맹」을 형성하고 있던 일국이기고 하고, 대가야인「上加羅都」에 대해「下加羅都」라 칭해졌던 점에서 보아,「대가야연맹」중에서도 대가야에 비견될만한 지위에 있었다[54]. 그렇다면, 당연히 대가야와 함께 백제의 기문 · 대사 진출을 방어하고 있었을 것임으로 백제에게 있어서는 대가야에 이어 백제의 대사진출을 방해하는 소국으로서 인정되었을 것이다.

이에 이어 ④前羅는 안라로 해석되고 있는데, 이는 문제가 없을 것이다. 안라도「광개토왕비」에「안라인 용병」이 보이고, 안라는 왜나 금관국과의 교류를 전제로 하여 백제의 동맹국으로서 함께 고구려와 대립하였으며[55], 백제에게 있어서 중요한 일국이었다. 한편【사료17】繼體紀 23년(529) 3月是月條에는 다음과 같이 기술하였다.

【사료17】繼體紀 23年(529) 3月是月條

이 달, 근강모야신(近江毛野臣)을 안라에 사신으로 보냈다. 신라에 권하여 다시 남가라와 탁기탄을 세웠다.

…(후략)

(是月。遣近江毛野臣使于安羅。勅勸新羅更建南加羅。喙己呑. …後略)

---

54) 田中俊明, 1992,『大加耶連盟の興亡と「任那」加耶琴だけが残った』, 吉川弘文館, 110~111쪽.

55) 田中俊明, 2009,『古代の日本と加耶』, 山川出版社, 65~69쪽.

남가라 · 탁기탄을 「재건」하고자 왜에서 근강모야신이 안라로 파견되었음을 전하고 있다. 이는 신라의 군사적 침공에 대항하기 위해 탁순국이나 안라가 일찍부터 우호관계에 있던 왜에 구원을 요청한 것이지만[56], 결국 왜는 이에 대항하지 못하고 신라는 남부가야제국으로의 군사적 압력을 강화하고, 이에 대해서는 【사료18】 繼體紀 25年(531) 是月條 所引『백제본기』에 다음과 같이 기술하였다.

【사료18】 繼體紀 25年(531) 是月條 所引『百濟本紀』

그 글(백제본기)에 말하기를 태세 신해 3월에 군사가 안라에 가서 걸탁성에 주둔하였다.

(其文云。大歲辛亥三月。師進至于安羅營乞乇城)

안라는 신라의 서진에 대하여 백제에게 구원을 요청하여 백제군을 끌어들였고 이에 응한 백제는 걸탁성을 축조하여 신라에 대항하려 했던 것이다[57]. 이처럼 안라도 또한 왜와의 통교 상, 나아가 신라의 남부가야제국으로의 군사적 압력 강화에 대한 대항이라는 관점에서 보더라도 백제에게 있어서 매우 중요했다. 다만, 안라보다도 동방에는 탁순국이 있고, 대신라관계상에서는 탁순국 쪽이 최전선에 있어서 그러한 의미에서 정치적 중요성은 안라보다도 높았을 것이다.

마지막 ⑤斯羅=新羅인데,『삼국사기』등의 제사료에는 520년 무렵, 백제와 신라의 교전기사가 보이지 않는다. 기술한 바와 같이 백제는 신라의 가야지역으로의 진출에 대하여 경계심을 지속적으로 가지고 있었고, 이는 이후, 가야제국을 끌어들인 항쟁으로 발전하지만, 520년 전후, 양국은 직접 전쟁을 하는 정황까지는 이르

56) 田中俊明, 2009,『古代の日本と加耶』, 山川出版社, 83~84쪽.

57) 田中俊明, 1992,『大加耶連盟の興亡と「任那」加耶琴だけが残った』, 吉川弘文館, 237~238쪽.

지 않았고, 그 대립은 아직 顯在化하지 않았다고 할 수 있다. 그렇기 때문이야 말로 백제는 신라를 수반하여 양과 통교했던 것이고, 이러한 점에서도 양국의 관계는 험악하지 않았던 것을 알 수 있을 것이다.

이상, 백제와 「방소국」의 동방제국과의 관계를 고찰해 보았지만, 이에 입각하여 다시 동방제국의 열기방식을 살펴보면, 몇 가지 특징을 지적할 수 있을 것이다. 그 첫 번째는 제국의 기재순서가 반드시 백제로부터의 거리에 의한 것이 아니라는 점이다. 예를 들면, 대가야인 ①반파는 동방제국의 맨 처음에 열거되지만, 백제로부터의 거리를 고려한다면, 그 다음이 ③多羅일 터이다. 그러나 ①반파의 다음에 기록된 것은 ②탁순국이었다. 이는 동방제국의 서열이 반드시 백제로부터의 거리를 반영한 것이 아니라는 점을 나타내고 있다. 물론 이용현이 「방소국」의 중심으로 한 신라로부터의 거리를 반영한 것도 아니다.

이어 두 번째 특징은 이들 제국의 순서가 해당시기의 백제를 둘러싼 국제정세, 특히 백제의 세력 확대와 밀접하게 관련 있다고 생각되는 점이다. 기술한 바와 같이 520년 무렵, 백제는 기문을 탈취하고, 대사로의 진출을 기도하고 있었으며, 이를 방어하고자 했던 대가야연맹의 맹주가 ①반파였고, 그가 제일 앞에 열거된 것이었다. 이는 백제의 정치적 관심도를 여실히 보여주는 것이라 할 수 있다.

그렇다면, 이와 함께 「대가야연맹」의 하나로 또한 上加羅都였던 대가야에 대해 下加羅都였던 ③多羅도 백제에게 매우 중요했을 터였다. 그러나 실제로는 ①의 반파에 이어 기록된 것은 보다 동방의 ②탁순국이었다. 이는 대왜외교에 있어서 탁순국이 중시되었던 것도 무관계하지는 않지만, 세력 확대를 도모하는 신라에 대항하는 점에서도 탁순국이 백제에게 매우 중요시되었기 때문일 것이다. 즉, 백제는 동방제국 중, 현실적으로 침공하는 백제의 대사진출과 관련하여 적대하는 ①반파(대가야)를 먼저 들고, 이에 이어 그와 관련하여 또는 신라의 남부가야지역 진출과도 밀접하게 관련하는 ②탁순국을 지적하였던 것이다. 이는 해당시기 백제의 세력 확대라는 정치적인 과제의 중요도를 반영한다고 할 수 있다. 결국, 백제에게는 대사진출이 최대의 과제이고, 이에 이은 것이 그 연장선상에 있다고도 할 수 있는 남부가야지역의 문제였던 것이다. ③다라, ④전라(=안라)도 그러한 정황에 준하여 열거된 것이다. 다라나 안라도 또한 백제에게 중요했지만, 이들 2국의 중요성은 백제의 대사진출을 막는 ①반파나 신라의 세력 확대에 직면하는 최전선에 위치했던 ②탁순국에는 미치지 못했다.

이러한 점에서 보아 「방소국」의 동방제국은 해당시기 백제의 정치적 과제와 밀접히 관련되어 열거되었다고 이해할 수 있을 것이다. 그러한 관점에서 본다면, 신라가 이들 제국의 마지막에 오더라도 매우 자연스럽다. 기술한 바와 같이 백제는 해당 시기, 신라와 직접 교전하고 적극적으로 신라령으로의 세력 확대를 꾀하고 있었던 것은 아니고, 백제의 세력 확대에 있어서 대신라외교는 반드시 중요한 과제가 아니었기 때문이다.

백제는 세력 확대를 저해하는 ①반파(대가야)나 어떻게 하더라도 백제의 세력권으로서 확보하고 싶은 ②탁순국을 오히려 먼저 열거하고, 이들이 백제의 부용국임을 양에 보임으로써 ①반파, ②탁 등의 제국에 대한 백제 지배의 정당성을 양에게 어필하려고 했을 것이다. ①반파를 필두에 올린 것은 해당 시기 가장 치열하게 백제에게 적대적인 자세를 보이고, 백제로서도 남조 양의 권위에 의해 이를 꼭 지배하고 싶다고 생각했기 때문일 것이다. 여기에 양과의 외교를 활용하면서 세력 확대를 꾀하는 백제의 외교 기술자의 일면을 찾아볼 수 있다.

이처럼 「방소국」에 보이는 동방제국의 서열은 반드시 이용현이 지적한 것처럼 신라를 중심으로 열거된 것이 아니고 해당 시기 백제의 세력 확장이라는 현실적 과제와 관련된 것이었다. 그렇다면, 남방제국은 어떻게 이해할 수 있을 것인가. 다시 고찰해 보자.

2. 남방제국과 백제의 전라남도 남부로의 세력 확대

「방소국」의 소국 중, 동방제국의 기재가 520년 무렵 백제의 지배확대라는 정치적 과제와도 관련 있다고 생각되는 이상, 남방제국도 일단 마찬가지의 과제 아래 백제에 의해 의도적으로 열거되었다고 상정할 수 있을 것이다.

이를 논구하는데 단서가 되는 것이 남방제국의 마지막 2국이 ⑧상기문 · ⑨하탐라라는 점이다. 기술한 바와 같이 기문은 516년 무렵에는 백제의 지배하에 들어간 지역이었다. 그럼에도 불구하고 다른 제국과 마찬가지로 「부용국」시 된 것은 다나카[58]가 지적한 바와 같이 반드시 완전히 백제에 의해 통치되는 단계까지 이르지 못했고, 백제 복속 전의 소국으로서의 형태를 어느 정도 보유하고 있었기 때문일 것이다.

그러나 해당 지역이 완전히 백제식의 통치체제에 의해 지배되지 않았다 하더라도 경시할 수 없는 것은 여기가 이미 백제의 세력권에 들어가 있었다는 점이다. 그러한 의미에서 기문지역에 대한 백제의 지배는 어느 정도 달성되어 있었고, 그렇다면, 기문에 대한 백제의 정치적 긴급성 · 중요도는 아직 백제의 지배영역이 되지 않았던 다른 소국과 비교해서 상대적으로 낮았을 것이다. 이는 ⑧상기문에 이어 마지막에 보이는 ⑨하침라(탐라)도 마찬가지이다. 탐라는 【사료19】백제본기 · 문주왕2년(476) 4월조에 다음과 같이 기술하였다.

【사료19】 百濟本紀 · 文周王2年(476) 4月條

여름 4월, 탐라국이 방물을 바쳤다. 왕이 기뻐하여 사신을 배하여 은솔로 삼았다.

(夏四月, 耽羅國獻方物, 王喜拜使者爲恩率)

---

58) 田中俊明, 1992,『大加耶連盟の興亡と「任那」加耶琴だけが残った』, 吉川弘文館, 134쪽.

【사료20】百濟本紀 · 東城王20年 (498) 8月條

8월, 왕이 탐라가 공물과 세금(貢賦)을 바치지 않아 친히 정벌하러 무진주에 이르렀다. 탐라가 이를 듣고 사신을 보내어 죄를 빌었다. 이내 그쳤다. 탐라는 즉 탐모라이다.

(八月, 王以耽羅不修貢賦, 親征至武珍州, 耽羅聞之, 遣使乞罪, 乃止. 耽羅即耽牟羅)

탐라는 문주왕대에 처음으로 백제에 조공하였지만, 【사료20】 백제본기 · 東城王20年(498) 8月條에 따르면, 그 후 백제에 貢賦를 보내지 않았기 때문에 498년 동성왕이 친정을 하게 되었다고 한다. 【사료20】은 해당시기 탐라의 백제로의 조공 · 복속이 요구되고 있고, 이것이 지켜지지 않았기 때문에 동성왕이 친정했다고 전하고 있지만, 백제의 대사방면으로의 세력 확대나 후술할 전라남도 방면으로의 세력 확대 과정 등을 고려한다면, 백제가 탐라로 군대를 파견하고 완전한 백제령으로서 직할지배하는 것은 현실적으로 곤란하였을 것이다. 백제에게 있어 탐라가 조공 등의 형식에 의해 백제에 대한 복속의 자세를 나타내는 것만으로 충분하지 않았을까. 동성왕의 친정은 어디까지나 시위행위에 지나지 않았을 것이다. 그리고 이에 응하여 탐라는 백제에 조공하였을 것이다. 그 만큼에 있어서 실제로 백제식 지배가 관철된 지역, 혹은 그와 같이 하려고 백제가 도모했던 다른 지역과 비교하여 탐라에 대한 백제의 정치적 · 영토적 긴급성 · 중요성은 낮았을 것이다.

이처럼 6세기 전반 백제에 있어서 ⑧상기문, ⑨하탐라에 대한 정치적 · 영토적 긴급성 · 중요성은 그다지 높지 않았다고 생각된다. 남방제국의 ⑧상기문, ⑨하탐라의 검토에 지나지 않지만, 이들 2국이 남방제국 4개국 중 마지막과 마지막에서 두 번째였다는 점은 남방제국의 열거 방식도 또한 동방제국의 그것과 마찬가지로 해당시기 백제의 정치적 · 영토적 긴급성 · 중요성과 관련 있음을 시사하고 있다. 즉, 남방제국도 동방제국과 마찬가지로, 해당시기 백제의 정치적 · 영도적 관심의 중요도에 비례하여 열거되었다고 해석할 수 있다.

이러한 이해에 큰 잘못이 없다면, 다시 ⑥止美, ⑦麻連이 주목된다. 남방제국의 필두로 열거된 ⑥止美는 기술한 바와 같이 전라남도 강진에 비정된다. 止美와 백제와의 구체적인 관계는 상상 밖의 일이고 전혀 알 수 없지만, 동방제국의 필두인 ①반파가 백제의 지배가 미치지 않은 해당 시기 백제의 최대 적대국이었다는 점과 마찬가지로 해당지역도 또한 전혀 백제 지배하에 있지 않았을 가능성이 높다. 그렇기 때문이야 말로 백제는 남방의 영유해야 할 최고 중요지역으로서 ⑥止美를 첫 번째로 열거했을 것이다. ⑥止美지역 지배가 520년대 무렵 남방에서 세력을 확대하는 백제에게 있어서는 매우 중요했을 터이다.

이 ⑥止美에 이어 열거된 ⑦麻連도 또한 마찬가지일 것이다. ⑧상기문이 백제의 지배하에 있었던 점에서 ⑦마련도 이미 백제의 세력 하에 있었을 가능성도 없는 것은 아니지만, 이 경우에서도 적어도 ⑧상기문의 앞에 열거되고 있다는 점에서 ⑦마련에 대한 백제의 영유화는 ⑧상기문 정도로는 진전되어 있지 않았다고 생각된다. 혹은 ⑥止美와 마찬가지로 백제에 복속하지 않고 이제부터 적극적으로 백제가 영유화를 진행시키려고 했던 지역일 가능성도 충분히 상정된다. 백제에 의한 해당 지역의 지배가 어떠한 것이었는가는 사료의 제한도 있어서 그다지 상세하지 않지만, 열거된 순서로 보아 해당시기 백제의 정치적 · 영토적 중요성은 ⑥止美에는 미치지 못했으나, 그에 버금가는 것이었다는 점은 틀림없다.

이미 ⑦마련을 「임나4현」의 하나인 모루와 동일지역이라고 했던 김태식에 대해서 기술한 바와 같이 해당 시기 백제의 대사 진출 과정에서 그 문제를 지적했지만, 이러한 남방제국의 서열 방식에서도 그러한 이해가 수긍하기 어렵다는 점을 알 수 있다. 그렇지만 설령 ⑦마련이 「임나4현」의 하나인 모루와 동일 지역이라고 한다면, ⑦마련은 이 시기에 이미 백제의 지배하에 있었던 것이 되고, 그렇다면 백제의 세력 확대라는 해당 시기의 현실적 과제에 있어서 ⑧상기문보다 앞서 백제령이 되었다는 점에서 보아 그 지배도 ⑧상기문보다 진전되어 있었을 것이며, ⑦마련에 대한 정치적 중요성은 ⑧상기문보다도 낮았을 터이다. 그러나 누차 언급한 바와 같이 백제에게 ⑦마련의 정치적 중요성은 ⑧상기문보다도 높았다. 그러한 점에서 생각하여 해당지역은 백제지배하에 있었다고는 생각하기 어렵다.

그러므로 이와 같은 520년 무렵 백제의 정치적 · 영토적 관심도에서 보더라도 ⑦마련을 「임나4현」에 위치지우는 것은 곤란하다. 이러한 관점에서 본다면, ⑦마련을 영산강유역의 「임나4현」과 관련지어서 비정했던 이용현도 또한 문제라고 할 수 있을 것이다. 다만 그것은 「임나4현」 비정지와 관련 상 문제가 있을 뿐으로 그 이외의 영산강 유역을 ⑦마련의 추정후보지에서 제외하다는 것은 아니다.

오히려 ⑦마련은 ⑥止美가 전라남도 남안의 강진이라는 점을 고려한다면, ⑥止美보다도 북방, 보다 백제에 가까운 지역이었을 가능성은 충분히 있고, 영산강유역 혹은 그보다도 남쪽의 전라남도 남부지역이었을 가능성도 상정할 수 있을 것이다. 위치비정이 곤란하였던 ⑦마련은 이와 같이 생각한다면, 「임나4현」 이남의 전라남도 남부에서 ⑥止美까지의 사이의 지역에 해당하고 아직 백제의 지배가 진행되지 않았던 지역이라고 생각된다.

이렇게 본다면, 520년대 단계에서 적어도 백제가 전라남도 남부까지의 모든 지역을 이미 영유화하고, 지배하에 두었다고 하는 것은 지극히 곤란한 것은 아닐까. 예를 들면, 오길환은 「백제는 동성왕 20년 이후부터 6세기 전엽의 무령왕대까지 전라도 남부지역을 포함한 전라도의 거의 전역을 수중에 넣었다고 볼 수 있다」고 지적하며, 그 근거로서 다나카[59]를 들었다. 그렇지만, 5세기말~6세기 초, 전라도 남부 영역은 백제에 의해 완전히 지배되었다고 한 다나카의 이해는 기문 · 대사로의 진출 등 동방으로의 세력 확대를 「당연히, 그 이후」, 즉 전라도 전역지배 이

59) 田中俊明, 1992, 『大加耶連盟の興亡と「任那」加耶琴だけが残った』, 吉川弘文館, 131~134쪽.

후라고 하는 지적에 머물러 있고, 반드시 구체적인 사료에 기인한 것은 아니다. 전라남도 북부지역을 지배하고, 그 이후, 전라남도 남부로의 세력 확대와 거의 평행하는 형태로 섬진강 방면의 기문·대사로 세력을 확대시켰을 가능성도 충분히 있을 것이다.

본래 東·田中[60]는【사료20】에 보이는 동성왕대 무진주까지의 친정기사에서 백제에 의한 전라남도 전역지배를 도출하는 것에 회의적이고, 東·田中(1989)에서는【사료20】의 동성왕 친정에 대해서도「무진주까지의 루트가 확보되어 있다면 좋겠지만, 면적인 영역지배를 증명하는 것으로 볼 필요는 없다」고 서술하여 전라남도의 거의 전역 영유화에 의문을 나타냈다. 이처럼 이해한다면, 이 단계에서 반드시 전라남도 전체가 모두 백제령이 되었다고는 확언할 수 없을 것이다.

또한, 오길환(2003)에서는 고고학의 관점에서 남원이나 영산강에 5세기 후반 이후, 백제의 영향이 눈에 띄지 않게 되었다고 하지만,「전라도의 거의 전 지역을 수중에 넣었다고 볼 수 있는」 고고학적 근거가 제시되어 있는 것은 아니다. 게다가 오길환은『양서』백제전에 백제가 빈번히 고구려를 깨뜨리고,「나아가 강국」이 되었다고 하는 기술의 배후에「전라도 남부지역에 있어서 군사적 진출의 성공이 있었다고 보아도 틀리지 않다」고 지적하지만, 이는 추측에 지나지 않고, 사료적 근거는 전혀 없다. 본래 이는 백제가 고구려에 대항할 정도의 강국이라는 점을 양에 어필하기 위한 것임을 잊어서는 안 된다. 이 때문에 백제는 대가야나 신라까지도 자신의 부용국이라고 양에 주장하였던 것이다. 그러므로 당연히 거기에는 虛實도 포함되어 있고 여기에서 바로 전라남도 전역지배를 끌어낼 수는 없다.

우선 간과해서는 안 되는 것은 오길환이『양직공도』백제국사제기나『양서』백

60) 東潮·田中俊明, 1989,『韓国の古代遺跡2-百済·加耶編』, 中央公論社, 182쪽.

제전에 보이는 「22담로」를 무령왕대가 아니라 동성왕대의 것이라고 주장하는 것이다. 백제는 기술한 바와 같이 강국임을 어필하고 있기 때문에 무령왕대에 백제가 전라남도 남부도 완전히 지배했다고 한다면, 반드시 이를 어필했을 것이다. 그럼에도 불구하고 무령왕이 일부러 동성왕대의 「22담로」를 주장한 것은 공교롭게도 전라남도 남부의 지배가 진전되지 않았음을 나타내는 것은 아닐까. 520년대에 있어서도 전라남도 남부에는 담로를 설치할 수 없는 상황이 존재하였고 이는 해당지역이 반드시 백제에 의해 완전히 지배되었던 것은 아님을 시사한다고 할 수 있다. 이러한 점도 고려하여 백제에게 있어 전라남도 전역지배에 대해서는 아직 조금 신중해야 할 것이다[61].

이처럼 이해한다면, 적어도 백제국사제기의 작성시기인 520년 무렵, 백제가 전라남도 모든 지역을 영유화하고, 백제식 지배를 행하고 있었다는 것은 매우 곤란하다고 할 수 있다. 오히려 백제가 남방제국 중, 먼저 ⑥止美, ⑦麻連을 열거한 것은 ①반파, ②탁, ③다라, ④전라 등과 마찬가지로 해당 지역을 지배하지 않았다, 혹은 백제식 지배를 관철할 수 없었기 때문이고, 또한 백제가 향후 해당 지역의 지배 진전을 매우 중시했기 때문이라고 생각된다. 그러한 의미에서 백제국사제기의 「방소국」은 백제의 전라남도 진출과정의 일 측면을 나타내는 것으로서 매우 유익한 사료로 이해된다.

---

61) 더욱이 오길환(2003)은 ⑥지미 · ⑦마련 · ⑧상기문 · ⑨하탐라가 「백제와는 별개의 국가였을지 의문스럽다」고 하면서도 이들 지역은 「백제의 군사적 진출이 행해진 뒤에도 백제의 영역과는 구별하여 취급받았다고 생각할 수밖에 없다」고 하여 「백제 중앙에 의한 일원적 지배의 색채가 진한 '담로제'에는 포함되지 않았다고 상정할 수 있다」고 지적한다. 다만, 「백제의 군사적 진출」이 그다지 상세하지 않는 점에서 보아 ⑧상기문은 별도로 하고, 그 이전에 열거된 ⑥지미 · ⑦마련이 「백제와는 별개의 나라」였을 가능성도 상정할 수 있을 것이다.

V. 맺음말-신라사절 수반의 이유

이상, 지금까지『양직공도』소재 백제국사제기에 보이는「방소국」의 선행 연구를 비판적으로 검증하고, 이것이 520년 무렵의 백제 동방 · 남방에 대한 영토 확장 등 정치적 · 영토적 중요성 등과 관련하여 백제에 의해 의도적으로 열거된 것을 지적하였다.

그렇다면, 어째서 정치적 관심이 높았던 반파 · 탁순이나 서방의 지미 · 마련이 아니라 동방제국 중 해당 시기 가장 백제의 영토적 · 정치적 과제가 낮았던 신라의 사절이 백제사절을 따라 양에 갔던 것일까. 신라사절의 수반은 백제에 의해 선택된 이상, 거기에는 백제의 어떤 정치적 · 외교적 의도가 있었을 터이다. 백제는 어째서 신라를 선택했을까. 마지막으로 이에 대해 논급해보자.

이는 첫 번째로 백제가 ①반파, ③다라 등과 대립하고 있었고, 현실적으로 이들 적대제국을 수반하여 양에 사절을 파견한다는 것이 곤란했기 때문일 것이다.「방소국」의 많은 사절을 수반한다면 그만큼 백제는 양에 대해 백제가 강국임을 어필하는 것이 가능하였다. 그러나 백제와 이들 제국은 적대하고 있었다. 내지는 지배가 미치지 않았기 때문에 이는 현실적으로 불가능했다. 그래서 백제는 직접적인 적대관계가 없었던 신라가 수반된 것일 것이다. 그리고 그 결과, 백제는 아직 부용한 적이 없는 신라를 백제 주도 아래 양에 수반하여 저절로 부용해야 할 것으로서 어필함으로써 백제의 강대함을 양에 호소하였던 것일 것이다.

두 번째는 신라를 수반하는 일의 정치적 효과가 고려되었기 때문일 것이다. 신라는 이미 북조이지만, 고구려에 수반되어 중국에 사절을 파견하고 있다. 이는 아마도 남조 · 북조의 교류과정에서 남조의 양에도 전해졌을 것임이 틀림없다. 그러한 신라를 수반하여 양에 입조한다는 것은 백제가 고구려를 대신해 신라를 지배하고 있다는 것을 정치적으로 어필하는데 절호의 기회였을 것이다. 실제로 이 때 백제의 정보를 바탕으로 작성되었다고 하는 『양서』 백제전에는 백제가 자주 강국인 고구려를 깨뜨렸다고 한다. 이는 백제의 신라사절 수반이라는 점과도 관련하여 고구려를 깨뜨린 백제가 고구려를 대신해 새롭게 신라를 「부용」했다는 것을 보다 적극적 혹은 구체적으로 양에게 보이는 것이었다. 백제는 신라사절을 수반함으로써 신라가 고구려를 깨뜨렸던 백제에게 「부용」하게 된 것을 양에게 어필하고, 그 주장의 현실성을 증명하려고 하였던 것이다. 백제 주장의 설득성을 보다 높이기 위한 것으로서 신라 사절이 이용되었다. 이 정치적 어필力이라는 의미에서 현실적으로 실현 불가능했지만, ①반파나 ②탁 등은 도저히 신라에 미치지 못한다. 하물며 사료에 보이지 않고, 양의 지식인들에게도 충분히 알려지지 않은 ⑥지미 · ⑦마련 등의 소국은 더욱더 그렇다. 이처럼 백제에 의한 신라사절 수반은 백제의 강대함을 양에게 설득력을 가지고 보여주기 위한 정치적인 수단이었다. 여기에서 백제의 외교에 있어서 교활함이 인정된다.

〈日文 원문〉

『梁職貢図』百済題記所載「旁小国」再考
—6世紀前半における百済勢力圏—

井上直樹 日本・京都府立大学

Ⅰ. はじめに

関連史料が乏しい韓国古代史や日本古代史研究において、既存の文献には認められない貴重な情報を伝えている『梁職貢図』が、それらの研究においてきわめて重要であることは、いまさら贅言を要すまい。それゆえに『梁職貢図』については、金維諾[1960]が南京博物館旧蔵本について論及して以後[1]、日本では榎一雄のそれについての総合的研究を経て(榎[1963・1964a・1964b・1969・1970・1985])、西嶋[1964]・坂元[1978]・李成市[1988]らによって倭国使・百済国使・高句麗国使の題記などが論究されてきた。また、この間、韓国でも李弘稙[1971]や洪思俊[1981]らによっても百済国使の題記などに対する考察が進められてきた。

また、これら諸国使の題記に関する研究とともに、台湾・故宮博物院所蔵の唐・閻立徳(閻立本)の模本(王会図)、南唐・顧徳謙の模本(顧徳謙本)などの比較作業などを通じて、『梁職貢図』それ自体の系譜などについても考究されてきた(深津[1999])。

こうしたなか、近年、趙燦鵬[2011]が発表され、新たに発見された清・張庚「諸番梁職貢図巻」の逸文が紹介されると、日本では『梁職貢図』に対する関心はさらに高まり、『梁職貢図』に関する諸論考を収載した鈴木・金子[2014]が刊行され、さらには『梁職貢図』の世界観を論じた河上[2015]も発表された。また、韓国でも尹龍九[2012a・2012b]などによって精力的に研究が進められてきた。

このように『梁職貢図』に対する斯界の関心度は高く、中国史はもちろん、韓国史・朝鮮史の観点から探究され、着実な成果を積み重ねてきたといえる。このよ

---

1) なお、この『梁職貢図』は現在、北京の中国国家博物館蔵となっており、北宋の模本であることから北宋本と呼ばれている。

うな研究情況にあって、倭国使の題記などとともに研究者の耳目を集めてきたのが、百済のそれであった(図1)。『梁職貢図』百済国使題記(以下、『梁職貢図』は省略する)には、高句麗・新羅国使の題記に認められぬ「旁小国」が列挙され、百済に「附」していたと記録されていることなど、既存の文献にみられぬ貴重な情報が伝えられていたからである。それだけに、日本でもそれに対する関心も高く、李鎔賢[1999]によって本格的に論究され、近年でも既述した新たに発見された清・張庚「諸番梁職貢図巻」を活用した研究もなされている(李成市[2014]・赤羽目[2014])。

これら研究成果は軽視できないが、百済国使題記、とりわけ他の諸史料にみえず百済国使題記のみに認められる「旁小国」については、李鎔賢[1999]の研究があるものの、それ以後、専論はみられず、必ずしも積極的に討究されてきたとはいいがたい。既述のごとく、「旁小国」関係記事は、既存の文献からはうかがい知れない百済とその周辺諸国に関する貴重な情報を伝えており、6世紀前半の百済史研究を深化させるためにも、既往の研究成果の批判的再検証によって、「旁小国」関係記事を当該期の百済の史的展開過程に即して、緻密に検討していくことが求められる。

そこで、ここでは百済国使題記の「旁小国」に関する研究成果を概括した上で、「旁小国」に対して最も精力的に考察してきた李鎔賢[1999]を批判的に検証し、改めて「旁小国」と百済の関係などについて、当該期の百済を取り巻く情況を考慮しつつ考究し、6世紀前半の百済の南方進出過程などを探究する上での端緒にしたいとおもう。

Ⅱ.『梁職貢図』百済国使題記の「旁小国」に対する既存の研究成果

百済国使題記のなかでも、もっとも注目されたものの一つが「旁小国」に関する記述であった。いち早くこれに注目した李弘稙[1965]は、「旁小国」に関する記述が『梁書』百済伝にみえないことから、同記事を百済国使題記のなかでも「最も貴重なもの」として高く評価した。そして、これら諸国は当該期、「百済・新羅に併合されていなかった」とし、具体的には叛跛を伴跛、大加耶に、卓を大邱に、前羅を押督に、斯羅を新羅に、上己汶を己汶に、下耽羅を康津に比定したのであった。さらに、止迷・麻連は不明であるが、一つの国とみなし、それら諸国の多くが「洛東江流域と蟾津江流域に点在する部落国家」であるものの、全羅道西南地方に比定されるものも存在すると指摘した。その上で、『梁書』百済伝に当該部分が削除されたのは、編纂者の「旁小国」に対する関心の欠如と考えざるを得ないと説いたのであった。この李弘稙[1965]は後述するように、坂元[1978]や李鎔賢[1999]などにも参照され、百済国使題記の「旁小国」に関する基本的な文献として、その後の研究にも大きな影響を与えたのであった。

これをうけて、日本では坂元[1978]によっていち早く百済国使題記の訳注が示された。坂元[1978]は「旁小国」が『梁書』百済伝になく、百済独自の記事であることを指摘した上で、李弘稙[1965]の位置比定を認めつつ、叛波が伴跛に、卓が卓淳に、多羅が多羅国に、己文が己汶に、斯羅が新羅に、枕羅は耽羅と理解できるとした。ただし、ここでは同題記に対する訳注が中心であったため、「旁小国」に対する詳細な検討は行われなかった。一方、韓国では洪思俊[1981]が「旁小国」の比定を行い、止迷・麻連を不明としながらも、叛跛を伴跛、卓を神功紀40年条にみえる喙国に、多羅を多羅国に、前羅を安羅に、斯羅を新羅に、下枕羅を耽羅に比定したが、それら諸国と百済との通交関係などについては詳述されなかった。

その後、「旁小国」や百済国使題記全体を積極的に討究した論考は現れず、研究は低調であった。それは関連史料の不足ということに加えて、日本に限定すれば、百済史研究が必ずしも隆盛でなかったこととも無関係ではない。1945年以後、日本の百済史に関する専著はわずかに坂元[1978]にすぎず、百済国使題記に対する関心の低さは、日本における百済史研究の不振ということと軌を一にしていたといえる。

こうしたなか、百済の加耶地方進出過程と関連して「旁小国」に注目したのが田中[1992]であった。田中[1992：161頁]は百済国使題記の「旁小国」に関する情報が、521年の新羅使を随伴した百済使によってもたらされたものとした上で、百済はその後の524・534年も使節を派遣していたから、百済国使題記にみえる情報も521年以後、524年・534年の百済使節から追加してもたらされた可能性もあると指摘した。詳細は後述するが、百済使題記は521年以後の記録がなく、かつ裴子野撰『方国使図』に依拠したものである可能性が高いため、524年・534年の百済使節の来梁時にもたらされた情報が反映されたとは考え難いとおもわれるが、百済の対梁外交と関連させて百済国使題記を論及しており注目される。

その上で田中[1992：161-162頁]は「旁小国」の斯羅＝新羅が客観的に百済に附す勢力でもないのに、百済が自国に附傭するかのように梁に対して公言していることから、そこに百済の政治的主張を認めねばならず、「旁小国」は「現実に百済に「附す」勢力のみならず、「附す」べきであると百済がみなしている、勢力をあわせて記している」と説いた。これは「旁小国」と百済の関係を理解する上での大原則ともなるもので、「旁小国」と百済の関係については、これを前提として理解しなければならない。

だが、これ以後もしばらく「旁小国」に関する論考は提出されなかった。こうした百済史研究低調のなか、これを積極的に論じたのが李鎔賢[1999]であった。その具体的な研究成果については、後に詳細に紹介・検討するが、李鎔賢[1999]は南京博物館旧蔵本の写真にもとづいて、既存の釈文を批判的に検証しつつ釈文を確定させた後、「旁小国」に対する総合的研究を行ったのであった。百済国使題記にみえる「旁小国」に関する研究はこれがほぼ唯一の専論であり、これによって「旁小国」に対する研究は飛躍的に向上したといえる。その意味で、「旁小国」に関する研究、さらには百済史研究上、李鎔賢[1999]の意義は小さくない。

その後、百済国使題記の「旁小国」に論及したのは、管見によればわずかに呉吉煥[2003]のみである。呉吉煥[2003]は檐魯に関する研究過程で百済国使題記の「旁小国」についても言及し、それらが檐魯に含まれていなかったことから、「旁小国」が「当時の百済とは区別される存在」で、「百済の軍事的進出が行われた後にも、百済の領域とは区別して扱われていた」と確言したのであった。これもまた「旁小国」を理解する上で重要な成果の一つといえよう。

これ以後、しばらく百済国使題記に関する研究はなかったが、清・張庚「諸番梁職貢図巻」が発見され、従来とは異なる題記が紹介されると、改めて百済国使題記だけでなく、『梁職貢図』全体が研究者の耳目を集めるようになり、既述のように多くの研究者によって『梁職貢図』は論究され、その研究成果が鈴木・金子[2001]として結実することとなった。そうした研究のなかには、百済国使題記の「旁小国」に関連するものもいくつか含まれている。そこで、ここではそれら研究成果のうち、百済国使題記の「旁小国」に関連する研究成果をいくつか紹介しておこう。

それら研究のうち、「旁小国」を「東部ユーラシア世界」の観点から論及したのが鈴木[2014]であった。鈴木[2014]は、梁と滑国・波斯の大国、さらにはその周辺諸国との関係から、梁(大国)—滑国もしくは波斯(大国)—周辺諸国という国際関係を抽出できるとし、梁と滑国もしくは波斯(大国)という「大国」間の交流は、その外にある辺縁の「小国」群(=「旁小国」)にもそれぞれ政治的、経済的に影響力を有していた、と解し、「大国」は「外交関係を含む様々な交流(交通)形態を要素として一定の国際秩序を地域ごとに構築していたと推定できる」と説き、それをふまえて、当該期の東部ユーラシア世界が中心(中央)—中国王朝の周辺国(各地域圏での中心)—辺縁(地域圏での周辺国)という三層構造となっていたと推定した。そして、百済の場合も、「「大国」たる百済との同時入朝を通して」、百済を中心とした「旁小国」との関係が形成されていた、と理解したのであった。

なお、このように滑国・波斯を大国とし、梁と異なる独自の世界とみなす鈴木[2014]に対して王素[2014]は、「大国」は梁のみで、その他の「大国」「小国」「旁国」は、「各地域における地政学上、交通上の相対的な概念にすぎないのではないだろうか」と反論している。こうした議論は「旁小国」をどのように位置づけるか、ということとも関わるものであり、それだけにすでに論及されているが、百済だけでなく、他の諸国の事例との比較検討から論じていく必要があり、向後のそれら研究の進展を期待したい。

これに対して清・張庚「諸番梁職貢図巻」の百済国使題記ついて具体的に論及したのが李成市[2014]、赤羽目[2014]であった。李成市[2014]は尹龍九[2012]をふまえつつも、各本にみえる百済国使題記の比較検討から、従来、『梁書』編纂に関しては百済国使題記以外の史料も参照され、加筆されたとする理解に対して、同伝「中大通6年」以前のそれは百済国使題記がそのまま採用されたとし、百済国使題記の史料的意義の高さを指摘した。また、赤羽目[2014]は清・張庚「諸番梁職貢図巻」の百済国使題記の若干の考察から、李鎔賢[1999]が指摘した百済「旁小国」の位置比定や「旁小国」の「叛波」・「止美」などにみえる百済の周辺諸国に対する周辺諸国蔑視観を追認した。

このように百済国使題記にみえる「旁小国」、さらにはそれを含む題記自体に関する検討が進められてきた。それらの研究成果は軽視できないが、既述のように李鎔賢[1999]を批判的に検証し、より積極的にそれについて論及したものはみあたらない。だが、百済史研究を深化させ、当該期の百済史の史的展開過程を解明するためにも、それに対する批判的再検証は必要不可欠の作業である。そこで、次に改めて積極的に百済国使題記の「旁小国」について論及した李鎔賢[1999]の詳細な内容を紹介し、それについての批判的検討を行っていくことにしよう。

Ⅲ. 百済国使題記の作成年代と「旁小国」の位置比定に対する批判的再検討

1. 百済国使題記及び「旁小国」と百済の関係についての李鎔賢説の概要

李鎔賢[1999]は、まず、榎[1963・1964a・1964b・1969・1970・1985]などの既存の研究成果などをふまえつつ、百済国使題記の作成過程について検討を加え、百済国使題記とそれにもとづいて編纂されたと理解されてきた『梁書』百済伝との比較研究を行い、第一に、百済国使題記に普通2(521)年以後の百済と梁との通交記事が認められないこと、第二に、固麻(熊津)を百済王都としており、百済国使題記が聖王16(538)年の泗沘遷都以前の情況を伝えていること、第三に、『梁職貢図』作成時期に該当する蕭繹の荊州刺史在任時期が普通7(526)年~大同5(539)年であるものの、534年に百済の使節派遣に関する記録が『梁職貢図』に認められないことから、百済国使題記作成の上限は521年で、その下限は537年となると指摘した。その上で、これが裴子野撰『方国使図』の執筆時期にも該当することから、百済国使題記を『方国使図』の百済国使図の転載とし、それゆえに、百済国使題記に関する情報は普通2(521)年頃までに収集されたとし、百済国使題記が裴子野撰『方国使図』所載百済国使図の増補版とする榎一雄説の妥当性を追認した。

こうした基礎的事実の確認を行った後、主に李弘稙[1971]などの先行研究を参照しつつ「旁小国」についての位置比定を行った。李鎔賢[1999]は、それら「旁小国」

の①叛波・②卓・③多羅・④前羅・⑤斯羅・⑥止迷・⑦麻連・⑧上己文・⑨下枕羅のうち、①を伴跛、②卓を卓淳、③多羅を多羅、⑤斯羅を新羅、⑧上己文を己汶、⑨下枕羅を忱弥多礼に比定した李弘稙[1971]は問題なしとして、それを承認する。

その上で、李弘稙[1971]が押督とし、さらに武田幸男[1992]が南加羅(＝金官)、金泰植[1988]が安羅とするなど、必ずしも見解が一致していない④前羅について論及し、加耶諸国の実相を伝える『日本書紀』継体紀(以下、『日本書紀』は省略)によれば、6世紀前半、南加羅は弱体化しており、当該期の加耶諸国の主役とみなしがたく、むしろ、当該期、南部加耶諸国を代表したのが安羅であったことから、安羅と理解すべきとする。

次に李弘稙[1971]では不明とされた⑥止迷・⑦麻連について検討を加える。李弘稙[1971]はこれを一国とみなしたが、李鎔賢[1999]は『新撰姓氏録』河内国皇別・止美連条[2]に注目し、⑥止迷・⑦麻連はそれぞれ別の小国で、二国と理解する。

その上で、まず⑥止迷であるが、【史料1】『新撰姓氏録』河内国皇別・止美連条に

【史料1】『新撰姓氏録』河内国皇別・止美連条

尋来津公同祖、豊城入彦命之後也。四世孫荒田別命男田道公、被遣百済国、娶止美邑呉女、生男持君。三世孫熊、次新羅等、欽明天皇御世、参来。新羅男吉雄、依居賜姓止美連也。日本紀漏。(※下線部：著者、以下同様)

とあり、ここにみえる百済の「止美邑」の呉女を娶った、という部分に注目し、

2) 李鎔賢[1999]は「神別左京下・止美連条」とするが、引用史料の内容からみて「河内国皇別・止美連条」の誤りであろう。

百済にはかつて「止美邑」が存在していたとし、この「止美」は「「止迷」と類似性を持つ」と指摘した上で、実於山(鳳凰)、水川(森渓)か、道武(康津)、冬音(大口)が候補となりうると主張した。

さらに⑦麻連は毛良夫里(高敞)、武尸伊(霊光)、武珍(光州)、勿阿兮(務安)、勿慧が注目されるが、そのうち、勿慧は大加耶との関係において登場するため除外すべきとし、継体紀6(512)年条にみえる牟婁を「時期的かつ状況的に麻連とみるべきである」と説いたのであった。

そして、これら「旁小国」は「地域的に一定の記載の規則」があり、百済によって意図的に新羅が九国の「真ん中」に設置され、それより前を慶尚道の加耶諸国と、それ以後を旧馬韓地域と区分されていたと理解した。その上で、こうした配列は百済が新羅を強く意識し、「新羅を筆頭」として南方の耽羅を南蛮とする方位観の現れ、と主張したのであった。また、このような百済による意図性は、「旁小国」の国名表記にも示されていると説いた。すなわち、①叛波は伴跛・大加耶などの呼称があったにもかかわらず、あえて「叛乱の波」を意図して叛波と改悪されており、それは「百済の南方進出過程で敵対国に対しての敵愾心の発露」であったと解した。また、⑤斯羅に対しても、新羅という新たな国号があるにもかかわらず、あえて旧来の斯羅を利用したのは、「503年以後新羅の発展を認めようとしない意図」が認められると論じたのであった。

このように李鎔賢[1999]は、百済国使題記の「旁小国」について詳細に検討し、そこに百済の政治的パフォーマンスが看取できることを改めて主唱したのであった。「旁小国」の詳細な検討など、その成果は既述のように赤羽目[2014]にも追認されるなど、その後の研究にも大きな影響を与えたのであった。

そうであったとしても李鎔賢[1999]の理解に対して疑問がないというわけではない。そこで改めて、以下、李鎔賢[1999]の問題点を指摘し、改めて「旁小国」を考究するための端緒としよう。

2. 百済国使題記作成時期の批判的再検討

問題の第一は、百済国使題記の作成時期の下限を537年とすることである。李鎔賢[1999]は前述のように、それを裴子野撰『方国使図』の転載としつつも、その作成時期の下限を537年とする。これはそこに示された内容が、百済の538年の泗沘遷都以前であることをふまえてのことであった。百済国使題記は李鎔賢[1999]が指摘するように、実際の百済使節の観察を踏まえてのことであろうとおもわれるから、少なくとも普通2(521)年の百済の対梁通交以後に作成されたとみて間違いない。

だが、この下限を大同3(537)年と想定してしまうと、それ以後の百済との通交もそれに記載される可能性が生じてしまう。しかし、実際には既述のように、普通2(521)年以後の百済と梁との通交記事は収録されていないことから(図2参照)、大同3(537)年を下限とすることは問題であろう。さらに、普通2(521)年以後の普通5(524)年・中大通6(534)年の百済の梁への遣使記事も反映されていないことから、その下限は普通2(521)年11月の遣使から翌普通5(524)年11月までの間と、ひとまず設定できるのではないだろうか[3]。なぜなら、かりにそれ以後で

3) 李鎔賢[1999]は、註で坂元[1978]に依拠して、6世紀前半の百済と梁の通交時期を512年、521年、522年、524年、534年、541年、549年とする。しかし、ここに掲載された522年は問題である。522年の通交記事は『册府元亀』朝貢1・普通三年条の「(普通;著者)三年十一月百済国遣使朝貢」とすることにもとづいているが、李鎔賢[1999]が参照とした坂元[1978:55-58・183頁]において、すでにそれが普通3年ではなく、「普通二年十一月」の誤りであったことが指摘されている。李鎔賢[1999]が同書を参照しながら、この指摘を無視したのか、気づかなかったのかは不明だが、いずれにしても問題であり、普通3(522)年の百済の梁への遣使記事は認められな

あったとすれば、当然、当該期の通交情報などが記載されてしかるべきであるのに、それが認められないからである。たとえば、普通5(524)年の場合、武寧王陵の薨去・聖王の即位・册立など百済に関する重要事項が伝えられているが(『梁書』百済伝)、これに関しては『梁書』百済伝に認められるものの、百済国使題記にみえない。このことは百済国使題記がそれ以前に作成された可能性の高いことを示しているといえよう。

加えて問題となるのは、537年が裴子野『方国使図』の作成時期よりも大幅に下ることである。李鎔賢[1999]は、『梁書』裴子野伝にみえる『方国使図』編纂がそれら両国の梁への朝貢と関わって記録されており、かつ、白題(バクトリア)・滑国(エフタル)の梁への初めての来朝が普通3(522)年8月と天監15(516)年であるため、裴子野『方国使図』編纂がそれよりも遡るとは考え難いこと、また、『梁書』裴子野伝の『方国使図』作成に関する記述が天監2(503)~普通6(525)年に認められることから、『方国使図』編纂は天監15(516)年以後、普通6(525)年までに作成されたと推定したのであった。

百済国使題記が裴子野撰『方国使図』に収録されていたとするならば、その記事内容の下限は『方国使図』編纂の下限である普通6(525)年以前でなければならない。百済国使題記に示された最後の百済と梁の通交年である普通2(521)年はこの範囲に該当する。既述のように、普通2(521)年以後の普通5(524)年の百済と梁との通交関係記事、それにともなう百済の情報が認められないことからみて、百済国使題記作成の下限は、前述したように、524年の百済の対梁通交以前とみなすほうが自然であろう。

こうしたことをふまえ、普通2(521)年の使節の実見を前提とし、かつそれ以後

いため、ここでも普通3(522)年は考察対象から除外する。

の百済関連記事がみえないことから、百済国使題記の作成は、普通2(521)年以後となり、その下限は、裴子野撰『方国使図』の作成時期の下限である普通6(525)年以前、かつ普通5(524)年の百済情報に関する記事の欠如を考慮して、524年の百済の対梁通交以前と考えねばならないのである。すなわち、『梁職貢図』にみえる百済使題記は、李鎔賢[1999]が指摘する普通2(521)年から大同3(537)年ではなく、さらにそれよりも狭められ、普通2(521)年から普通5(524)年までの約4年の間に作成され、それが『梁職貢図』作成にあたり転載されたと考えねばならないのである。

3.「旁小国」の位置比定に対する批判的検討

問題の第二は、「旁小国」の位置比定である。特に疑問となるのは、⑥止迷、⑦麻連のそれである。既述のように李鎔賢[1999]は、【史料1】『新撰姓氏録』河内国皇別・止美連条にみえる「止美邑」が止迷と「類似性を持つ」として、実於山(鳳凰)、水川(森渓)か、道武(康津)、冬音(大口)をその比定候補地とした。その上で、「鳳凰に近い羅州潘南が注目されるなど、栄山江地域及びその延長線上にある西南海岸地域に比定できる」とする。しかし、栄山江流域と比定する具体的な説明は全くなく、なぜそのように理解できるのか不明である。

さらに⑦麻連についても、音の類似から毛良夫里(高敞)、武尸伊(霊光)、武珍(光州)、勿阿兮(務安)、勿慧を比定候補地とし、継体紀6(512)年条にみえる牟婁を「時期的かつ状況的に麻連とみるべきである」とする。しかし、これもなぜ牟婁が突然出てくるのか、かつそれがなぜ麻連の比定地となるのか、史料的根拠やそのような比定に至る過程も全くなく、問題である。⑦麻連の位置比定については、李弘稙[1971]、洪思俊[1981]、田中[1992]、呉吉煥[2003]なども不明としているのであるから、少なくともきちんとした説明が求められる。要するに、李鎔賢[1999]では史料に即した具体的な説明や考証過程が明示されぬまま、⑥止迷・⑦麻連を栄山江流域に比定するのである(図3参照)。

そこで改めて史料に即しつつ、この問題について討究してみたい。李鎔賢[1999]でも指摘された【史料1】にみえる「止美連」であるが、『新撰姓氏録』和泉国皇別条には「登美首」があり、同族であると考えられている(佐伯[1982：498頁])。さらに【史料2】『日本後紀』延暦18(799)年12月甲戌条には

【史料2】『日本後紀』延暦18(799)年12月甲戌条

甲戌、甲斐国人止弥若虫・久信耳鷹長等一百九十人言、已等先祖、元是百済人也。仰慕聖朝、航海投化、即天朝降綸旨、安置摂津職、後依丙寅歳正月廿七日格、更遷甲斐国。……

とあり、止弥一族が百済から渡来してきたことを伝えており、「止迷」=「止弥」を百済に求めることは可能である。

さて、【史料1】にみえる「止美」を検討した佐伯[1982：461-462頁]は、「止美」が神功紀摂政49年3月条、応神紀8年3月条所引『百済記』にみえる「忱弥多礼」に該当し、『三国史記』地理志・武州条の道武郡冬音県(康津郡康津邑)に該当するとした。佐伯[1982]がこのように理解したのは、末松[1996:38-39頁]に依拠したためである。すなわち、末松は【史料3】神功紀摂政49年3月条の

【史料3】神功紀摂政49年3月条

春三月、以荒田別・鹿我別為将軍。則与久氐等、共勒兵而度之、至卓淳国、将襲新羅。時或曰、兵衆少之、不可破新羅。更復、奉上沙白・蓋盧、請増軍士。即命木羅斤資・沙

沙奴跪【是二人、不知其姓人也。但木羅斤資者、百済将也】、領精兵、与沙白・蓋盧共遣之。倶集于卓淳、撃新羅而破之。因以、平定比自＝(火＋本)・南加羅・喙国・安羅・多羅・卓淳・加羅、七国。仍移兵、西廻至古奚津、屠南蛮忱弥多礼、以賜百済。

にみえる地名考証を行い、忱弥多礼が『三国史記』地理志・武州条の道武郡、冬音県に該当するとと説いた。末松[1996]はこれらが別々の地名となっているものの、「もともとトムなる地の分化したもの」とし、これを康津と理解したのである。

その上で、末松[1996]は【史料3】の忱弥多礼には「南蛮」が付されていることから、忱弥多礼をそのまま道武または冬音の地と考えることができないとし、その上で南蛮忱弥多礼とは済州島のことではないかと推測したのであった。その一方で、道武・冬音は南蛮忱弥多礼からの着船地、南蛮忱弥多礼からの移住地など何らかの関係ある土地であったとみなした。

いずれにしても「止美」は道武・冬音、すなわち康津と関連する地名である可能性は十分にある。李鎔賢[1999]も道武・冬音を比定候補としてあげている。しかし、李鎔賢[1999]は【史料1】『新撰姓氏録』を引用しながらも、その研究を行った佐伯[1982]、その論拠となった末松[1996]には言及せず、なぜか具体的な論証もないまま、「止美」を実於山(鳳凰)に近い羅州潘南、さらには栄山江流域と関連づけたのであった。李鎔賢[1999]が「止美」を実於山に比定する具体的な根拠は明示されていないが、おそらく以下の【史料4】『新増東国輿地勝覧』南平県・古跡条

【史料4】『新増東国輿地勝覧』南平県・古跡条

鉄冶廃県【在県南三十里。本百済実於山県。新羅改今名、属羅州。高麗因之。後属綾城県本朝太宗十五年、来属】。

にみえる「鉄治廃県」の百済時代の地名である「実於山」が、「止美」と音通すると考えたからかもしれない。だが、すでに指摘したように「止美」(=「止弥」)は「登美」と同族と理解され、その音は「tomi」と考えられるから[4)]、「実於山」とは必ずしも音通するわけではない。むしろ、同じく候補とした道武・冬音のほうが音は近いといえる。したがって、こうしたことを排除して「止美」を実於山(鳳凰)、すなわち栄山江流域方面に比定するという理解はただちに首肯しがたい。なお李鎔賢[1999]は、水川(森渓)も「止美」の比定候補地とするが、これも何故ここが候補地となるのか具体的な説明がなく不詳で、にわかに従いがたい。こうした理解に大過なければ、「止美」はさしあたり、道武・冬音=康津地域に比定してよいのではないかとおもう。

次に⑦麻連についても批判的に考究してみよう。既述のように李鎔賢[1999]は麻連の音の類似性から毛良夫里(高敞)、武尸伊(霊光)、武珍(光州)、勿阿兮(務安)、勿慧が注目されるものの、結局、牟婁を「時期的かつ状況的に麻連と見るべきである」とし、麻連=牟婁とするのである。しかし、これに関しても、その具体的な根拠は示されておらず、問題である。

李鎔賢[1999]が麻連を牟婁とし、栄山江一帯と理解する具体的根拠は既述のように詳らかではないが、牟婁を末松[1996：87頁]が(1)武尸伊郡(霊光)・(2)毛良夫里県(高敞)・(3)勿阿兮郡(務安)の栄山江西方のいずれかに該当するとしたことと、金泰植[1997]が麻連=勿慧=牟婁=満奚とすることとも関係があるのであろう。金泰植[1997]が麻連と同一地と理解した牟婁は、【史料5】継体紀6(512)年12月条に

---

4) 佐伯[1982：416頁]も「止美邑」を「とみのむら」としている。

【史料5】継体紀6(512)年12月条

冬十二月、百済遣使貢調。別表請任那国上哆唎・下哆唎・娑陀・牟婁四県。……由是、改使而宣勅。付賜物并制旨、依表賜任那四県。

とあって、いわゆる「任那四県割譲」の一つとしてみえる。金泰植[1997]は上述したように麻連と牟婁を同一と理解するが、これに対して李鎔賢[1999]は、以下の【史料6】継体紀8(514)年3月条に

【史料6】継体紀8(514)年3月条

三月、伴跛築城於子呑・帯沙、而連満奚、置烽候・邸閣、以備日本。

とあって、514年に伴跛(大加耶)が子呑・帯沙に城を築いて満奚と連なるようにし、烽候・邸閣を設置して日本に備えた、という記事に満奚がみえることに注目した。すなわち、【史料6】の日本は百済のことで(田中[1992：131頁])、満奚が百済の滞沙進出とも関係している地名であることから、満奚が「任那四県割譲」にみえる牟婁や麻連と同地と理解できないと金泰植説を批判し、牟婁=満奚が成立し得ないと理解した。その上で、牟婁=麻連は成り立つと指摘し、おそらく末松[1996]にしたがい、牟婁=麻連を栄山江流域と設定したのであろう。

ところで、【史料6】には、伴跛(大加耶)が子呑・帯沙に城を築いて満奚と連なるようにし、烽候・邸閣を設置して百済に備えたとされているから、金泰植[1997]のように麻連=勿慧=牟婁=満奚と理解するならば、牟婁は滞沙・満奚方面と考えなければならなくなるが、金泰植[1997]は光陽市に馬龍里と呼ばれる地名が残っており、それが麻連と通じることから、麻連を蟾津江西岸の光陽市に比定したのであった。李鎔賢[1999]は、おそらく牟婁を末松[1996]に依拠して「任那四県割譲」にみえる栄山江流域と理解し、百済の滞沙進出とも関連する満奚と同

一地とみなせないとして、金泰植[1997]を批判したが、金泰植[1997]のように、麻連＝牟婁が滞沙の近くの光陽市に比定できるとすれば、それはまた滞沙の近くにあった満奚とも近接することになり、それなら金泰植[1997]のように、麻連＝満奚＝牟婁とし、麻連を百済の滞沙進出とも関連する地方として理解できないこともない。

そこで改めて牟婁の比定が重要となるが、牟婁が「任那四県割譲」の一つであったこともあって、これは「任那四県」の位置比定とも関わる問題でもある。既述のように末松[1996]は、これを栄山江西の沿岸地帯とみなした。これに対して全栄来[1991]は、末松[1996]を「地名の比較、地政学的常識を全然度外視し」たものと批判し、①上哆唎・②下哆唎を麗水半島と突山島(麗水の古名、猿村、突山島は突山)、③沙陀を順天(古名：沙平)、④牟婁を光陽(馬老)にそれぞれ比定し、「任那四県」を蟾津江下流以西の光陽・順天・麗水・突山島一帯と理解したのであった。金泰植[1997]も全栄来説を参照しそのように理解している。ちなみに全栄来[1991]は宝城地方まで南海岸を東進した百済が、「南海を迂回して」、これら地方を奪取することによって蟾津江地域に到達し、翌年、己汶・帯沙地方(南原・求礼・河東)を侵奪したと理解している。

これに対して田中[2009：77-81頁]は近年、己汶・滞沙関係記事が『百済本紀』にもとづくものであるのに対して、「任那四県割譲」記事は造作記事である可能性が高く、繋年についても信頼性がない、とした上で、それが百済の己汶進出前とされているのは意図的で、さらに継体紀6(512)年12月条に「哆唎国守」がみえ「四県割譲」の一つ「呼唎」には「国守」が派遣されていたとすることから、当該地は県よりも広大な地域を示していたとし、「「任那四県」は「百済が現実に己汶・多沙という加耶地域に進出する前に、何年かかけて領有するようになった広い地域、というように考えていいであろう」と主張した。

それゆえ、「任那四県」を蟾津江西側、全羅南道東南部に限定する全栄来説は「ふさわしいとは思えない」とし、改めて「任那四県」の①上哆唎を霊巌、②下哆唎を光州、③沙陀を咸平・茂長、④牟婁を霊光・務安に比定した。

そもそも全栄来[1991]は既述のように、百済が宝城地方まで南海岸を東進した後に己汶・滞沙地域を奪取したとするが、「任那四県割譲」が継体紀6(512)年12月条で、百済の己汶・滞沙津進出は体紀7(513)年11月条にみえ、その頃であったと考えられるから、その繋年が正しいとすれば、百済は己汶・滞沙進出以前に蟾津江西岸にあたる「任那四県割譲」を勢力圏としていたことになろう。

その場合、問題となるのが、【史料6】継体紀8(514)年3月条に、大加耶が子呑・滞沙に城を築き、満奚と連携して烽火台などを設置して、百済の滞沙進出に備えたとすることである。鮎貝[1971：479-480頁]は滞沙が河東邑・小滞沙(嶽陽=岳陽)で、蟾津江下流東岸一帯を、子呑は居昌、満奚は蟾津江口の西側にある光陽の古名である「馬老」にあたると推測した。それに対して、田中[1992：130-131頁]も滞沙を河東郡岳陽面の姑蘇城、子呑を居昌郡居昌邑に比定し、満奚の具体的な比定地は不詳だが、蟾津江西岸と説いた。

かりに「任那四県」の牟婁が全栄来[1991]の指摘のように、蟾津江西岸の光陽市であったならば、大加耶連盟は百済の支配領域であった光陽市一帯に百済に対する防禦施設を構築し、その侵攻に備えていたことになる。果たして、そのようなことがあり得たであろうか。なお、これは満奚=牟婁とし、光陽市に比定した金泰植[1997]についても同様である。どのような支配が行われていたかは必ずしも詳らかではないが、百済の支配下にあった「任那四県」地域に、大加耶が百済の東進を拒ぐための防禦ラインを設定したとは理解しがたい。したがって、牟婁を蟾津江西岸の光陽市に比定し、大加耶の防禦ラインの一つである満奚と同一地と設定し、滞沙進出以前に百済が蟾津江西岸を支配していたとする見解はにわかに首肯しがたい。

そもそもこうした防禦ラインは蟾津江を下るという百済の侵攻ルートを想定しており、実際、百済は516年頃までには蟾津江ルート沿いの上己汶・下己汶(南原地域)を奪取している(田中[1992：133-134頁]、田中[2009：72-76頁])。しかし、それまでに蟾津江西岸の光陽市一帯の「任那四県」を奪取していたのであれば、西方から滞沙に進出することも可能であったはずである。しかし、そうしなかったのは、後述するように、百済の全羅道南岸地域、蟾津江西岸進出がそれよりも後のことであったからではあるまいか。すなわち、全羅南道南岸地域、蟾津江西岸地域一帯の百済の領有は、滞沙の地を奪取し、さらに栄山江流域の支配以後であった可能性も想定できよう。その詳細は不明だが、いずれにしても牟婁を大加耶の百済東方進出の防禦ラインの一つであった満奚と同一視することはできないであろう。

こうした理解に大過なしとすれば、「任那四県」は田中[2009]のように、栄山江流域に想定するほうが理解しやすい。それならば、かりに牟婁=⑦痲連であるならば、それは栄山江流域となろう。李鎔賢[1999]もおそらくそのように理解するのであろうが、その場合、既述のようになぜ牟婁=痲連となるのかがまったく説明されていない。縷述してきたように李鎔賢[1999]は金泰植[1997]の痲連=満奚=牟婁=勿慧のうち、満奚・勿慧が滞沙方面にあったことから、それを除外し、痲連=牟婁とし、おそらく、牟婁を栄山江流域とする末松[1996]に依拠して、痲連もまた栄山江流域と解釈したのであろう。これは李鎔賢[1999]が指摘した痲連の比定候補地が、すべて末松[1996]の牟婁推定地と同じであることからも明らかである。しかし、既述のごとく[李鎔賢1996]は具体的な説明もないままに、痲連=牟婁とするのであり、これは問題であろう。

ちなみに、[全栄来1991：321頁]は痲連が密陽の古号である「推火」に近いとするが、それは音通のみが重視され、必ずしも当該期の百済の勢力拡大と合致しているわけではない。そのため、ただちにこのような理解に従うことはできない。それ以外も研究者たちも同地を不明としており、明徴を欠くというのが正直なところである。

そこで視点を改め、李鎔賢[1999]が「旁小国」には「地域的に一定の記載の規則がある」とした、「旁小国」の列挙順に注目し、そこから⑦麻連の位置を探究し、あわせて李鎔賢[1999]が指摘した「旁小国」の序列からうかがえる百済の政治性を批判的に検証し、それらをふまえて、当該期の百済の史的展開過程を考究することにしよう。

Ⅳ. 520年頃の百済の南方進出と「旁小国」

1. 「旁小国」と6世紀前葉における百済の政治的課題

百済国使題記にみえる百済の「旁小国」の記載順などに注目し、それを積極的に論じたのも、既述のように李鎔賢[1999]であった。すでに論及したように李鎔賢[1999]は、百済が意図的にこれら「旁小国」の中心に新羅を配し、それより前に慶尚道の加耶諸国を、それ以後を旧馬韓地域として区分したと高唱した。そして、それは新羅を強く意識し、「新羅を筆頭」として南にある耽羅を南蛮とする方位観のあらわれであったとする。たしかに百済の東方である①叛跛を最初に掲げ、神功紀49年3月条に「南蛮忱弥多礼」とされ、継体紀2(508)年条に「南海中耽羅人」とされる⑨下枕羅(耽羅)を最後に配置するなど、それら「旁小国」の列挙のあり方には、李鎔賢[1999]が指摘するように、百済の意図が看取される。

だが、そうした指摘をふまえてもなお、疑問とせざるをえないのは、百済の方位観がなぜ百済を中心とせずに、新羅を中心としているのか、ということである。「旁小国」に列挙された小国などは、百済を中心とする世界観が反映されていると考えられ、李鎔賢[1999]もこうした百済の方位観を「百済中心の華夷思想」とし、百済の方位観は高句麗が五世紀に新羅を「東夷」としたことに比肩するものであったと指摘したのであった。それならば、それら世界観が反映された「旁小国」の配列もまた百済を前提としていなければならず、当然、その中心は百済となるはずであろう。しかし、李鎔賢[1999]は百済でなく、新羅を中心としたものであったと主張するのである。百済の世界観が反映された「旁小国」を、なぜ百済を中心とせず、新羅を中心とする必要があったのであろうか。この点が改めて問題となり、これを李鎔賢説の第三の疑問とすることができよう。

これとも関連して問題とせざるを得ないのは、「旁小国」の記載順である。既述のように、李鎔賢[1999]ではそれら小国の配列には「一定の記載の規則が認められる」とする。それは既述のように、新羅より以前を慶尚道に、それ以後を全羅道方面とするという指摘にとどまっている。確かにそのように理解できるが、具体的な位置比定などの詳細は後述するが、問題なのは同じ慶尚道の加耶諸国であっても北部加耶の①叛跛の次に、南部加耶の②卓が、その次に再度、北部加耶の③多羅が、さらにその次には南部加耶である④前羅が来るなど、必ずしも規則正しく配されていないことである。したがって、「旁小国」の記載のあり方は、慶尚道方面、全羅道方面という漠然とした方向だけでなく、細かく百済によって意図的に列挙されていたことになろう。李鎔賢[1999]はこうした細かな序列の違いについては一切論及していない。これも李鎔賢説の第四の問題として指摘できよう。これらの疑問点を考究するためにも、改めて百済と「旁小国」との関係などをふまえて、これら「旁小国」の記載順序などを総合的に考察する必要がある。

「旁小国」の記載順を討究するにあたり、基本となるのは、これまで李鎔賢[1999]によって指摘されてきたように、「旁小国」がそれぞれ百済東方の慶尚道方面と南方の全羅道方面に大別されて列記されていたと考えられることである。縷述のように李鎔賢[1999]は、これを新羅中心としたものとみなしたが、新羅を中心とすることを除けば、それらが百済の東方と南方に大別されるという見解は無視できず、これは「旁小国」の記載を理解する上での大原則となる。まずはこれを指摘しておきたい。

その上で、それら「旁小国」の記載順が当該期の百済を取り巻く諸情勢とどのように関わっていたのか、あるいは関わっていなかったのか、などを考究する必要がある。そのために、当該期、それら諸国と百済との関係を検証してみよう。

まず、「旁小国」のうち、百済東方の慶尚道方面にある①伴跛・②卓・③多羅・④前羅・⑤斯羅から論及してみよう(以下、これら諸国を東方諸国とし、それ以外の諸国を南方諸国とする)。

①伴跛が大加耶(高霊)であることに異論はない。田中[1992：70-80頁]が既に指摘したように、大加耶は多羅国などを含め、周辺12カ国からなる「大加耶連盟」を形成し、その盟主ともいえる存在であった。この大加耶と百済との関係を理解する上で軽視できないのが、以下の【史料7】神功紀62(262→442)年である。

【史料7】神功紀62(262→442)年是歳条

是歳、新羅不朝。即年、遣襲津彦撃新羅。【『百済記』云、壬午年、新羅不奉貴国。貴国遣沙至比跪令討之。新羅人荘飾美女二人、迎誘於津。沙至比跪、受其美女、反伐加羅国、加羅国王己本旱岐及児百久至・阿首至・国沙利・伊羅麻酒・爾汶至等、将其人民、来奔百済。百済厚遇之。加羅国王妹既殿至、向大倭啓云、天皇遣沙至比跪、以討新羅。而納新羅美女、捨而不討。反滅我国。兄弟人民、皆為流沈。不任憂思。故、以来啓。天

皇大怒、即遣木羅斤資、領兵衆来集加羅、復其社稷。…後略…。】

これによれば、倭が沙至比跪を派遣して新羅を攻撃させたが、沙至比跪は新羅から美女を送られて、かえって加羅国を攻撃したので、加羅国王の己本旱岐らは百済に来奔し、国王の妹であった既殿至は来倭し天皇に訴えたため、天皇が怒って木羅斤資を派遣して加羅国を復興させたことになる。

しかし、ここにみえる木羅斤資は神功紀49年条に「木羅斤資者、百済将也」とあって、百済の将軍である。さらに【史料8】応神紀25年条所引『百済記』には

【史料8】応神紀25年条所引『百済記』

『百済記』云、木満致者、是木羅斤資、討新羅時、娶其国婦、而所生也。以其父功、専於任那。…後略…。

とあって、木羅斤資の子として木満致がみえているが、この木満致は以下の【史料9】済紀・蓋鹵王21(475)年条にみえる木劦満致と同一人物であることから、木羅斤資は百済人と理解してよい。

【史料9】済紀・蓋鹵王21(475)年条

文周乃與木劦(劦の誤；著者、以下、同様)満致・組弥桀取【木劦・祖弥皆複姓、隋書以木劦為二姓、未知孰是】南行焉。

したがって、【史料7】は倭が木羅斤資を派遣したのではなくて、百済が木羅斤資を加羅国(=大加耶)に派遣したと理解されている(山尾[1989：122-124頁]・田中[1992：64-65頁])。

その上で、山尾[1989：126頁]はこれを442年、「ヤマト王権の独自の作戦」によって沙至比跪が大加耶を攻撃し、それに対して百済は木羅斤資を派遣して倭の兵を駆逐し、これによって大加耶の木羅斤資(=百済)への依存度は高まったとした。山尾[1989]がこう理解するのは、【史料8】に木満致が「以其父功、専於任那」とあるからで、山尾[1989：154-155頁]は、木羅斤資・木満致らが「大加耶地方に独自の地盤を保持したまま百済王権を構成していた」とみなした。

それに対して高寛敏[1997:112頁]は、沙至比跪の大加耶攻撃の理由がなく、また内陸に進出できなかったとして、「当時の歴史的現実に対して説明することは不可能であること」から、【史料7】を「架空のこと」として史実と認定しない。一方、田中[1992：96-98頁]は基本的に山尾説を認めつつも、木羅斤資—木満致が大加耶に対する独自の勢力を築いていたとする史料的根拠の欠如から、【史料7】を、倭がかねてからの同盟国である金官国もしくは安羅国を足場として独自に大加耶に進出しようとしたものの、大加耶の救援要請を受けた百済の攻撃によって失敗したと主張した。また、田中[2009：668-69頁]は、倭がそれまで友好関係にあった加耶南部勢力を基盤として内陸部の大加耶まで進出することは十分可能で、当時、勃興しつつあった大加耶に対して、「旧来からの勢力である加耶南部諸国が、それをおさえようとすることは、不可解なことではない、十分に、歴史的現実に即して説明することができる」として高寛敏説を批判し、倭の大加耶攻撃を認めた。

こうした理解に大過なしとすれば、大加耶と倭は5世紀半ばに軍事的に衝突することがあったと想定されるが、重要なのは田中[1992：97-98頁]の指摘するように、倭の軍事行動に対して百済が大加耶を支援していたということである。こうしたことをふまえ田中[1992：97-98頁]は、「これいご、大加耶は、百済に依存することが強くなったと想像でき、百済が大加耶に影響力をもったことも考えられる」と説いた。大加耶が倭との対立過程で親百済政策を採ったことは容易に想定され、百済の対大加耶交渉担当者として木満致が重視されたのであろう。【史料7】はそうした側面を示していると理解できよう。

このように少なくとも5世紀半ば、百済と大加耶はそれなりに良好な関係であった。ところが、475年に百済が一時滅亡し、熊津に遷都して南方へ勢力を拡大するようになると、既存の関係は崩壊し、対立へと変化していくことになる。

それを端的に伝えるのが、以下の【史料10-1~10-9】『日本書紀』にみえる百済の己汶・滞沙地域への進出記事である。

【史料10-1】継体紀7(513)年7月条

七年夏六月、百済遣姐弥文貴将軍・州利即爾将軍、副穂積臣押山【『百濟本紀』云、委意斯移麻岐弥。貢五経博士・段楊爾。別奏云、伴跛国略奪臣国己汶之地。伏願、天恩判還本属。

【史料10-2】継体紀7(513)年11月条

冬十一月辛亥朔乙卯、於朝庭、引列百済姐弥文貴将軍、斯羅・汶得至、安羅・辛已・及賁巴委佐、伴跛・既殿奚及竹汶至等、奉宣恩勅。以己汶・滞沙、賜百済国。

【史料10-3】継体紀7(513)年11月条是月条

是月、伴跛国、遣戢支献珍宝、乞己汶之地。而終不賜。

【史料10-4】継体紀8(514)年3月条

三月、伴跛築城於子呑・帯沙、而連満奚、置烽候・邸閣、以備日本。

【史料10-5】継体紀9(515)年2月条・是月条

九年春二月甲戌朔丁丑、百済使者文貴将軍等請罷。仍勅、副物部連【闕名】。遣罷帰之【『百濟本紀』云、物部至々連】。是月、到于沙都島、伝聞伴跛人、懐恨銜毒、恃強縦虐。故物部連、率舟師五百、直詣帯沙江。文貴将軍、自新羅去。

【史料10-6】継体紀9(515)年4月条

夏四月、物部連於帯沙江停住六日。伴跛興師往伐。逼脱衣裳、劫掠所齎、尽焼帷幕。物部連等、怖畏逃遁。僅存身命、泊汶慕羅【汶慕羅、島名也】。

【史料10-7】継体紀10(516)年5月条

十年夏五月、百済遣前部木刕不麻甲背、迎労物部連等於己汶、而引導入国。

【史料10-8】継体紀10(516)年9月条

秋九月、百済遣州利即次将軍、副物部連来、謝賜己汶之地。別貢五経博士漢高安茂、請代博士段楊爾。依請代之。

【史料10-9】継体紀23(529)年三月条

廿三年春三月、百済王謂下哆唎国守穂積押山臣曰、夫朝貢使者、恆避島曲【謂海中島曲、崎岸也。俗云美佐祁】。毎苦風波。因茲、湿所齎、全壊无色。請、以加羅多沙津、為臣朝貢津路。是以、押山臣為請聞奏。是月、遣物部伊勢連父根・吉士老等、以津賜百済王。於是、加羅王謂勅使云、此津、従置官家以来、為臣朝貢津渉。安得輙改賜隣国。違元所封限地。勅使父根等、因斯、難以面賜、却還大島。別遣録史、果賜扶余。由是、加羅結儻新羅、生怨日本。

これら継体紀の己汶・滞沙関係記事については、すでに田中[1992：125-136頁]によって詳細に検討され、百済の己汶・滞沙地域への具体的な進出過程が明らかにされている。そうした研究を参照しつつ、改めて百済の己汶・滞沙地域進出過程を概観しておけば、百済は滞沙(＝河東郡河東邑)への進出を図り、伴跛(＝大加耶)がそれに対して子呑に城を築き、満奚と連携して百済の進出を防ごうとしたものの(【史料10-4】)、結局、百済は己汶・帯沙の地まで進出したのであった。【史料10-8・9】には倭が己汶や多沙(＝滞沙)を百済に与えたかのように記すが、これは『日本書紀』の書法であり、実際は百済が実力で奪取したものにすぎない。それならば、改めて百済の己汶・滞沙進出の具体的な時期が問題となるが、【史料10-7】には百済が己汶を支配していたことを具体的に示しているから、百済は516年5月までには己汶を制圧したと考えられる(田中[1992：133-134頁])。

一方、滞沙であるが、【史料10-9】の繫年に従えば529年となるが、そこには滞沙を奪われた「加羅」＝大加耶が「結儻新羅、生怨日本」とあり、新羅と好を通じたことを伝えている。【史料10-9】は大加耶が新羅と結び、「日本」と敵対したとするが、この日本は当然、百済のことである。

ところで、大加耶と新羅の婚姻は【史料11】新羅本紀・法興王9(522)年条に

【史料11】新羅本紀・法興王9(522)年条

九(522)年春三月、加耶国王遣使請婚、王以伊湌比助夫之妹送之。

とあって、羅紀は522年に大加耶と新羅が通婚したとする。このことは【史料12】継体紀23(529)年3月条にも認められ、

【史料12】継体紀23 (529)年3月条

加羅王娶新羅王女、遂有児息。新羅初送女時、并遣百人、為女従。受而散置諸県、令着新羅衣冠。阿利斯等、嗔其変服、遣使徴還。新羅大羞、飜欲還女曰、前承汝聘、吾便許婚。今既若斯、請、還王女。

【史料11】と【史料12】は同一の内容を伝えている。しかし、【史料12】には通婚の年次が必ずしも直接示されているわけではなく、婚姻から破綻までの一連の出来事を継体紀23年条に繋けているにすぎず、「正確な年次を考える場合には、単に参考程度にとどめるべき」で、「『三国史記』の紀年にとくに疑点がない限り、それに従い、法興王9年とすべき」と指摘されており(武田[1974])、そのように理解して問題ない。百済が滞沙の津を奪取した後、大加耶は新羅と婚姻したと考えられるから、百済の滞沙進出は522年までと理解してよいであろう。

以上、これまで長々と百済と大加耶との関係をみてきたが、上述のように諸史料を解釈できるとすれば、百済国使題記作成時期、百済は滞沙の進出をめぐって、まさに大加耶と対立していたとみなしてよかろう。

次に②卓についてみてみよう。卓を大邱方面とする見解もあるが(全栄来[1991]・武田[1992])、当該地域が百済の支配圏拡大と直接関わっていたと想定できないことから、坂元[1978]・李鎔賢[1999]・田中[1992]・呉吉煥[2003]のように卓淳国と理解してよかろう。この卓淳国は昌原と推定されている(田中[1991:199、233-234頁])。卓淳国は神功紀49年条にみえ、早くから倭と通交し、4世紀後半、百済はこの卓淳国を媒介として倭国と始めて通交したのであった(田中[1991:194-199頁])。したがって、百済にとっても卓淳国は対倭外交上、金官国とならんで重要であったはずである。

百済における卓淳国の重要性は欽明紀2(541)年6月条のいわゆる「任那復興会

議」において、復建すべき「任那」(南加羅(＝金官国)・卓淳国・喙己呑の三国)として挙げられていることからも明らかである。卓淳国は百済にとって対倭外交上、きわめて重要であった。

一方、既述のように、当該期、百済は己汶・滞沙進出と関わって、兵力の提供などを倭に要請し、それに対する見返りとして【史料10-1・8】にみえるように、倭に五経博士を派遣していた(田中[1992：133頁])。その具体的な経緯は必ずしも詳らかではないが、少なくとも百済の己汶・滞沙進出と関わって百済が倭に対して五経博士を派遣していたことからみて、百済の当該地進出は倭との関係をも考慮せざるを得なかったのであろう。そうであるからこそ、百済からわざわざ五経博士が派遣されたのであり、それは当該期の百済の対倭外交の重要性を物語るといえよう。こうしたこととも関わって、百済の対倭外交上、大きな役割を担っていた卓淳国も、当該期の百済にとっては極めて重要であったはずであろう。

それに加えて軽視できないのは、卓淳国が新羅の南部加耶地域に対する軍事的圧力の及ぶ最前線に位置していたことである。新羅の金官国や卓淳国などへの具体的な軍事的な侵攻開始時期は必ずしも詳らかではないが、以下の【史料13】羅紀・法興王11(524)年9月条によれば、新羅は524年に法興王が新羅の南境を拡大させていた。

【史料13】羅紀・法興王11(524)年9月条

秋九月、王出巡南境拓地、加耶国王来会。

さらに【史料14】継体紀21(527)年7月条には

【史料14】継体紀21(527)年7月条

廿一年夏六月壬辰朔甲午、近江毛野臣率衆六万、欲住任那、為復興建新羅所破南加羅

・㖨己呑、而合任那。

とあって、すでに524年、卓淳国の東にあった㖨己呑や南加羅(=金官国)が新羅の攻撃によって大きな被害を受けていたのであった。

を示しているが(田中[1992：225-229頁])、【史料13・14】はその結果を示すにすぎない。新羅が突如、それら地域を支配したというよりは、それ以前からも当該地域への勢力拡大を図っており、何らからの措置が講ぜられていたはずであろう。とすれば、金官国・㖨己呑はもちろん、それに隣接した卓淳国も新羅の軍事的脅威にさらされていた可能性が高い。卓淳国はそれら三国のなかではもっとも西に位置し、それは百済からみれば、東方から勢力を拡大する新羅に対する最前線かつ最終防衛ラインともいうべき地でもあった。

一方、卓淳国の滅亡については、【史料15】欽明紀2(541)年4月条・【史料16】欽明紀5(544)年3月条の聖明王の上奏文に

【史料15】欽明紀2(541)年4月条

任那無能救援。由是見亡。其南加羅、蕞爾狭小、不能卒備、不知所託。由是見亡。其卓淳、上下携弐。主欲自附、内応新羅。由是見亡。因斯而観、三国之敗、良有以也。

【史料16】欽明紀5(544)年3月条

夫㖨国之滅、匪由他也。㖨国之函跛旱岐弐心加羅国、而内応新羅、加羅自外合戦。由是滅焉。若使函跛旱岐、不為内応、㖨国雖少、未必亡也。至於卓淳、亦復然之。仮使卓淳国主、不為内応新羅招寇、豈至滅乎。

とあって、百済は喙国(喙己呑)や卓淳国が、新羅に内応してしまったために滅亡したと述べている。これは百済の一方的な主張であるだけに、その当否は留保せざるを得ない部分もあろうが、かりにその指摘通りであったならば、それら諸国の新羅への内応は、現実に迫り来る新羅の軍事的圧力をふまえてのものであったであろう。それが具体的にいつの頃からなのかは必ずしも詳らかではないが、既述のように520年前後から新羅は軍事的圧力を強めており、そうした危機的状況のなかで卓淳国内でも新羅への内通を画策していた可能性もないわけではなかろう。そのことは百済にとってはきわめて深刻な問題であった。そうであったからこそ、後年、聖王はそのことを改めて主張しているのである。

こうした理解に大過なしとすれば、卓淳国は百済にとっての対倭外交だけでなく、金官国・喙己呑などを含めた新羅の南部加耶諸国への勢力拡大という現実的な問題のなかで、きわめて重要地域の一つとして認識されていたといえよう。

それならば古くから倭や百済とも密接な関係があった金官国も重要であったはずである。この金官国も既述のように、卓淳国とともに「復建」すべき国の一つであったからである。おそらく、百済としても金官国を卓淳国同様、極めて重視していたとおもわれる。しかし、百済国使題記が作成された6世紀前葉、縷述のように金官国に対する新羅の軍事的圧力はかなり強化されており、百済による金官国支配はもはや実現不可能と考えられたのであろう。それゆえ、百済はあえて金官国を百済に附属すべき「旁小国」の一つとして主張しなかったのであろう。それは喙己呑も同様である。逆にそうであったからこそ、それら二国に比して、百済の卓淳国に対する重要性は高まり、卓淳国への百済の支配力を梁に訴え、それを梁に認めさせることによって、徐々に強まりつつあった新羅の卓淳国や南部加耶諸国への軍事的圧力に対抗するという外交戦略を百済は採用したのではないかと想定される。卓淳国は現実に進行する新羅の勢力拡大に対抗するという観点からも、百済に重視されていたのであった。

次に③多羅であるが、これは既述のように大加耶とともに「大加耶連盟」を形成していた一国でもあり、大加耶である「上加羅都」に対して「下加羅都」と称されたことからみて、「大加耶連盟」のなかでも大加耶に比肩すべき地位にあった(田中[1992：110-111頁])。それならば、当然、大加耶とともに百済の己汶・滞沙進出を防禦していたはずで、百済にとっては大加耶に次いで、百済の滞沙進出を妨害する小国として認識されたであろう。

それにつづく④前羅は安羅と解釈されているが、これで問題なかろう。安羅も「広開土王碑」に「安羅人の戍兵」がみえ、安羅は倭や金官国との交流を前提として、百済の同盟国として、ともに高句麗と対立していたのであり(田中[2009：65-69頁])、百済にとって重要な一国であった。一方、【史料17】継体紀23(529)年3月是月条には

【史料17】継体紀23(529)年3月是月条

是月、遣近江毛野臣、使于安羅。勅勧新羅、更建南加羅(=金官国)・喙己呑。…後略…

とあって、南加羅・喙己呑を「再建」すべく、倭から近江毛野臣が安羅に派遣されたことを伝えている。これは新羅の軍事的侵攻に対抗するために、卓淳国や安羅がかねてから友好関係にあった倭に救援を要請したものであるが(田中[2009：83-84頁])、結局、倭はこれらに対抗できず、新羅は南部加耶諸国への軍事的圧力を強め、それに対して、【史料18】継体紀25(531)年是月条所引『百済本紀』に

【史料18】継体紀25(531)年是月条所引『百済本紀』

其文(=『百済本紀』)云、太歳辛亥三月、軍進至于安羅、営乞乇城。

とあるように、安羅は新羅の西進に対して百済に救援を要請し、百済軍を導き、それに応じて百済は乞乇城を築き、新羅に対抗しようとしたのであった(田中[1992：237-238頁])。

このように安羅もまた倭との通交上、さらには新羅の南部加耶諸国への軍事的圧力強化への対抗という観点からみても、百済にとってきわめて重要であった。ただし、安羅よりも東方には既述の卓淳国があり、対新羅関係上では、卓淳国のほうが最前線にあり、その意味において政治的重要性は安羅よりも高かったであろう。

最後の⑤斯羅=新羅であるが、『三国史記』などの諸史料には、520年頃、百済と新羅の交戦記事は認められない。既述のように、百済は新羅の加耶地域への進出に対して警戒心を懐き続けており、それはその後、加耶諸国を巻き込んだ抗争へと発展するのであるが、520年前後、両国は直接干戈を交えるような情況には至っておらず、その対立はいまだ顕在化していなかったといえよう。そうであったからこそ、百済は新羅を随行して梁と通交したのであり、こうしたことからも両国の関係は険悪ではなかったことが看取できよう。

以上、百済と「旁小国」の東方諸国との関係を考察してきたが、それをふまえて、改めて東方諸国の列記のあり方をみてみると、いくつかの特徴が指摘できよう。その第一は、それら諸国の記載順が必ずしも百済からの距離によるものではないことである。たとえば、大加耶である①叛波は東方諸国の最初に挙げられているが、百済からの距離を考慮すれば、それに続くのは③多羅(陜川)であるはずである。しかし、①叛波の次に記されたのは、②卓淳国であった。これはそれら東方諸国の序列が必ずしも、百済からの距離を反映したものではないことを示している。もちろん、李鎔賢[1999]が「旁小国」の中心とする新羅からの距離を反映したものでもない。

続く第二の特徴は、それら諸国の順序が、当該期の百済をめぐる国際情勢、とりわけ、百済の勢力拡大と密接に関わっていたと考えられることである。既述のように520年頃、百済は己汶を奪取し、滞沙への進出を企図していたのであり、それを防禦しようとした大加耶連盟の盟主が①叛跛であった。すなわち、己汶を越えて滞沙進出を図る百済からみれば、もっとも敵対していた小国が①叛跛であり、それが第一にあげられたのであった。これは百済の政治的関心度を如実に示しているといえよう。

それならば、それとともに「大加耶連盟」の一つで、かつ上加羅都であった大加耶に比して下加羅都とされた③多羅も、百済にとって極めて重要であったはずであった。しかし、実際には、縷述してきたように、①の叛跛について記されたのは、より東方の②卓淳国であった。これはそれと関わる対倭外交において卓淳国が重視されたこととも無関係ではないが、勢力拡大を図る新羅に対抗する上でも、卓淳国が百済にとってきわめて重要視されたからにほかならない。つまり、百済は東方諸国のうち、現実に侵攻する百済の滞沙進出に関わって敵対する①叛跛(大加耶)をまず挙げ、それに次いで、それとも関わり、かつ新羅の南部加耶地域進出とも密接に関連する②卓淳国を指摘したのであった。これは当該期の百済の勢力拡大という政治的な課題の重要度を反映しているといえる。つまり、百済にとっては滞沙進出が最大の課題であり、それに次ぐのが、その延長線上にあるともいえる南部加耶地域の問題であったのである。③多羅、④前羅(=安羅)もそうした情況に準じて示されたのであった。多羅や安羅もまた百済にとって重要であったが、それら二国の重要性は、百済の滞沙進出を阻む①叛跛や新羅の勢力拡大に直面する最前線に位置していた②卓淳国に及ばなかったのであった。

このようなことからみて、「旁小国」の東方諸国は当該期の百済の政治的課題と密接に関わって列挙されていたと理解できよう。そうした観点からみれば、新羅がそれら諸国の最後に来るにもきわめて自然であった。既述のように、百済は当該期、新羅と直接交戦し、積極的に新羅領への勢力拡大を図っていたわけではなく、百済の勢力拡大において、対新羅外交は必ずしも喫緊の課題ではなかったからである。

百済は勢力拡大を阻害する①叛跛(大加耶)や何としても百済の勢力圏として確保したい②卓淳国を、あえてまず列挙し、それらが百済の附傭国であることを梁に示すことによって、①叛跛、②卓などの諸国に対する百済の支配の正統性を梁へアピールしようとしたのであろう。①叛跛が筆頭にあげられたのは、当該期、もっとも熾烈に百済に敵対姿勢を示しており、百済としても南朝・梁の権威によってそれを是が非でも支配したいと考えていたからであったといえる。ここに梁との外交を活用しつつ勢力拡大を図る百済の外交巧者の一面を看取できよう。

このように、「旁小国」にみえる東方諸国の序列は、必ずしも李鎔賢[1999]が指摘したような新羅を中心に列挙されていたわけではなく、当該期の百済の勢力拡張という現実的課題と関わっていたのであったのである。それならば、南方諸国はどのように理解できるであろうか。改めて考究してみよう。

2. 南方諸国と百済の全羅南道南部への勢力拡大

「旁小国」の小国のうち、東方諸国の記載が520年頃の百済の支配拡大という政治的課題とも関わっていたと考えられる以上、南方諸国もまた、ひとまず、同様な課題のもと百済によって意図的に列挙されたと想定されよう。

そのことを論究する上で手がかりとなるのが、南方諸国の最後の二国が⑧上己汶・⑨下枕羅であったことである。既述のように、己汶は516年頃には百済の支配下となっていた地域であった。にもかかわらず、他の諸国と同様に「附傭国」

とされたのは、田中[1992：134頁]が指摘するように、必ずしも完全に百済によって統治される段階にまで至っておらず、百済服属前の小国としての形態をある程度保持していたからであろう。

しかし、当該地域が完全に百済式の統治体制によって支配されていなかったとしても軽視できないのは、ここがすでに百済の勢力圏に入っていたということである。その意味では、己汶地域への百済の支配はある程度達成されており、それならば、己汶に対する百済の政治的緊急性・重要度は、いまだ百済の支配領域となっていなかった他の小国に比べて相対的に低かったであろう。

これは⑧上己汶についで最後に示された⑨下枕羅(耽羅)も同様である。耽羅は【史料19】済紀・文周王2(476)年4月条に

【史料19】済紀・文周王2(476)年4月条

夏四月、耽羅国献方物、王喜拝使者為恩率。

とあって、文周王代にはじめて百済に朝貢したものの、【史料20】済紀・東城王20(498)年8月条に

【史料20】済紀・東城王20(498)年8月条

八月、王以耽羅不修貢賦、親征至武珍州、耽羅聞之、遣使乞罪、乃止。耽羅即耽牟羅。

とあるように、その後、百済に貢賦を送らなかったため、498年、東城王が親征することになったという。【史料20】は、当該期、耽羅の百済への朝貢・服属が求められており、それが守られなかったため、東城王が親征したことを伝えているが、百済の滞沙方面への勢力拡大や後述するような全羅南道方面への勢力拡大

過程などを考慮すれば、百済が耽羅へ軍隊を派遣し、完全な百済領として直轄支配することは、現実的には困難であったであろう。百済にとっても、耽羅が朝貢などの形式によって百済への服属の姿勢を示すだけで十分であったのではないだろうか。東城王の親征はあくまでも示威行為にすぎなかったのであろう。そして、それに応じて耽羅は百済に朝貢したのであろう。その限りにおいて、実際に百済式支配が貫徹した地域、もしくはそのようにしようと百済が図っていた他地域と比べ、耽羅に対する百済の政治的・領土的緊急性・重要性は低かったであろう。

このように6世紀前半の百済における⑧上己汶、⑨下耽羅に対する政治的・領土的緊急性・重要性は、必ずしも高くなかったと考えられる。南方諸国の⑧上己汶、⑨下耽羅の検討にすぎないが、これら二国が南方諸国4カ国のうち、最後と最後から二番目であったことは、南方諸国の列挙のあり方もまた東方諸国のそれと同様に、当該期の百済の政治的・領土的緊急性・重要性と関わっていたことを示唆していよう。つまり、南方諸国も東方諸国と同様、当該期の百済の政治的・領土的関心の重要度に比例して列挙されていたと解釈できるのである。

こうした理解に大過なしとすれば、改めて⑥止迷、⑦麻連が注目される。南方諸国の筆頭に挙げられた⑥止迷は、既述のように全羅南道の康津に比定される。止迷と百済との具体的な関係は想像の埒外であり、まったく不明であるが、東方諸国の筆頭である①叛跛が百済の支配の及ばない、当該期の百済の最大の敵対国であったことと同様に、当該地もまた必ずしも百済の支配下となっていなかった可能性が高い。そうであったからこそ、百済は南方の領有すべき最重要地としてこの⑥止迷を第一に挙げたのであろう。⑥止迷地域の支配が、520年代頃、南方に勢力を拡大する百済にとってはきわめて重要であったのである。

この⑥止迷について挙げられた⑦麻連もまた同様であったであろう。⑧上己汶が百済の支配下にあったことから、⑦麻連もすでに百済の勢力下にあった可能性もなくはないが、その場合でも少なくとも⑧上己汶の前に認められることからして、⑦麻連に対する百済の領有化は、⑧上己汶ほどには進展していなかったと考えられる。あるいは⑥止迷と同様、百済に服属しておらず、これから積極的に百済が領有化を進めようとしていた地域であった可能性も十分に想定される。百済による当該地の支配がいかなるものであったのかは、史料の制限もあってその詳細は必ずしも詳らかではないが、列挙された順序からみて、当該期の百済の政治的・領土的重要性は、⑥止迷に及ばなかったものの、それに次ぐものであったことは間違いない。

すでに⑦麻連を「任那四県」の一つである牟婁と同一地域とした金泰植[1997]に対して、既述のように当該期の百済の滞沙進出過程からその問題を指摘したが、こうした南方諸国の序列のあり方からもそうした理解が首肯し難いことがわかる。というのも、かりに⑦麻連が「任那四県」の一つである牟婁と同一地域であったとするならば、⑦麻連はこの時すでに百済の支配下にあったことになってしまい、それならば百済の勢力拡大という当該期の現実的課題において、⑧上己汶よりも上位に位置づけられることはなかったと理解されるからである。牟婁など「任那四県」は百済の己汶進出以前にすでに百済領となっていたのであった。当該地域が⑧上己汶に先んじて百済領となっていたことからみて、その支配も⑧上己汶それよりも進展していたはずで、⑦麻連に対する政治的重要性は、⑧上己汶よりも低かったはずである。しかし、縷述のごとく、百済にとって⑦麻連の政治的重要性は、⑧上己汶のそれよりも高かったのである。そうしたことから考えて当該地は百済支配下にあったとは考え難いのである。

それゆえ、このような520年頃の百済の政治的・領土的関心度からみても、⑦麻連を「任那四県」に位置づけることは困難であるといえる。そうした観点からすれば、⑦麻連を栄山江流域の「任那四県」と関連づけて比定した李鎔賢[1999]もまた問題であるといえよう。もっともそれは「任那四県」比定地との関連上問題があるというだけで、それ以外の栄山江流域を⑦麻連の推定候補地から除外するということではない。

むしろ、⑦麻連は、⑥止迷が全羅南道南岸の康津であったことを考慮すれば、⑥止迷よりも北方、より百済に近い地域であったと可能性は十分にあり、栄山江下流域もしくは、それよりも南部の全羅南道南部地域であった可能性も想定できるであろう。位置比定困難であった⑦麻連は、このように考えれば、「任那四県」以南の全羅南道南部から⑥止迷までの間の地域にあたり、いまだ必ずしも百済の支配が進んでいなかった地域であったと考えられるのである。

このようにみれば、520年代段階で、少なくとも百済が全羅南道南部までのすべての地域をすでに領有化し、支配下に治めていたとするのは、きわめて困難なのではないだろうか。たとえば、呉吉煥[2003]は「百済は東城王20年以後から6世紀前葉の武寧王代までに全羅道南部地域を含む全羅道のほぼ全域を手中に入れたとみることができる」と指摘し、その根拠として田中[1992：131-134頁]をあげた。だが、5世紀末~6世紀初、全羅道南部領域は百済によって完全に支配されていたという田中[1992]の理解は、己汶・滞沙への進出など東方への勢力拡大を「とうぜん、それいご」、すなわち全羅道全域支配以後、とする指摘にとどまっており、必ずしも具体的な史料にもとづくものではない。全羅南道北部地域を支配化に入れ、その後、全羅南道南部への勢力拡大とほぼ平行するような形で、蟾津江方面の己汶・滞沙への勢力を拡大させていた可能性も十分にあろう。

そもそも[東・田中1989：182頁]は、【史料20】にみえる東城王代の武珍州までの親征記事から百済による全羅南道全域支配を導くことに懐疑的で、[東・田中1989：182頁]では、【史料20】の東城王の親征についても「武珍州までのルートが確保できていればいいわけで、面的な領域支配を裏付けるものとみる必要はない」と述べ、全羅南道のほぼ領有化に疑問を呈していたのであった。このように理解すれば、この段階で必ずしも全羅南道全体がすべて百済領となっていたとは、必ずしも言い切れないであろう。

なお、呉吉煥[2003]では、考古学の観点から南原や栄山江に5世紀後半以後、百済の影響が目立つようになるとするが、「全羅道のほぼ全域を手中に入れたとみることができる」考古学的根拠が示されているわけではない。さらに、呉吉煥[2003]は『梁書』百済伝に、百済がしきりに高句麗を破り、「さらに彊国」となったとする記述の背後に、「全羅道南部地域における軍事的進出の成功があったとみて間違いない」と指摘するが、これは推測にすぎず、史料的根拠は全くない。そもそも、これは百済が高句麗に対抗するほどの強国であることを梁へアピールするためのものであることを忘れてはならない。そのため百済は大加耶や新羅までもみずからの附傭国であると梁に主張したのであった。それゆえ、当然、そこには虚実も含まれているのであって、ここからただちに全羅南道全域支配を導けるわけではない。

もっとも看過しえないのは、呉吉煥[2003]が『梁職貢図』百済国使題記や『梁書』百済伝にみえる「二十二檐魯」を武寧王代ではなく、東城王代のことと説くことである。百済は既述のように強国であることをアピールしていたから、武寧王代に百済が全羅南道南部も完全に支配していたならば、必ずやそれをアピールしたであろう。にもかかわらず、武寧王がわざわざ東城王代の「二十二檐魯」を主張したのは、図らずも全羅南道南部の支配が必ずしも進展していなかったことを示しているのではないだろうか。520年代においても全羅南道南部には檐魯が設置できない状況が存在していたのであって、これは当該地が必ずしも百済によって完全に支配されていたわけではないことを示唆しているといえよう。こうしたことも考慮して百済における全羅南道全域支配については、もう少し慎重であってもよかろう[5]。

このように理解すると、少なくとも百済国使題記の作成時期である520年頃、百済が全羅南道すべての地域を領有化し、百済式支配を行っていたとするのは、きわめて困難であるといえるであろう。むしろ、百済が南方諸国のうち、まず⑥止迷、⑦麻連を列挙したのは、①叛跛、②卓、③多羅、④前羅などと同様に、当該地域を支配していなかった、あるいは百済式支配を貫徹できなかったからであり、かつ百済が向後、当該地域の支配進展をきわめて重視していたからであったと考えられるのである。その意味において、百済国使題記の「旁小国」は、百済の全羅南道進出過程の一側面を示すものとして、きわめて有益な史料として理解されるのである。

V. 小結—新羅使節随伴の理由

以上、これまで『梁職貢図』所載百済国使題記にみえる「旁小国」の既往の研究を批判的に検証し、それが520年頃の百済東方・南方に対する領土拡張など、政治的・領土的重要性などと関連して百済によって意図的に列挙されていたことを指摘してきた。

---

5) なお、呉吉煥[2003]は⑥止迷・⑦麻連・⑧上己汶・⑨下枕羅が「百済とは別個の国であったか疑問である」としつつも、これら地域は「百済の軍事的進出が行われた後にも、百済の領域とは区別して扱われていと考える他ない」として、「百済中央による一元的支配の色彩の濃い「檐魯制」には組み込まれていなかったと想定することが可能である」と指摘する。だが、「百済の軍事的進出」が必ずしも詳らかではないことからみて、⑧上己汶は別として、それ以前に列挙された⑥止迷・⑦麻連が「百済とは別個の国」であった可能性も想定できるようにおもう。

それならば、なぜ政治的関心の高かった伴跛・卓淳や西方の止迷・麻連ではなく、東方諸国のうち、当該期、もっとも百済の領土的・政治的課題の低かった新羅の使節が、百済の使節に随伴されて梁に赴いたのであろうか。新羅使節の随伴は百済によって選択された以上、そこには百済の何らかの政治的・外交的意図があったはずである。百済はなぜ新羅を選択したのか、最後にそれについても論及しておこう。

それは第一に、百済は①叛跛、③多羅などと対立しており、現実的にそれら敵対諸国を随伴して、梁に使節を派遣することが困難であったからであろう。「旁小国」の多くの使節を随伴すれば、それだけ百済は梁に対して百済の強国さをアピールすることが可能であった。しかし、百済とそれら諸国は敵対していた、ないしは支配が及んでいなかったから、それは現実的に不可能であった。そこで、百済とは直接、敵対関係になかった新羅が随伴されたのであろう。そして、その結果、百済はいまだ附傭したこともない新羅を百済主導のもと、梁へ随伴して、みずからに附すべきものとしてアピールすることによって、百済の強大さを梁に訴えたのであろう。

その第二は、新羅を随伴することの政治的効果が考慮されたからであろう。新羅はすでに北朝であったものの、高句麗に随伴された中国に使節を派遣していた。それはおそらく、南朝・北朝との交流過程で南朝の梁にも伝えられていたに相違ない。そうした新羅を随伴して梁に入朝することは、百済が高句麗にかわって新羅を支配していることを政治的にアピールする上で、絶好の機会であったはずであった。実際に、この時の百済の情報にもとづいて作成されたとされる『梁書』百済伝には、百済がしきりに強国である高句麗を破ったとしている。これは百済の新羅使節随伴ということとも関連して、高句麗を破った百済が高句麗に代わって改めて新羅を「附傭」したことを、より積極的かつ具体的に梁へ示すものであった。百済は新羅使節を随伴することによって、新羅が高句麗を破った百済に「附傭」することとなったことを梁にアピールし、その主張の現実性を証明しようとしたのであろう。百済の主張の説得性をより高めるためのものとして新羅使節は利用されたのであった。その政治的アピール力という意味では、現実的に実現不可能ではあったが、①叛跛や②卓などは到底新羅に及ばない。ましては史料にみえず、梁の知識人たちにも十分に知られてない⑥止迷・⑦麻連などの小国ではなおさらである。このように百済による新羅使節随伴は、百済の強大さを梁に説得力をもって示すための政治的手段なのであった。ここに百済の外交における狡猾さが認められるのである。

〈参考文獻〉

赤羽目匡由, 2014,「新出「梁職貢図」題記逸文の朝鮮関係記事二、三をめぐって」鈴木靖民・金子修一編『梁職貢図と東部ユーラシア』勉誠出版

東潮・田中俊明, 1989,『韓国の古代遺跡2百済・加耶編』中央公論社

鮎貝房之進, 1971,『日本書記地名考』国書刊行会, 初版1937

榎一雄, 1963,「梁職貢図について」,『東方学』26

______, 1964a,「〈梁職貢図について〉補記」,『東方学』27

______, 1964b,「滑国に関する梁職貢図の記事について」,『東方学』27

______, 1969,「梁職貢図の流伝について」(『鎌田博士還暦記念歴史学論叢』鎌田先生還暦記念会

______, 1970,「梁職貢図に関する玫媿集の記事」,『オリエント』11-1・2

______, 1985,「描かれた倭人の使節―北京博物館蔵〈職貢図〉巻」,『歴史と旅』12-1

※これら論文は『榎一雄著作集』7巻(汲古書院、1994年)に収録

王素著・菊池大・速水大訳, 2014,「梁職貢図と西域諸国―新出清張庚模本「諸番職貢図巻」がもたらす問題―」(鈴木靖民・金子修一編『梁職貢図と東部ユーラシア』勉誠出版

河上麻由子, 2015,「「職貢図」とその世界観」,『東洋史研究』74-1

呉吉煥, 2003,「百済熊津時代の領域支配について―「二二檐魯」と「地名王・侯」を中心に―」,『朝鮮学報』189

高寛敏, 1997,『古代朝鮮諸国と倭国』雄山閣

佐伯有清, 1982,『新撰姓氏録の研究』考証編第2, 吉川弘文館

坂元義種, 1978,「訳注中国史書百済伝・梁職貢図」,『百済史の研究』塙書房

末松保和, 1996,「任那興亡史」,『末松保和朝鮮史著作集4 古代の日本と朝鮮』吉川弘文館, [初出]1949, 大八洲出版

鈴木靖民, 2014,「東部ユーラシア世界史と東アジア世界史」鈴木靖民・金子修一編『梁職貢図と東部ユーラシア』勉誠出版

鈴木靖民・金子修一編, 2014,『梁職貢図と東部ユーラシア』勉誠出版

全栄来著・中山清隆訳, 1991,「百済南方境域の変遷」山中裕・森田悌編『論争 日本古代史』河出書房新社

武田幸男, 1974,「新羅・法興王代の律令と衣冠制」,『古代朝鮮と日本』朝鮮史研究会、龍渓書舎

________, 1992,「文献よりみた伽倻」,『伽倻文化展』朝日新聞

田中俊明, 1992,『大加耶連盟の興亡と「任那」加耶琴だけが残った』吉川弘文館

________, 2009,『古代の日本と加耶』山川出版社

西嶋定生, 1964,「倭国使図」,『現代のエスプリ』6(特集;日本国家の起源)、至文堂、後、「倭国使図について」,『西嶋定生東アジア史論集』4巻、岩波書店、2001年所収

山尾幸久, 1989,『古代の日朝關係』, 塙書房

深津行徳, 1999,「台湾故宮博物院所蔵『梁職貢図』模本について」,『学習院大学東洋文化研究所調査研究報告』44

李成市, 1988,「《梁職貢図》の高句麗使図について」,『東アジア史上の国際関係と文化交流(昭和61・62年度文部省科学研究費補助金総合研究(A)研究成果報告書)』

李成市, 2014,「「梁職貢図」高句麗・百済・新羅の題記について」鈴木靖民・金子修一編『梁職貢図と東部ユーラシア』勉誠出版

李鎔賢, 1999,「『梁職貢図』百済使条の「旁小国」」,『朝鮮史研究会論文集』37

〈韓国語〉

金泰植, 1988,「6세기 전반 加耶南部諸国의 소멸과정 고찰」,『韓国古代史研究』1

金泰植, 1997,「百済의 加耶地域関係史:交渉과 征服」,『百済의 中央과 地方』忠南大学校

百済研究所
尹龍九, 2012,「현존《梁職貢図》百済国記三例」(『百済文化』46、2012年) ·「梁職貢図의 流伝과 摹本」,『木簡과 文字』9
李弘稙, 1971,「梁職貢図論考—특히 百済国使臣 図経을 中心으로—」,『韓国古代史의 研究』新丘文化社
洪思俊, 1981,「梁代職貢図에 나타난 百済国使의 肖像에 대하여」,『百済研究』12

〈中国語〉

金維諾, 1960,「"職貢図"的時代与作者」,『文物』1960年第7期
趙燦鵬, 2011,「南朝梁元帝《職貢図》題記逸文的新発現」,『文史』2011年1期

『중국 양직공도 마한제국』 토론녹취록

좌　장 : 정재윤(공주대학교)

발표자 : 임영진(전남대학교)
林華東(중국 浙江省社會科學院)
윤용구(인천도시공사)
박중환(국립중앙박물관)
井上直樹(일본 京都府立大學)
곽장근(군산대학교)

토론자 : 김기섭(공주대학교)
문안식(동아시아역사연구소)
박윤선(대진대학교)
박찬규(단국대학교)
서현주(한국전통문화대학교)
손희하(전남대학교)
이근우(부경대학교)
이동희(인제대학교)
이영철(대한문화재연구원)
이정호(동신대학교)
조근우(마한문화연구원)

통역자 : 여병창(청운대학교)
강은영(전남대학교)

정재윤 : 지금부터 종합토론을 시작 하도록 하겠습니다. 이번 학술대회 주제가 <중국 양직공도 마한제국> 입니다. 양직공도 자체라기 보다는 방소국에 중점을 두고 있습니다. 그래서 이 방소국의 실체를 살펴보자는 것이 이번 학술대회의 목적입니다. 이번 학술대회는 기조강연 한분과 총 다섯 분의 주제발표가 있었습니다. 가급적 시간을 효율적으로 사용하기 위해 요약은 하지 않겠습니다.

기조강연을 맡으신 임영진 교수님도 합석하셨는데 가급적이면 기조강연에 대한 토론은 시간 관계상 하지 않았으면 좋겠지만 그래도 꼭 질문하실 분이 있으시면 하셔도 좋습니다. 그리고 다섯 분의 선생님에 대해서는 각각 15분 이내에 끝나야 합니다. 보니까 모든 선생님들이 다섯 분에 대해서 토론문을 다 작성하신 것이 아니라 집중적으로 언급하고 있기 때문에 그것을 중심으로 해주시면 좋겠습니다. 단 전제는 현재 주제와 관련된 방소국, 마한이라는 키워드와 관련된 큰 틀에서 관련된 질문을 해주시면 좋겠습니다. 그리고 10분 가량 휴식을 진행하고 나서 크게 세주제로 나누어, 먼저 양직공도 백제국 기사와 관련된 작성 시기나 의도, 두 번째는 방소국 문제를 다루겠습니다. 그리고 마지막에 마한제국의 실체, 이런 식으로 종합토론을 1부와 2부로 나누어 진행하겠습니다.

그럼 본격적으로 토론을 진행하겠습니다. 임영진 교수님의 기조강연과 관련하여 질의를 해주시면 되겠습니다.

이정호 : 침미다례 공격사건에서 백제에 항복한 4개, 5개 고을이 당시 바닷길에 위치한 제세력으로 보고 계십니다. 침미다례는 고흥의 안동고분을 중심으로 하는 지역으로 보고 계시는데요, 궁금한 점이 당시 항복했던 세력들이 서남해안 연안의 제소국이라면 교수님께서 유력하게 지목을 하고 계시는

것이 있는가 하는 질문을 드리고 싶습니다. 이 질문을 하는 이유가 해안 지역에 바닷길과 연관되어 있는 유적들 중 가장 먼저 떠오르는 것이 해남 북일면 일대의 고분군들인데 이 북일면 일대 유적들이 시기적으로 보면 고흥 안동고분보다 더 후행하는 시기의 고분들이 중심을 이루고 있는데, 북일면 일대에 침미다례 공격사건 이후에 폭발적으로 고분군이 조성되고 또한 지역 집단세력이 성장하는 상황이 되는데, 그렇다면 침미다례 공격사건에 대해 어떻게 생각하시고 또 어디에 비정하고 계시는가 질문 드리고 싶습니다.

임영진 : 질문의 범위가 굉장히 넓네요. 고대사학계에서도 계속해서 수 많은 논의가 이루어지고 있고, 고고학 자료까지 감안되면서 논의가 더욱 복잡하게 전개되고 있는데, 아주 중요한 문제지요. 일본서기 신공기 49년조에 나오는 공략기사에서 어디까지를 사실로 믿어야 될 것인가 하는 문제부터 시작해서 거기에 등장하는 개별 소국의 위치를 비정하는 문제에 있어서는 수많은 연구자들이 각자의 기준에 따라서 소국들의 위치를 비정해 왔는데 딱히 의견이 일치하는 지역은 없다고 할 수 있을 것 같습니다. 가장 중요한 침미다례에 대해서는 강진쪽으로 비정하시는 분이 많은 편인데, 그게 대개 한자 발음의 유사성을 가지고 한 것입니다. 신공기 49년조 기사의 사실성을 어디까지 인정할 것인가 하는 것은 제 능력 밖의 일이기는 하지만 많은 연구자들의 연구 성과를 보면 그 연대에 대해서는 차이가 있지만 전혀 없었던 허구의 사실이라고 보지는 않는다는 점이 주목됩니다.

그래서 저는 침미다례 공략기록이 나름대로 역사적으로 의미가 있는 기사였다면 큰 흐름속에서 그 위치를 파악해볼 필요가 있겠다고 생각합니다. 남만 침미다례를 도륙했더니 비리벽중포미지반고사읍이 스스로 항복했다는 것, 이게 의미가 있는 선후관계를 가진 사건이고, 그 도륙사건의 주체를 왜가 아닌 백제라고 한다면 백제가 왜 도륙이라는 표현까지 쓸 정도로 공략했을까? 아마도 침미다례는 백제와 왜 사이의 항로상에서 상당히 중요한 위치를 차지하고 있었을 것인데 백제가 왜로 통하는, 또는 왜가 백제로 통하는 과정에서 장애가 됨에 따라 가장 먼저 제압한 것일 것이고, 그 제압의 강도가 일반적인 수준을 넘어서 도륙이라는 표현을 쓸 만큼 강력하였기 때문에 그와 비슷한 여건 혹은 입장에 있는 항로상의 다른 소국들이 지레 겁을 먹고 스스로 항복했을 가능성이 있겠다. 그렇다면 그 항로는 백제가 한성에서 배를 띄워 내려 온다면 태안반도를 돌아 변산반도 죽막동을 거쳐서 영광, 함평, 무안, 해남, 강진, 고흥, 이런 지역을 거쳐 갈텐데 그 가운데 가장 중요한 지역이 침미다례이었을 것입니다.

해남지역은 서해에서 남해로 꺾이는 지역이라서 많은 분들이 지목하고 있고, 강진을 지목하는 분들은 한자지명의 발음이 비슷하다는 점을 들고 있죠. 그런데 도륙을 했다면 다시는 재기할 수 없었을 정도로 초토화를 시켰다는 것인데, 초토화를 시켰다면 과연 그 지역에, 그 시점 이후에 해당하는 고고학 자료들이 만들어질 수 있겠는가, 그것을 감안할 필요가 있다고 봅니다. 또한 침미다례가 도륙의 대상이었다고 한다면 나름대로 상당한 세력을 형성하고 있었을텐데 강진에는 특별한 유적이 없지요.

해남의 경우 군곡리 유적이 유명하고 항로상의 중요한 기항지로 인정되는데 군곡리 유적 자체는 패총입니다. 먹고 버린 폐기물 더미이고, 상당히 오랫동안 지속됐는데, 그런 폐기물 더미를 남긴 세력이 있었던 지역을 찾아볼 필요가 있지만 여태까지 그에 해당하는 세력집단의 확실한 거주 유적이나 매장 유적은 드러나지 않은 것 같습니다. 그런 점을 감안한다면, 군곡리를 중심으로 한 해남지역을 도륙의 대상지인 침미다례로 볼 수 있을 것인가? 물론 북일면을 중심으로 6세기대 고분들이 나오고 있고, 5세기대에는 무안에서부터 신안, 해남, 고흥으로 이어지는 지역에 왜계 석관을 가진 고분들이 나오는데, 5세기대 왜계 고분들은 복잡한 배경을 안고 있지만 침미다례와 관련되기 어려운 것들이므로 일단 접겠습니다.

침미다례 도륙과 그 이후 이어지는 비리벽중포미지반고사읍의 항복 문제를 큰 시각에서 본다면, 특히 고고학 자료로 봤을 때는 고흥지역이 그런 조건을 충족시키는 지역이라는 점에서 침미다례를 고흥으로 보고자 합니다. 고흥에서는 5세기 말 이후 더이상 기존 토착세력의 성장을 보여주는 자료를 찾아보기 어렵고 그 이후 백제의 직접적인 지배와 관련됐다고 판단되는 백제 석실분도 찾기 어렵습니다. 그래서 그런 고고학적 현상이 문헌기록에 나오는 도륙의 결과가 아니겠는가 하는 것이고, 남해안의 고흥이 도륙되자 비리벽중포미지반고사읍이 항복했다면 아직 백제에 복속되지 않았던 고창에서부터 해남에 이르는 서해안 지역일 가능성이 높지 않겠는가 하는 것입니다. 하나하나 해당하는 소국을 지목하는 것은 고고학 자료만으로는 어렵겠습니다만 고창, 영광, 무안, 해남으로 이어지는 서해안 지역이 비리벽중포미지반고사읍에 해당할 가능성이 높다고 생각합니다.

정재윤 : 임영진 교수님께서 많은 말씀을 해주셨는데 추가적인 부분은 나중에 종합토론을 진행하면서 논의하도록 하겠습니다. 첫 번째 주제발표를 해주신 임화동 선생님께서 양원제 소역의 직공도에 대해서 발표하셨습니다. 여기에 대해서 크게 질문은 없었던 것 같습니다. 유일하게 말씀하신 분이 박윤선 교수님인데 간단하게 질문 부탁드립니다.

박윤선 : 역대명화기에는 소역이 형주자사로 있을 때 직공도와 번객입조도를 그렸다는 기록이 있고, 양사, 남사 원제기와 금루자 저서편에 공직도라고 되어 있어 모두 3가지가 나오고 있는데, 왕소 선생님의 견해를 인용하여 이것은 형주자사 시절의 번객입조도, 남경에 있을 때의 직공도, 황제 재위 시의 공직도 등 서로 다른 단계의 같은 그림이라고 추론하셨습니다. 이것은 현재 남아 있는 직공도의 내용이 서로 다른 점에 대해 이해할 수 있도록 해주는 설명이라는 점에서 상당히 홍미로운데 송대 저자 미상의 조란파소장서화목록에 번객입조도를 수록하고 있고 이것이 역대명화기의 직공도라고 하였다는 점과 직공도와 공직도는 글자를 바꾸면 잘못 쓰여지기 쉽기 때문에 그러한 점을 고려하면 상당히 설득력 있는 추론이라고 생각합니다.

다만 아직도 역대명화기에 소역이 형주자사로 있을 때 직공도와 번객입조도를 그렸다고 하여 두 가지로 거론되고 있고 명칭과 권질이 다른 점에 대한 해명이 필요할 것 같습니다. 그리고 무엇보다도 양원제가 명성이 있는 인물이어서 그의 그림이면 중간단계라도 사람들이 모사했을 것이라고 말씀하셨는데 모사할 수 있도록 저자가 미완의 그림을 다른 사람들에게 공개하였을지, 보여주고 거둬서 보완하고, 다시 내어 보이고 거두어 완성하는 그런 단계를 거쳐 완성했을까, 그게 가능했을까, 그게 의문입니다. 기록대로 소역이 본래 두 가지 혹은 세 가지의 직공도를 만들었다고 보는 것이 이해하기 편하지 않을까, 이런 생각이 들었습니다. 결국 35개국이 있으면 최후에 완성된 공직도라 하셨는데 현전하는 고덕겸모본이 33개국, 북송 모본이 12개국, 염입본이 24개국, 장경모본이 18개국입니다. 그렇다면 이 모본들은 완성본의 모사가 아니라 중간 단계의 모사일까요?

그리고 지금 고덕겸본하고 북송모본 같은 경우에는 소역의 직공도의 모본으로 이해하는 것이 일반적인 것 같은데 이에 비해서 염입본왕회도하고 장경모본 같은 경우에는 어떤게 모본인지 명확하지 않은 것 같습니다. 염입본왕회도, 이렇게 부르는 것을 보면 염입본의 저작이라는 입장을 보여주는 것일텐데요, 한편으로는 염씨형제의 작품과 소역의 작품은 구분하기 어렵다고 하셨어요. 결국은 염입본도 소역의 작품으로 보시는건지, 장경모본의 원본에 대해서는 어떻게 생각하시는지 궁금합니다.

소역의 직공도는 배자야의 방국사도를 저본으로 증보한 형태라는 견해가 널리 받아들여지고 있는데 임화동선생님께서는 왕소 선생님의 견해에 공감하며 소역의 직공도가 15년 동안 제작된 것이라고 보고 계십니다. 저본이 있는 것이 아니라 새로 공을 들여 만들었다고 보는 것으로 이해를 했습니다. 그렇다면 소역의 직공도에 배자야의 저본이 있었다는 견해에 대해 어떻게 생각하시는지 궁금합니다.

임화동 : 방금 말씀하신 것은 논문에서 말씀드린 것과 기본적으로 비슷한 것 같습니다. 15년 정도 기간 동안에 끊어졌다 이어졌다 이렇게 만들어지고 그 사이에 판본들이 달리 있었을 것이고 소역의 이름이랄지 명예랄지 이런 것들 때문에 서로 다른 부본들을 모사한 것이 있었을 텐데 사실 이건 주로 중국 학술대회에서 언급되는 이야기들을 특히 왕소 선생의 견해를 중심으로 이야기 한 것입니다.

중간에 그림을 왜 내주었겠느냐 하는 것과 직공도와 번객입조도를 따로 보는게 좋지 않겠느냐 하는 말씀은 중국 학계에서 이야기 되고 있는, 일반적으로 이야기 되고 있는 왕소의 견해를 전달한 것입니다. 왜 아직 미확인 단계의 직공도를 모사했을까, 차라리 소역이 두가지 또는 세가지

직공도를 따로 그렸다고 보는 것이 좋지 않겠느냐에 대해서는, 남경에 오면 작성하는 기간이 굉장히 길었을 것이고 이러한 과정에서 중간에 만들어지면 그것이 또 퍼져나가고, 퍼져나가고, 이러한 것 역시 왕소 선생의 견해가 타당하다고 본 것입니다.

그리는 과정도 굉장히 길었습니다. 처음에 본인이 만났던 사신들을 한 사람씩 먼저 그리고, 나중에 점차 보완해 나갔을 것이기 때문에 만드는 과정에서 1차 완성 후 나중에 보충하면서 나라 수가 달라졌을 것이고, 또 나중에 일부가 유실되거나 파손되거나 이런 과정에서 나라의 수가 줄어들게 되었을 것이고, 결국은 학계에서는 완성된 것이 35개국으로 보는 것이 일반적입니다. 염씨 형제는 자기들이 창작한 것이고 소역의 것과 기품이 비슷하다, 그런 생각입니다. 마지막 질문에 대해서는 현재 충분한 답변을 드리기 어려울 것 같습니다.

정재윤 : 첫 번째는 양직공도 전반에 대한 내용이었습니다. 두 번째 내용은 현존하는 양직공도의 실체에 대한 발표였습니다. 윤용구 선생님께서 크게 양직공도에 나타나는 나라의 수를 고덕겸모본에는 33개국, 북송모본에서는 25개국이었는데 12개국이 남았고 염립본에는 24개국, 장경모본에는 18국이 남았다. 남아있는 양직공도 각각의 내용이 다른 것이죠. 이번 주제와 관련하여 가장 핵심은 북송모본인 양직공도와 장경모본 직공도, 남송 누약 소견 직공도의 제의를 양서와 비교해서 최종적으로 이 내용이 어떠하였을까, 하는 것에 대해 나름대로 의견을 제시해 주셨습니다. 수년간의 연구 결과를 이번 학술대회에서 발표 하셨습니다. 여기에 대해서는 어제 저녁에 많은 토론이 있었는데 박찬규 선생님께서 간단하게 질문해 주시면 감사하겠습니다.

박찬규 : 우리가 이번 학술대회에서 주제로 삼고 있는 것 중에서 가장 중요한 것이 방소국에 대한 문제인데, 방소국 여러 나라 중에 한가운데 있는 것이 사라라는 나라입니다. 물론 사라는 신라겠지요. 그런데 사라국에 대한 명칭, 이것이 왜 사라라고 표현이 되어 있겠는가 하는 문제, 그 부분에 대해서 윤용구 선생님께서는 어떻게 생각하고 계시는지 궁금합니다.

윤용구 : 1960년대에 발견이 돼서 학계에 알려진 뒤에 첫 번째로 그 부분에 대해 글을 쓰신 분이 이홍직 선생님입니다. 그때 사라가 신라가 틀림없다고 보셨고, 신라사 하시는 분들은 사라가 신라를 가리킨게 아니라 가야의 어떤 나라거나 마한 54개국 중에 사로국이 있어요, 그래서 그 사로국이 사라일 것이다, 이렇게 생각하시는 분들도 많았는데, 그 뒤에 대부분이 신라가 틀림없다는 것을 인정해왔습니다. 그러다가 장경모본에 사국 제기가 나오고 있죠. 그런데 내용이 분명히 신라의 내용이니까 북송모본의 사라라고 하는 것이 숙제가 되었을 것이라고 생각합니다.

장경모본의 사라국의 제기가, 신라의 제기가 나왔기 때문에 의문의 여지가 없고 그 당시에 신라의 정식 명칭이 있는데 백제가 사라라고 쓴거냐, 아니면 신라 스스로 사라라고 표방을 한거냐, 이것을 판단하는 기준은 6세기대 신라 봉평비입니다. 523년 봉평비에는 신라라는 표현이 있습니다. 그런데 냉수리비에는 사라국이라고 나와요. 스스로도 앞선 시기에 사라라는 표현을 쓰고 있습니다. 521년에 백제 사신을 따라 신라 사신이 간거니깐 그 당시에 아마 사라라고 했을 수도 있고, 아니면 신라라고 이름을 고쳤는데도 백제가 그렇게 이름을 쓴 것 같기도 한데 그에 대해서는 나중에 다시 말씀 드리겠습니다.

박찬규 : 사라라고 하는 표현 자체가 과거의 명칭이기 때문에 낮추는 의미로 쓴 것이 아닌가, 그런 글들이 있어서 질문을 드렸습니다. 그렇다면 반파의 경우나 다른 경우 모두 그렇게 보시는 건지요?

윤용구 : 이용현 선생이 1999년에 글을 쓰시면서 일본 쪽 기록의 사라라는 표현을 말씀 하셨어요. 그런데 그게 굉장히 안 좋은 의미로 쓴거다, 이런 표현을 하신바 있었습니다.

박찬규 : 현재 자료로 밝혀진 바로는 좋지 않은 표현보다 신라 스스로 쓴거다, 이런 말씀이시죠?

윤용구 : 저는 냉수리비에 나오는 국명을 신라 스스로가 사용했다고 생각 합니다.

박찬규 : 저도 그게 자연스럽다고 보는데, 왜냐하면 양직공도 정보가 백제권에서 제공이 되는 것인데, 이 당시에 분명히 신라 사신이 백제 사신을 따라서 갔단 말이에요. 양나라 조정에 따라 가서, 같이 조공을 하고, 바로 옆자리에 있었을건데 아무리 당시 신라 사신이 중국어를 모른다고 하더라도 자기나라 국호를 낮춰서 부르는데 가만히 있었을까, 그 정도는 알아들었을 것 같은데, 그런 점에서도 아마 사라라고 하는 표현은 낮춰서 부른 표현은 아닐 것 같다, 이런 생각입니다.

정재윤 : 사실 신라라는 국호를 쓴 게 새롭게 사방을 두른다는 신라의 천하관이랄까 의식이 반영된 것이기 때문에 사라라는 명칭이 언제 신라로 공식적으로 바뀌느냐에 따라서 양직공도에 서술된 내용의 작성시기라든지 전해진

시기도 살펴볼 수 있는 중요한 단서가 될 것이라고 생각됩니다.

이 토론은 종합토론도 있고 개별토론도 있습니다. 개별토론에 참여하시지 않으시는 분은 종합토론에 참여해 주시면 되겠습니다. 다음 세 번째로 박중환 선생님께서 대외관에 대해 발표를 하셨는데 여기에 대해 자발적으로 질의를 해주시면 감사하겠습니다.

이동희 : 발표자께서는 전남 남해안 지역인 지미와 영산강유역인 마련이 경남북 지역인 반파, 탁, 다라, 전라, 사라와 함께 방소국에 포함된 것은 양직공도가 기재되던 웅진 후기에 낙동강 중류지역이 백제에 영속되지 못했듯이 영산강유역 역시 백제의 지배범위 안에 포함되지 못하고 있었다는 사실을 말해주는 것이다라고 말씀하셨습니다. 이와 관련하여 부연설명이나 견해를 말씀 드리면 저는 지미에 대해서 지난번 다른 발표에서 해남으로 본 바가 있고, 마련에 대해서 김태식 선생님의 생각과 같이 광양으로 보고 있습니다.

521년 단계에도 호남 동남부의 몇몇 세력은 백제에게 공납을 바치든가 하더라고 여전히 독립성을 유지하고 있었을 것으로 생각합니다. 6세기 전엽에도 호남 동남부의 일부 세력은 백제의 영향하에 있었지만, 아직 지방관이 파견되어 군현으로 편제된 것은 아니어서 여전히 독립성을 유지한 간접지배 단계라고 볼 수 있습니다. 고고학적 양상으로 보면 합천의 다라국이 대가야권에 속하고 있다고 하더라도 일본서기에는 다라국이 독자성이 강한 소국으로 표현되고 있어 좋은 참고 자료가 되는 것 같습니다.

국명에 대한 논란은 끝이 없을 것 같기 때문에 거기에 대해서는 질문을 드리지 않고 백제의 영산강유역에 대한 지배방식, 아까 백제 지배 범위 안에 포함되지 못한다고 생각하셨는데 백제의 영산강유역에 대한 지배방식이 시기별로 어떠했는지 질문 드리고 싶습니다.

박중환 : 백제가 영산강유역을 어떻게 지배했는지 시기적으로 어떻게 변했는지에 대해서는 그동안 정말 많은 논의가 있었습니다. 한쪽에서는 4세기 후반에 직접지배를 시작했을 것이다, 여기서부터 시작해서 오늘 이야기 되고 있는 6세기 초까지도 독립적인 상태를 유지했을 것이다, 이런 견해까지 있습니다. 오늘 이 다양한 논의의 장에서 그 이야기만 깊게 논의하기는 어려울 것 같습니다. 다만 핵심적인 한 가지만 말씀드린다면 오늘 우리가 이야기 하고 있는 양직공도라고 하는 이 그림, 그림에 있는 글씨, 이것이 대단히 독특한 사료입니다. 사료적인 가치를 의심하는 사람들도 있고 그런데 이 기록의 핵심적인 메시지 중의 하나는 이것입니다. 굉장히 치열한 외교의 장입니다. 고구려와 고구려에 비해 밀리지 않으려는 백제의 확실한 외교활동의 장에서 나온 백제 사신의 주장이라고 생각합니다.

방소국 내용은. 다른 해줄 사람이 없습니다. 여기서는 외교적인 멘트가 굉장히 중요하거든요. 예를 들어 지금 독도를 놓고 유엔에서 논쟁을 벌이고 있는 것과 비슷한 상황입니다. 그런데 거기에서 방소국들이 백제의 부용국이고 자기들의 방소국이라고 주장을 할 사람은 백제 사신밖에 없습니다. 그런데 거기에서 백제 사신이 가야의 여러나라 뿐만 아니라 섬진강유역의 나라들이 자신의 방소국이고 부용국이다, 이렇게 주장을 했다는 것입니다. 이것은 이 지역이 자신들의 직접지배 지역이 아니라는 것을 자신들의 입으로 고백한 것이다라고 생각합니다. 그것이 이 기록의 가장 중요한 핵심적인 메시지로 생각합니다.

지금까지는 일반적으로 가야지역의 여러 나라들은 늦게까지 신라에 대해서 독립적인 위치를 유지하고 있었지만 영산강유역의 세력들은 조금더 일찍 백제의 직접지배를 받았을 것이다, 이렇게 생각하는 것이 일반적인 학계의 경향인데 그것이 전혀 그렇지 않다라는 것을 보여주는 것이 이 방소국 9개 나라가 521년까지도 백제 사신이 자기 이름으로 방소국이라는, 나라국자를 붙여서 고백하고 있다는 사실이 우리가 이 영산강유역의 제 세력들이 언제 백제에 직접지배에 들어가는가를 이해하는데 대해 새로운 자료를 제시해주는 그런 기록으로 저는 생각합니다.

이것을 시기적으로 선생님께서 질문하신 것처럼 영산강유역이 백제에 시기별로 어떤 관계가 있었나 이것을 이야기 하는 것은 너무나 길어질 것 같습니다. 양직공도 방소국 기사가 영산강유역을 이해하는 던지는 메시지는 이것이다, 백제 스스로가 아직까지도 나라국자라고 하는 독립된 세력으로 인정하고 있다고 하는 그런 사실이 있다고 저는 생각합니다.

정재윤 : 답변을 효율적으로 잘 하셨습니다. 사실 이 영산강유역이라고 하는, 이 자체에 넓은 의미가 있습니다. 영산강유역이 나주나 영암권 뿐만 아니라 남해안권까지 포함하는 의미일 수도 있거든요. 영산강유역이라는 말에 있어서 온도차가 있는 것 같습니다. 여기에 대해서 제가 읽다 보니까 이정호 교수님과 서현주 교수님이 다른 차이가 있는 것 같습니다. 혹시 하실 말씀 있으시면 부탁드립니다.

이정호 : 제 기본 개념은 그렇습니다. 제가 소속되어 있는 곳이 동신대학교입니다. 최근에 동신대학교 총장님으로 목포대학교 총장님을 하시던 분이 오셨습니다. 목포대학교 동료들이 하는 말이 목포대학교 부속 동신대학교다, 이런 말씀을 하시는데 저는 굉장히 기분이 나빠집니다. 그런데 농담이기는 하지만 목포대학의 위상이 올라간다, 이런 전제가 깔려있습니다. 또 하나

는 제가 소속되어있는 학교가 항상 전남의 최대 사립대학교라고 합니다. 그런데 아주 작은 학교거든요. 가만히 계산해 보면 광주를 빼면 전남에서는 가장 큽니다. 그래서 전남의 최대 사립대학이라는 프라이드를 가지려고 하는데 그런 것을 볼 때 일반인을 백제라고 하고 제가 소속되어 있는 학교를 만약에 영산강유역의 어느 지점이라고 뒀을 때 영산강유역의 어느 지점은 분명히 제가 속한 대학의 그런 정서를 가지고 있을 것이고 백제 입장에서는 그렇지 않다라는 정서를 가지고 있을 것인데 그래서 이게 양면성을 가지고 있다고 생각합니다.

특히 영산강유역중 반남지역에 국한된다고 생각합니다만 영산강유역의 제소국들에 대한 시각은 백제의 시각과 지역의 시각, 지방세력들의 시각은 상당한 차이가 있었을 것으로 생각하고 그 양면성이라는 것은 결국 어떤 측면에서 보느냐, 다시 말해서 이 영산강유역이 독립된 세력이었냐라고 본다면 영산강유역 입장에서는 독립된 세력일 수도 있고, 우리는 백제와 별개다라고 생각을 할 수도 있는 것이고, 백제 입장에서는 다른 시각을 가질 수 있을 것이다라고 생각합니다.

그런 점에서 저는 영산강유역이 상당히 자치적인 성격을 가진 정치집단일 것이다. 백제의 귀속되어 있되 자치적인 성격의 집단이 아니었을까 생각되고, 이 방소국이라는 표현도 마찬가지입니다. 완벽하게 백제에 독립된 백제의 정치적인 영향권 밖에 있을 경우에는 방소국이라는 명칭을 쓰지 않았을 것이라고 생각하고, 이런 점에서는 백제를 배제하고는 영산강유역을 설명할 수 없을 것이다, 이렇게 생각합니다.

만약에 영산강유역의 여러 세력중에 백제와 관계에 있어서 백제와 거리를 두고 있고 백제 입장에서 신경이 쓰인 집단이 있다면 아마도 나주 반남지역이라고 생각됩니다. 고고학적으로 보면 유일하게 영산강유역에서 끝까지 자신들의 묘제인 옹관을 계속 유지를 하고 있는 곳이 나주 반남이고, 반남에서 불과 8㎞ 정도 떨어진 나주 복암리만 보아도 일찍이 묘제 변화를 일으킵니다. 복암리에서 묘제 변화를 일으키는데 반남은 지속적으로 독자적인 묘제를 유지하고 있다는 측면에서 아마 백제와 어느정도 거리를 두고 있는 집단이 존재했다면 반남지역이 아니었을까 하는 생각입니다.

정재윤 : 시간 관계상 다음 주제로 넘어가겠습니다. 네 번째 주제는 백제 제기에 보이는 백제 방소국 재고라는 주제로 해서 이용현 선생님이 제시한 방소국 위치 비정에 대해서 구체적으로 접근하고 다시 덧붙여 새로운 의견을 제시하면서 의도적으로 정치적 중요성 때문에 신라 사절을 동반한 이유에 대해 말씀해 주셨습니다. 여기에 대해서 질의할 내용이 있으신 선생님께 질의 부탁드립니다.

조근우 : 제가 드릴 말씀은 발표문 중에 일부분에 대한 부분입니다. 양직공도에 나오는 마련하고 모루하고 같은 지명일 것이냐 하는 것에 대한 연장선상입니다. 선생님께서 섬진강 서안에 있는 임나4현에 대한 말씀을 하시면서 광양시 일대가 백제 땅이었는데 가야인이 임나4현을 설치했다고 하는 부분은 수긍하기 어렵다, 이렇게 말씀 하시면서 또 한편으로는 영산강유역보다 오히려 더 늦게 섬진강유역이 백제화되었을 것이다, 이런 시각을 가지고 계십니다.

마련하고 모루를 같은 연장선상에 두려고 하는 부분에 대해 중요한 것이라고 생각해서 말씀을 드리는 것인데 사실 섬진강 서안쪽의 광양, 순천, 여수 일대는 마한이라고 하는 단계에서는 전남의 서부지역과 비슷한 양상을 보이고 있는 것 같습니다. 그 이후 4세기 넘어가면서 5세기, 6세기가 되면서 조금 독특한 문화가 나타나는데, 독특한 문화라는 것이 그 자체가 백제라고 하기에도 그렇고 가야라고 하기에도 그렇고 하는 것들이거든요. 예를 들어 구례 고분을 가야고분이라고 해서 발굴을 했는데 거기에서 나온 토기들을 가야를 전공하시는 분들은 가야 토기라고 하고, 백제 토기를 보신 분들은 이게 여기서 만든 것이지 왜 가야 토기냐, 또 무덤 자체도 기존에 쭉 유지되어 왔던 토착세력들에 의해 축조된 느낌인데 일부 가야 요소가 들어오기도 합니다.

그래서 영산강유역과 비슷하게 섬진강유역 역시 6세기 전반 이전까지 백제 요소를 찾아볼 수 있는 것이 굉장히 빈약합니다. 5세기 말부터 시작해서 6세기 전반가지 가야의 문물들이나 토기들이 들어옵니다. 그래서 거기에 대한 인식이 제대로 이루어지면 마련하고 모루를 연결시켜볼 수 있는 계기가 되지 않겠느냐, 하는 쪽에서 선생님의 발표문 중 제가 읽기에 혼돈스러울 수 있는 부분에 대해서 말씀해 주시면 감사하겠습니다.

이노우에 : 사실 저도 6세기가 되면서 백제 계통의 토기 등 여러 가지가 유입되었다고 하는 것은 인정할 수밖에 없을 것 같습니다. 그런데 임나4현이 섬진강 서쪽에 있다라는 것은 사실 문헌사 입장이거든요. 그럼 합리적으로 이해하기 어려운 부분이 있지 않을까라는 것을 가지고 이야기 했습니다. 만약 고고학적으로 백제 계통의 유물이 많이 출토되더라도 혹시나 그 사람들이 백제 유물을 가지고 올 가능성도 있고 백제계 유물이 많이 있다고 하더라도 그 지역을 백제라고 할 수 있는지 없는지 그런 부분을 생각해 봐야하고 섬진강 일대가 아무래도 백제가 520년대에 진출한 후에 가져온 아니면 전해진 것이 유물에 반영된 것이 아닐까 하는 생각이고, 아까 말씀드린 것처

럼 고고학적인 유물이나 이런 것은 인정하면서도 그래도 저는 기본적으로 문헌사 쪽으로는 조금 문제가 있지 않을까 하는 생각입니다.

이동희 : 임나4현 문제와 관련하여 마련, 모루 문제가 나왔기 때문에 말씀을 좀 드리겠습니다. 저는 아까 말씀드린대로 마련은 광양으로 보고 있습니다. 그런데 마련이 모루하고 연결이 되고 있습니다. 그래서 임나4현이 중요한데요, 다나카 선생님의 경우는 영산강유역으로 비정하고, 스에마스의 경우에는 임나일본부설과 연동시켜 보는 것으로 알고 있습니다. 그래서 임나4현의 위치가 굉장히 중요합니다. 저는 마련, 모루, 이것을 광양으로 보는 이유가 10년 전에 도월리 분구묘가 조사된 바 있습니다. 여러기 중에 한기가 조사되었는데 직경이 30m 정도이고 축조 연대가 6세기초 정도로 보고 있습니다. 고분의 구조나 축조 방법을 보면 소가야계 분구묘 스타일입니다.

이게 늦게까지 잔존할 수 있었던 것은 백제 가장 변경에 있고 가야 인접지역이기 때문이지 않을까 생각합니다. 임나4현은 기문과 대사지역을 공략하기 위해 일종의 교두보 역할을 했으므로 기문, 대사와 가까운데요, 기문이 남원, 대사가 하동이라면 임나4현은 섬진강 서안이 가장 적정하겠다는 의견도 있습니다. 그래서 한국 고대사에서도 전남 동부권 여수, 순천, 광양으로 보는게 일반적인 것 같고, 고고학으로 확인한게 순천 운평리고분 발굴입니다.

일본에서는 임나4현을 대체로 영산강유역으로 보는게 일반적입니다. 그런데 일본학계에서도 임나를 가야와 동일시하고 있듯이 임나4현 영역에서는 가야와 관련된 유적이나 유물이 나와야 하는데 호남지역에서 가야와 관련된 유적은 호남 동부권에 한합니다. 호남 서부 영산강유역의 경우 가야의 유적 유물은 드뭅니다. 그래서 6세기 초엽에 임나4현, 이 현 단위가 오늘날의 시군 단위를 넘어서지 않기 때문에 스에마스, 다나카 선생님의 의견을 이노우에 선생님이 인용하고 계시는데 현을 굉장히 넓게 잡아놨어요, 거의 한 개 도 정도의 면적이 됩니다. 4현이 이렇게 넓을 수가 없는 것이고 지명으로 봐서도 임나4현, 모루가 백제 때 마루하고 연결되고 있습니다.

섬진강 서안 여수, 순천, 광양에 대가야 유물이 집중적으로 출토되고 있고 특히 운평리고분이 발굴되어서 사타의 지배층의 고분이 운평리라는 게 지난 학술대회를 통해서 어느 정도 정리가 되어 있습니다. 그래서 임나4현은 여수, 순천, 광양에 비정되고 5세기말-6세기초에 후기 가야 맹주국인 고령의 대가야와 연맹관계를 맺고 있던 임나의 4개 고을일 뿐인데 이것을 영산강유역으로 비정하는 것은 여러 가지 고고학적 정황이나 음상사, 지명으로 봐도 맞지 않습니다. 다나카 선생님의 견해를 많이 인용하시는데 그래서 임나4현 위치하고 임나일본부와 연동해서 보는 학설이 있습니다. 이에 대해 어떤 견해를 가지고 계시는지 궁금합니다.

이노우에 : 일단 먼저 말씀드리고 싶은 것은 임나4현이 가야라고 저는 생각하지 않았습니다. 그래서 가야와 다른 지역이라고 생각했습니다. 일단 임나4현에 대해 언급하는 이유 중 하나가 제가 말하고 싶은 것이 아니라 지금까지 해왔던 연구자들이 마련이 모루와 같다고 생각하시면서 그럼 모루가 어디냐, 모루가 어디냐에 따라서 마련이 어디에 있는지 알 수 있는 것이기 때문에 언급한 것인데, 이렇게 생각하다 보니까 만약에 섬진강 서안이라면 여러 가지 문제가 있는 것이 아닐까 하는 생각인데, 전라남도 남쪽의 백제 방소국의 입장에서 보면 남해안쪽으로는 지배하지 않았기 때문

에 더 동쪽에 있는 섬진강 서부 지역을 어떻게 백제가 지배 했었을까 하는 문제가 있지 않을까 합니다. 백제가 전라남도 남해쪽도 전부 지배해야 동쪽으로 진출해서 섬진강 서안 지역을 지배할 가능성이 생기는데 거기까지 가지 않은 상태에서 섬진강 서부지역을 먼저 지배하는 것은 문제가 있지 않을까 생각합니다. 이것은 섬진강 북쪽에서부터 내려가는 방향을 생각하더라도 섬진강 서부쪽은 지배했는데 거기서 건너가서 대사쪽을 공략하지 않았을까, 이런 문제가 있기 때문에 그렇게 생각하는 것이 어려운 것이 아닐까 합니다.

제가 말하고 싶은 것은 임나4현이 영산강쪽에 있다고 추정 했는데 제가 작성하는데 있어 문제가 있었던 것 같기는 합니다만 저는 섬진강 서쪽보다 영산강쪽이 타당성이 있었다는 것일 뿐이고 사실 정확하게 위치가 어디인지 모르는 상태이지만 영산강쪽이라고 생각하면 520년대에 백제가 전라남도 남해권까지 지배하지 않았던 입장에서 보면 가장 합리적으로 이해할 수 있다고 생각합니다.

백제는 520년 전에 영산강유역을 지배했다고 생각했는데 그 남쪽으로는 아직 지배하지 않았다, 이런 상태에서 생각하면 백제가 전라남도 지역에 대해 어떻게 지배력을 확대 했었을까라는 것을 간접적으로 이해할 수 있는 것이 아닌가, 이런 식으로 생각합니다. 만약에 마련지역이 임나4현에 있다면 섬진강 서부지역은 문제가 있다. 마련이 모루하고 비슷한 지역이라고 생각하면 마련이 절대 임나4현이 아니다라는 생각입니다. 사실은 마련은 백제 방소국의 기록을 보면 아직도 백제가 지배하지 않았던 지역으로 생각할 수 있는데 그렇다면 임나4현은 그 당시 이전에 벌써 백제가 지배했던 지역이라서 절대 이것을 연결할 수 없는 것입니다. 그렇게 생각하고 있기 때문에 임나4현이 어디에 있는 것인가는 중요하지만 일단 마련을 이해하기 위해서는 영산강유역 정도로 보는 것이 합리적이지 않을까 하는 생각입니다.

정재윤 : 이노우에 선생님께서는 전라남도 남해안 지역이 백제의 영역이 아니다라는 것을 전제로 하고 논의를 진행했기 때문에 여기서 혼선이 있는 것 같습니다. 현재 학계의 통설은 전라남도 영산강 나주 일대는 장악한 상태고 동부와 광양일대, 섬진강 서안쪽으로 진출하는 과정에서 임나4현과 기문과 대사를 어떻게 볼 것인가 하는 논의가 진행되고 있습니다. 선생님께서는 통설과 달리 전제를 깔고 진행하다 보니까 이러한 혼선이 빚어지는 것 같습니다. 이 부분은 종합토론에서 이야기 하겠습니다.

마지막으로 열정적으로 많은 자료를 보여주신 곽장근 선생님의 발표입니다. 사실 양직공도가 문헌에 불과한 것인데 고고학적으로 양직공도에 나오는 상기문, 그리고 장수 쪽에 반파를 두고 있는 이런 새로운 견해를 말씀 하셨고, 그와 관련해서 제철유적과 봉수를 말씀하고 계십니다. 굉장히 신선한 견해를 말씀해 주셨는데 전북가야라는 개념도 말씀해 주셨습니다. 항상 새로운 설이 등장하게 되면 토론도 굉장히 뜨겁게 진행되는데 너무 깊숙이 들어가면 방소국 문제와 어긋날 수도 있기 때문에 방소국과 마한제국의 범주 내에서 토론이 진행되었으면 좋겠습니다. 먼저 이근우 선생님 부탁드립니다.

이근우 : 곽장근 교수님은 한마디로 이야기 하면 이 반파라는, 여기 양직공도에도 반파가 나오고 일본서기에도 반파가 나오는데, 이것을 장수지역이다 라고 결론을 내리신 것 같은데 학계의 통설이나 일반적인 견해는 양직공도의 반파에 대해서도 대가야로 보는 것이 일반적인 설입니다. 거기에 대해

서는 좀 더 우리가 자세히 짚고 넘갈 필요가 있지않나 싶습니다. 우선 이 방소국에는 반파, 탁, 다라, 전라 이 네 개의 가야지역으로 생각되는 소국명이 들어있고 그 중에 탁은 대구인지 창원인지 논란이 많지만 다라는 합천, 전라는 함안으로 비정하는데 큰 이견이 없는 것 같습니다. 그러면 곽장근 교수님이 생각하시는 것처럼 반파를 장수로 비정하면 나머지 가야영역 중에서 가장 규모가 크고 중심적인 국가라고 할 수 있는 대가야가 양직공도 방소국에 포함되지 않는 모순이 생기게 되는데 과연 그런 추론이 가능한지 먼저 궁금합니다.

그리고 그와 관련해서 참고해야 되는 것이 양직공도와 거의 비슷한 등장 주체들이 나오는게 일본서기입니다. 일본서기 계체기, 이런 것에서 보면 거기에도 똑같이 사라, 안라, 반파, 기문, 이런 것들이 다 나옵니다. 양직공도가 약간 문제가 있다고 하지만 일본서기와 굉장히 잘 대응되고 있습니다. 그래서 일본서기하고의 정합성, 반파하고 가라의 문제를 곽장근 선생님께서는, 반파는 이 시기에 나오고 나서, 513년에서 516년 사이에 나오고 나서, 520년대로 넘어가고 가라가 나오기 때문에 주체가 장수에서 고령으로 바뀐 것이다, 이렇게 보고 계시는데 그것을 방해하는 자료도 있습니다. 반파에 고전해라는 인물이 있는데 나중에 가라의 고전해라고 해서 같은 인물이 한 자료에서는 반파인으로 나오고 하나는 가라인으로 나옵니다. 즉 반파가 가라라는 증거로 쓰이는 자료라고 할 수 있습니다.

그래서 곽장근 선생님의 견해가 틀렸다는 것이 아니고, 앞으로 출발을 가야지역에서 어떻게 대비해야 하는가, 지금 봉수가 전북지역에 국한되어있다고 말씀하시는데 정말로 고령까지 연결되는 봉수가 없는 것인지, 경상도 쪽에서 가라가 반파라는 입장인데, 봉수가 확장되는 과정을 찾아야 하는데 전혀 이게 발견되지 않는다, 이런 부분을 감안해주시면 감사하겠습니다. 그리고 장수에 있다고 생각하시는 반파가 백제 영역이 되고 나서 어떻게 편입이 되는 것인가, 어느 정도로 볼 수 있는가, 지금 양직공도에 반영된 방소국이 524년경이라고 말씀하셨는데 과연 그 시점까지도 여전히 장수지역이 여전히 백제에 편입되지 않았던 것인지에 대해서도 답변 부탁드립니다.

곽장근 : 저는 고고학을 하기 때문에 고고학 자료를 바탕으로 말씀을 드릴 수 밖에 없다는 양해를 먼저 구합니다. 반파와 관해서 고령 대가야를 반파로 비정하는 설이 정설로 통용되고 있습니다. 다만 반파를 대가야로 비정할 때 구체적인 근거 제시가 없었다는 점을 간과해서는 안될 것입니다. 그런데 문헌속에 나오는 반파는 그 나름의 정체성을 가지고 있는데 기문과 대사를 두고 513년부터 516년까지 3년 전쟁을 치를 때에 봉수를 운용하면서 전쟁을 치뤘다는 기록이 나와있고, 그것이 구체적으로 표현이 되어 있다고 한다면 반파의 정체성을 한마디로 봉수의 존재와 연관시킬 수 있다고 보고 있습니다.

지금까지 고고학자료를 문헌과 접목시켜서 반파를 비정했을 때 반파의 비정까지 가능한 것은 봉수가 관련이 되어야 하고 그리고 봉수가 발견됨과 동시에 봉수의 최종 종착지에 가야계의 고총이 발견되어야한다, 이점하고, 일본서기 계체기에서 요구하는 또 하나의 요건이 신라와 국경을 맞대고 있다는 굉장히 중요한 내용을 담고 있는데, 이 네 가지의 문헌 내용과 고고학 자료를 접목을 해봤을 때 성립이 된다는 말씀을 드리고 싶습니다. 지금까지 저도 신중하게 인식을 하고 그 내용을 담아 왔는데 최근에 발굴이 시작되면서 고고학적 성과과 들어나면서 조금 적극적인 의견을 개진하고 있습니다.

토론문에서 전북 동부지역의 가야 묘제의 시작이 대가야의 영향이라고 말씀하시는데 저는 그렇게 보지 않습니다. 선행단계는 엄밀히 마한이었다. 그리고 마한 묘제의 지속성, 연속성은 가야의 멸망과 함께 했다, 다시 말해서 대가야 묘제하고 분명히 구분되는 지역성과 독자성이 있다, 그리고 유물에 있어서도 다양성을 주로 본다면 그런 부분에서 고고학적 설명이 가능할 것 같습니다. 아울러서 장수에 기반을 두었던 가야의 복속 시기가 어디까지인가 하는 부분에 있어서 저는 백제 웅진기까지는 충분히 가능하다라는 말씀을 드림과 동시에 아울러서 백제와 대가야의 문물교류는 역동적인 축이 되었다는 고고학적인 내용 유구나 유물로 증명이 되고 있습니다.

반면에 장수의 정치체와 백제는 거의 문물교류를 하지 않고 단절이 되는 내용을 확인할 수 있는데 대표적으로 수장층의 분묘에서 백제의 묘제가 확인되고 있지 않는 곳이 유일하게 장수지역에 기반을 두고 있던 세력입니다. 동시에 묘제의 지속성, 구체적으로 호석을 두르지 않는다든지 주구를 두른다던지 지상식의 묘제 등 여러 가지 측면에 있어서 대가야와 분명히 차이가 나는 그 지역만의 묘제로 설정이 되고, 동시에 그런 상황에도 불구하고 백제의 묘제가 아직까지 확인이 안되는 부분에 있어서 여러 가지 고고학 자료를 종합해서 반파를 장수지역의 가야로 설정했습니다. 그래서 지표조사에 좀 더 심혈을 기울여서 제철유적에 관심을 두었는데 현재까지 확인된 제철유적은 상상을 뛰어넘습니다.

정재윤 : 선생님께서 제철유적을 말씀하시는데 선생님의 이론이 성립하려면 제철유적의 연대를 측정해서 그게 이제 백제에 해당하는 고대시기의 제철유적으로 확인되면 선생님의 논리가 부합할 것 같습니다.

이동희 : 곽장근 선생님께서는 섬진강 유역에서는 가야의 소국의 성립이 인정이 되는 고고학 자료가 여전히 확인되지 않는다, 이렇게 말씀 하셨습니다. 최근 자료를 보면 전라문화유산연구원에서 조사한 임실 금성리 발굴조사에서 보면 직경 16.2m의 중형급 고총이 나왔고 유물이 대가야의 유개장경호, 보고자는 5세기대로 보고 있고, 이런 것들이 나왔고, 전남쪽에 구례나 곡성쪽에 보면 10기 가까이 직경 10~40m되는 고총들이 있습니다. 그래서 섬진강유역에 가야계 소국, 지금까지 기문을 섬진강쪽으로 보는 입장에서 전남지역에 이러한 자료들이 있기 때문에 재고가 필요합니다. 일본쪽 사료에 보면 상기문, 중기문, 하기문이 나왔습니다. 이런 점을 본다면 운봉고원에 기문을 비정하기는 그 범위가 협소하지 않나 생각합니다.

곽장근 : 저 개인적으로는 섬진강유역에서의 정치체의 존재는 아직은 고고학적으로 설정이 어렵다고 생각하고 있습니다. 그리고 이동희 선생님께서 말씀하신 자료 자체는 단편적인 내용을 담고 있고 아직은 고고학적 발굴이 이루어지지 않았기 때문에 시간이 필요할 것 같습니다. 다시말해 정치체의 존재 설정이 불가하다는 것은 고총이 등장과 함께 상당히 무리를 이루고 있어야 하는데 섬진강유역에서는 그런 수장층의 분묘유적이 발굴되니 않는 상황에서 다만 저도 인정하는 부분은 특정한 시기에 가야세력의 섬진강유역으로의 진출은 저도 오래 전부터 생각을 하고 있습니다. 그런 속에서의 고총 등장 정도를 가야로 상정할 수 있을 것이냐, 이것은 고고학적으로 조금 어렵다고 말씀드리고 싶습니다.

아울러서 섬진강유역은 문화상 점이지대라는 점을 다시 한번 말씀드리고 싶습니다. 제가 기문을 운봉고원으로 비정하는데 있어서 여러 가지 고고학적 분석을 했다는 것을 말씀 드리고, 운봉고원에서 발견된 가야의 고총이 170여기에 달합니다. 그랬을 때 경관고고학적인 상황과 함께 아울러서 기문을 운봉고원으로만 설정하는 것은 협소하지 않느냐, 이 부분에 대해 저도 동의합니다. 다만 기문이 상, 중, 하로 등장하고 있기 때문에 상, 중, 하 등에서 운봉고원은 상기문으로 비정하고 중, 하기문은 인접한 함양하고 산청까지를 가야 묘제 유물의 조합상에 굉장히 긴밀하게 관련성이 있습니다.

정재윤 : 이제 2부 종합토론을 시작 하겠습니다. 일단은 예고해 드린대로 첫 번째는 우리가 방소국에 대해 이야기를 하는데 그 전에 앞서서 전제가 있어야 하겠지요. 이 내용이 언제 때 내용이냐, 그렇기 때문에 첫 번째 주제는 양직공도 제작 시기, 물론 양직공도 전체를 이야기할 수 있지만 백제국 제기를 중심으로 해서 말씀을 해주시면 좋겠습니다.

윤용구 : 제 발표문 61페이지(본문 각주 17)를 봐주시면 감사하겠습니다. 왕소 선생 아래 여태산이라는 분이 있습니다. 그분의 글의 양직공도 잔권과 배자야 방국사도의 관계, 에로키가 1960년대에 양직공도가 소역의 창작이 아니고 그 전에 있었던 것을 아마 모방해서 만든 것이라는 사실은, 왕소 선생이 3단계 설을 이야기도 했지만 실제 기록에 가장 부합하는 것은 양무제 아버지 즉위 40주년 기념, 요즘으로 말하면 기념논총을 만들 듯이, 사실은 양나라는 양무제로 시작부터 끝까지 양무제의 독무대였고, 아들 뒤에는 멸망하는 단계에 잠깐 있었던 것이고, 양나라는 양무제로 대표되는 것인데 양무제 즉위 40주년에 맞춰서 아버지께 바칩니다. 아버지가 아주 잘 그렸다고 하시는데 그 시기에 아버지가 가지고 있는 위세, 양이 가지고 있는 당시 국제관계에 있어서 북쪽에 있는 호족과 대응관계에 있어서

위세를 가장 잘 드러내주는 것이 찾아오는 사신의 수이지 않나, 그때 만들어진 것이 아마 원본일 것이다, 이렇게 이야기 하는 것입니다.

적어도 539년에는 만들어졌을 것이다, 그리고 나서 즉위 40주년을 기념해서 바쳤다는 것이 일반적인 것인데, 다만 이름이 여러 군데에 나오니깐 왕소 선생이 여러 단계에 제작했을 것이라고 추측을 하셨던 겁니다. 에로키는 이미 창의작이 분명히 아니다라는 것을 전제로 하고, 그 전에 방국사도뿐만 아니라 그전에 강승보의 직공도도 있습니다. 강승보의 직공도는 당 정관어간에도 남아있고, 정관어간에 남아있던 그림들을 정리하는 화사집에 이 소역의 직공도는 빠져있고, 강승보의 직공도는 남아있어서 우리가 보는 직공도는 어차피 강승보의 직공도라고 해서 북송대에 그렇게 기록을 남긴 사람들도 있고 그렇습니다. 그래서 사실 정확하게 알 수는 없습니다.

여태산 선생의 글은 어떤 의미냐 하면 에노키의 글을 검증하는 형태로 되어 있습니다. 서역쪽에서 오는 나라들이 다 보통2년에 들어온 나라들이에요. 그래서 기록들이 다 보통2년에서 다 종결되어 있는, 그래서 백제도 동일하다, 그렇게 보는 것이죠. 그래서 에로키하고 여태산 선생의 글에 대해서 백제국의 구체적인 것은 이때 보통2년에 작성된 것일다라고 하는 것이 제 생각이 아니라 이미 그렇게 언급이 되어서 여태산 선생의 글과 에로키의 글이 가장 통용되는 내용입니다. 실제로 백제국 기록도 장경모본같은 경우에도 보통2년까지밖에 기록이 없고 북송모본도 보통2년까지 기록이 있지 그 이후의 기록은 일절 없습니다. 그래서 521년, 그때 사이에 제공된 정보이지 않을까 그렇게 이야기 할 수 있습니다. 그것이 하한이다, 그렇게 말씀드릴 수 있습니다.

정재윤 : 저는 윤용구 선생이 말씀한 것처럼 하한이 521년이다. 그런데 이미 만들어진 방국사도도 있잖아요? 그 내용은 보통2년 당시에 들었는데 과거의 것도 참조하였기 때문에 여러 가지 점에서 우리가 고려해야할 키워드가 있습니다. 과연 백제국 사신이 가서 소역을 만났는가, 아니면 기존 것을 바탕으로 했는가, 아니면 새로 했는가, 여러 가지로 해석할 수 있다는 것이죠. 예를 들어서 양직공도에 보면 낙랑이 나오잖아요? 백제 사신이 가서 자기들이 낙랑이라고 안했겠죠. 그러니까 이 경우 낙랑이라는 기사를 본다면 누군가에게 들어서 정리 한 내용도 있었을 수 있다는 것입니다.

또 양직공도가 521년이 하한이라고 했을 때 이 이전에는 없었을까? 512년에도 교류를 했잖아요. 그리고 무령왕릉이 523년에 축조가 되었는데 송산리 6호분 같은 경우에는 지금 512년에 이미 축조 된 것으로 이야기 되고 있습니다. 그러면 512년에 송산리 6호분이 축조가 되었다면 그 이전에 양나라 기술자가 그런 무덤을 만들었다는 것이죠. 그러면 최소한 양과의 교류를 통해서 521년 당대의 모습이 아니라 그 이전까지 소급할 수가 있다, 이런 의미입니다. 그렇기 때문에 양직공도에 나오는 내용을 일괄적으로, 일률적으로 파악을 해서 논의를 전개하기에는 신중해야한다 이렇게 생각합니다.

윤용구 : 제가 어제 나누어드린 별지를 보시면 A, B, C에 해당되는 것은 백제의 기원이나 이런 것을 적은 것입니다. 그런데 백제 사신이 가서 우리가 동이 마한의 삼한국에 속하고 삼한은 마한, 진한, 변한이 있고 백제가 54개중의 하나다, 이런 이야기를 백제 사신이 했을 이유가 없는 거죠. 그거는 이미 그 전에 있었던 삼국지라든가 이런 것을 보고 양직공도의 제기를 쓸 때 참고를 해서 옮겨 실은거죠. 그래서 백제 국사가 이야기하는 것과 무

관한 것이고, 여기에 고구려가 요동을 장악하고 낙랑이 요서를 장악했다, 이것도 백제 사신의 이야기가 아니고 이것까지는 백제 사신과 무관하다고 생각합니다. 저는 동시대의 상황을 전해주는 방소국의 이야기라든가 담로에 대한 이야기, 이런 것들은 백제 사신이 전해준 것이라 생각할 수 있죠.

정재윤 : 일단 양원제가 만나서 문답식으로 물으면서 한 이야기를 본인의 판단에서 정리할 수도 있고, 여러 가지 상황을 생각해 볼 수 있죠. 그런데 양직공도 백제국 제기뿐만 아니라 양직공도와 관련해서 활국이 나오잖아요. 활국같은 경우 521년보다 조금 늦은 것으로 보이고 또 참고할 수 있는게 왜국 제기입니다. 왜국 제기는 삼국지 내용을 많이 답습하는 것이고 실제적으로 양원제가 왜국 사신을 접견을 해서 그린게 아니라 자기가 상상하는 모습을 그렸을 가능성도 제기가 되고 있기 때문에 이런 점에 봤을 때는 양직공도 내용 중 백제국 제기같은 경우에도 윤선생님이 말씀하신 것처럼 D나 C같은, E같은 경우에는 예를 들어서 치소성이 고마다, 그러면은 고마가 웅진기 도읍이었을 시기고 고마에 대응되는 개념이 담로다, 담로이기 때문에 고마하고 담로가 대비돼서 당대일 가능성이 있다. 그러고 나서 22담로가 나오는 거죠. 그리고 나서 방소국이 나오기 때문에 이것을 E와 관련시켜 F를 연결시킬 수 있느냐 없느냐가 관건이 되겠습니다.

박중환 : 22담로의 설치 시기, 이런 것에 대해 여러 가지 다양한 의견이 있습니다. 그래서 고마라고 나왔기 때문에 22담로가 시작됐다고 생각되는 웅진시기에 상황이 반영이 되기 때문에 이 시기 담로의 설치 운영 형태도 문제이지만 한 가지는 이 시기 담로는 백제의 지방 직접통치제도에 근접하는

지방제도일 것으로 생각되는데 고마라는 지명 때문에 고려되는 문제는 그러면 22담로가 실시가 됐고 백제 남부의 지금의 전라남도까지를 포함하는 곳까지 설치되었다 한다면 방소국 기사에 전라남도에 해당되는 지미나 마련이 나타나서는 안되는 것입니다. 더군다나 방소국이나 부용국이라든가 해서 나라국자를 덧붙여서 그 지역을 표현하는 것이 백제국사쪽에, 양직공도에 나와서는 안되는 것이죠. 이게 지금 웅진시기의 지방 지배에 대한 우리 학계의 일반적인 견해하고 이게 지금 대치되는 자료가 양직공도에 나오는 것입니다. 그런 측면에서 양직공도의 사료적인 가치에 대해 주목해서 볼 필요가 있지 않겠는가 그런 말씀을 드리고 싶습니다.

박찬규 : 지금 주제가 양직공도의 성립하고, 거기에 나온 대체적인 내용인데요, 박중환 선생님께서 양직공도의 사료적 가치를 다시 한번 생각해 봐야한다, 이렇게 말씀 하셨는데 이것과 관련해서 양직공도에서 박중환 선생님의 발표가 고구려에 대해 말씀하셨기 때문에 말씀 드리는데요, 여기서 보면 고구려를 표현하는 용어가 망아지 구자를 써서 구려, 고구려, 고려, 이 세가지 용어가 고구려를 지칭하는 것으로 나오는데 그럼 이것은 자료를 모으는 과정에서 여기저기 모아서 혼란이 온 것인지 아니면 자료를 정리하는 과정에서 뭔가 정치적인 이유라든지 그런 것이 있기 때문에 이 용어가 이렇게 나타나는 것인지 이것도 좀 풀어야할 문제라고 생각합니다. 그리고 또 하나가 사회자께서도 말씀하셨지만 오늘의 주제는 아닙니다만 백제 요서 경략설과 관련된 첫대목 부분도 오늘은 아니지만 추후 논의가 필요할 것으로 보입니다. 다만 고구려 국호문제, 세가지로 나오는 문제는 윤용구 선생님 아니면 박중환 선생님이 답변을 해주시면 감사하겠습니다.

윤용구 : 말씀하신대로 첫 번째 나오는 려자는 려자같이 안보이고 슬자같이 보입니다. 글자 그대로 보면 구슬이에요. 이게 려자의 오기다 이렇게 생각을 하는 것입니다. 이게 한 문장인데 백제 국사에 대한 설명을 쭉 반영해서 고구려까지 네 번 나오거든요. 고려가 두 번, 고구려 한번, 구려 한번, 이렇게 나오는데 아마 이게 편집물이니깐 편집물에 있는 표현을 전재하는 과정에서 이렇게 여러 가지로 쓰이지 않았나 하는게 기본적인 생각이고, 두 번째는 이게 양원제의 원본이 아니기 때문에 이미 여러차례 필사하는 과정에서 생길 수 있는 2차적인 문제도 있다고 봐야겠지요. 딱부러지는 근거가 없는 것이지만 추정으로는 두가지가 복합으로 되어있지 않을까 이런 생각입니다. 특별히 백제 사신이 고구려를 더 나쁘게 표현을 했을리도 없고 이 부분을 백제 사신이 이야기 하지도 않았을 것 같고 그렇습니다.

박중환 선생님 말씀하고 임영진 선생님 말씀을 듣고 많은 생각을 해봤는데 백제가 남조에 외교적인 표현의 과정에서 고구려와 비교해서 쭉 설명하고 있는 것이고, 고구려한테 얻어터지다가 다시 무령왕때 여러번 격파를 해서 다시 큰 나라가 되었다는 이야기이고, 무령왕때 유일하게 고구려 왕보다 자기가 높은 등급을 받는데, 영동대장군을 받습니다. 이 표문의 효과입니다. 이 표문에 의해서 양무제가 영동대장군을 주는데, 딱 한 번 높게 받는데, 무령왕이 굉장한 홍보 전략을 구사했다고 봐요. 내가 이렇게 작은 나라가 아니라 고구려를 격파했고 신라도 이제는 나의 영역 안에 들어와 있다, 이미 대외적으로 백제가 신라를 자기 수하로 했다는 것은 이미 선전효과가 나타난 것입니다. 왜 9개국 중에서 신라만 데리고 갔을까, 이것은 그런 선전효과를 극대화 할 수 있는 것이 신라이고, 양서 신라전에 보면 신라가 백제 동남쪽에 5천리 떨어져 있다고 써놨어요, 말도 안되는 것이죠.

그런데 아마 백제 사신이 이렇게 이야기 한 것 같아요, 아주 먼 지역에 있는 나라다, 그러니까 황제가 주변 민족에 조공을 받을 때 아주 먼 곳에서 온 것이 굉장한 효과가 있잖아요. 백제에서 동남쪽 5천리 떨어져 있는, 과거에 고구려 휘하에 있던 그런 신라를 데리고 갔다, 그 5천리가 처음에는 오기인줄 알았어요. 그런데 해로로 계산한 것 같아요. 해로로 계산하면 대략 5천리가 될 수 있다. 그래서 양서 신라전의 내용을 보면 신라가 동쪽이 바다고 남쪽은 백제땅으로 표현되고 있습니다. 그 표현도 사실은 방소국을 염두에 둔 방위관 아닌가, 이런 생각을 해봤습니다. 양직공도의 기록이 허황된 내용이 아니라 백제가 이미 국제적으로는 그렇게 선전을 해서, 통용이 돼서, 결국은 양무제가 무령왕의 표문을 받아서 고구려보다 더 높은 등급의 작위를 하사한 것이 아닌가 생각합니다.

조근우 : 고구려 명칭이 다르게 나타나는 것은 실수라고 보기는 어렵지 않느냐, 그런 생각을 하는데 고구려의 명칭이 달라지는 것을 반영하는 것이 아닌가, 그래서 각각의 시대에 사용되는 명칭이 반영되는 것이 아닌가 생각해 봅니다.

정재윤 : 윤용구 선생님도 말씀하셨습니다만 무령왕대 영동대장군이라는 작호를 받은 시기가 521년입니다. 그때가 무령왕의 전성기입니다. 그래서 무령왕은 보통 2년에 엄청나게 노력을 해서 중국과 외교적 활동을 벌였다. 그렇게 본다면 실제적으로 양직공도의 내용 중에 과거의 것도 있지만 중요한 텍스트는 521년 당시에 수록된 내용이 많을 가능성이 있다고 생각이 됩니다. 실제로 525년이 되면 성왕이 즉위해서 수동장군의 작호를 받았는데 이는 4품입니다. 반면 영동대장군은 2품입니다 그렇기 때문에 묘지

석에 영동대장군을 제일 먼저 씁니다. 그만큼 대단한 외교적 성과였습니다. 성왕이 4품의 굉장히 낮은 작위를 받는 것에 비하면 521년이 중요한 획기인 것은 분명한 것 같습니다. 다만 이 내용이 전적으로 521년 내용이 아니고 그 이전의 내용도 있기 때문에 우리가 신중하게 접근할 필요가 있다 이정도로 정리 하겠습니다.

다음으로 방소국에 대한 논의입니다. 이거 굉장히 어렵습니다. 방소국의 위치가 어느 정도 공통분모를 찾아야지 방소국의 성격도 들어나고 더불어 방소국 중에서 지미, 마련, 상기문, 하침라 이 4개국이 거명된 이유도 나타날 것 같습니다. 그래서 어쩔 수 없이 가급적이면 논쟁을 피하면서 개략적으로 방소국으로 열거된 나라들에 대해 큰 틀만 정리하고 넘어가도록 하겠습니다.

윤용구 : 여기 사료에 보면 9개 나라만 있는게 아니라 '등부지'라고 되어 있어요. 백제가 더 많이 거론을 했는데 등부지라고 했을 가능성이 있겠지만 백제가 등부지라고 하지는 않았을거란 말이죠. 그러니까 실제로는 9개만 순서대로 적은 것인지 정확히 알 수는 없는 것인데 등부지를 염두에 두고 9개를 생각해야 하겠습니다.

정재윤 : 그렇습니다. 그럼에도 불구하고 열거된 것은 굉장히 중요하죠.

이동희 : 지미, 마련, 상기문, 하침라가 백제하고 관계되지 않습니까. 지미는 지난 해남 학술대회때 말씀 드렸지만 해남으로 보고, 마련은 아까 말씀드린대로 광양, 상기문은 전북일원인데, 저는 개인적으로 장수쪽도 생각해 볼 수 있고, 하침라는 제주도로 보고 있습니다. 지미, 마련에 대해 말씀을 드

리면, 지미는 해남은 군곡리 단계부터 해상 교통의 매우 중요한 국제 교역항이다, 경남에 있어서는 늑도에서 김해로 갔다가 고성으로 가거든요, 국제교역의 큰 줄기가 그에 비해서 영산강유역의 전남 남해안의 큰 국제 교역항은 해남이 아닌가, 군곡리 단계부터 북일면 왜계 고분이 많이 나오는 북일까지, 6세기 전엽까지, 그래서 백제는 이 지역을 아까 지배형태도 이야기 했지만 영산강유역에 대해서 4세기 후반에서 6세기 초반까지는 간접 지배를 하지 않았느냐 생각하는데 그런데 왜 해남은 별개로 거명이 되느냐, 결국은 국제교역항이기 때문에, 그래서 국제교역항은 인류학적 조사를 가도 주변의 큰나라가 건드리지 않는다고 해요, 교역항의 특성 때문에, 그런점에서 백제가 이지역을 물론 무력으로 점령할 수 있지만 특별하게 거기를 교역항이기 때문에 놔준 그런 경우에서 해남으로 보고 있습니다.

마련은 아까 말씀드린대로 6세기 전엽 광양 바닷가에 도월리 고분이 있어요. 소가야계 분구묘 스타일이고 주변에 몇 개 더 있었는데 그게 직경이 30m였고 전남동부 가야계 고분중에 가장 크고 바닷가에 있고, 백제가 이지역 임나4현을 장악했다고 하지만 한동안 직접지배가 아니라 간접 지배 단계로 두지 않았을까, 그런 점에서 520년대 초까지 여기도 바닷가이기 때문에 섬진강 유역이 바로 연결되고 있고, 특히 소가야 관련 매장 주체, 유물, 구조들이 소가야단계 분구묘다, 그러한 가야와의 관계 속에서 한동안 간접지배, 백제에 공납을 하면서 유지된, 저는 530년이 되면 없어지는 걸로 보이지만, 그러한 큰 고분이 있고, 바닷가에 있고, 그런 고분 유적, 음상사로 본다면 광양으로 보는게 맞지 않느냐 그렇게 생각합니다.

정재윤 : 여기에 대해서 간단하게 하나만 확인하고 싶은데요. 지미라고 했었을 때

지미를 신미, 침미다례로 연결시키잖아요. 해남 군곡리나 북일면 지역으로 보는데 해남지역의 고고학적 양상은 어떠합니까? 이영철 선생님이 답변해 주시면 감사하겠습니다.

이영철 : 저는 가장 중요한 것이 신뢰성 문제라고 생각합니다. 방소국도 그런데 방소국 기사를 보면 부용국인데, 부용국이 아닌데 부용국이라고 거짓으로 고했고, 물론 저는 처음에 남경에 가서 양직공도를 보고 어떠한 생각을 했냐면 많은 사신들을 불러다 놓고, 한명씩 면접을 하면서, 그린 그림이 쭉 연결되었다는 단순한 생각을 했었습니다. 15년에 걸쳐 그렸고 거기에 계속 첨가를 했고, 원본도 아니고, 그래서 저는 애초에 양직공도에 대해 부정적인 입장을 취하고 있는데 거기에 묘하게 오늘 광주에서 논의하면서 지미나 마련이 결국 이제 전남 영산강, 이런 지역으로 비정이 되어가고 있는데, 그런 나라가 존재가 했다면 고고학적으로 봤을 때 영산강유역이 가장 관계상에서 부각되는 곳입니다. 실은 백제도 있습니다만 가야, 또 일본열도 고고학 자료도 굉장히 많은 시기입니다. 그런데 지미나 마련에 대해서 어느 문헌에도 양직공도 방소국 기사를 뺀 문헌에 그러한 기록이 하나도 없다는 것이 의아합니다. 그럼에도 자꾸 전남지역으로 비정하려고 하는 것은 이제까지 영산강유역을 중심으로 하는 전남지역이 백제와 무관한 마한소국들이 끝까지 존재했다는 것이 깔려있는 것 같습니다.

그런 전제가 깔려있기 때문에 마련이나 지미도 이쪽에서 찾아내야 하는 것입니다. 그래서 비정지가 다 다를 수밖에 없는 것입니다. 그런데 묘하게 선생님들이 굉장히 관심을 가지고 연구를 했던 해당 지역이 그 지명을 항상 끌고가는 것 같아요. 이것은 정말 다시한번 생각해 볼 필요가 있지 않느냐. 어제 곽장근 선생님 말씀을 듣고 굉장히 중요한 고고학적 접근방법이라고 생각하는데 고고학자는 물질자료로 어느 정도 설명을 해줘야 되잖아요. 그렇다면 지미나 마련이 영산강유역을 중심으로 하는 전라남도 지역에 있었다면 그들의 고고학적 실체는 소국으로 규정할만한 고고학적 증거는 뭐가 있는지, 분구묘 빼고 뭐가 있습니까라고 여쭤보고 싶습니다. 어떤게 있었을 때 이런게 있기 때문에 소국이라고 볼만한 이러한 물질 증거가 있기 때문에 고고학적으로 봤을 때 지미나 마련을 영산강이나 해남지역으로 추정한다, 이렇게 되야할 것 같습니다. 군곡리는 일본에서 봤을 때 쓰레기더미에 불과하다 이런 말들도 있습니다. 좀 구체적인 뭐가 있는 다음에 추정을 했으면 좋겠습니다.

문안식 : 충분한 논의가 있었지만 전남지역 마한소국의 백제 병합 과정, 신공기 49년, 369년, 3주갑 더 내릴 수도 있고 거기에 대한 공납지배를 인정할 수도 있고 부정할 수도 있습니다. 이같은 고고자료를 통해서 옹관고분이나 영산강식석실이나 장고분의 존재가 6세기 중엽 이전까지 인정되니까 백제와 다른 재지공동체가 유지되고 있었다는 것은 고고자료에서는 증빙이 가능할 것입니다. 문헌자료에는 증빙이 안되는데 마침 양직공도에 보이는 백제 방소국을 통해서 마한소국의 실체가 어느정도 문헌자료로서 인정이 됩니다.

선생님들의 말씀은 기본적으로 영산강이나 서남해 지역에 마한소국이 있었을 것이다. 그것이 지미, 마련, 하침라일 가능성이 있다, 여기까지는 이해가 됩니다. 이 정치적 실체에 대해서 일각에서는 마한소국이라 하고 또 다른 분들은 백제도 마한도 아닌 제3의 정치체다, 이렇게 말씀하시는 분도 있고, 또는 영산강유역의 고대사회다, 이렇게 말씀하시는 분도 계시지만 어쨌든 6세기 중엽 이전까지 그 실체가 문헌과 만약 양직공도를 믿을 수 있다면 문헌과 고고자료로 백제와 다른 노령 이남지역에 마한 또는 별도의 정치체는 인정될 수 있을 것 같습니다.

그런데 이들의 핵심지역의 하나는 영산강 중하류지역인 나주 반남, 다시 일대와 영암 시종, 또 하나는 백포만과 현산면 화산면 일대, 또는 주작산과 두륜산을 넘어서 동쪽에 있는 북일, 이렇게 이해할 수 있는데 지금의 지형과는 달리 당시의 영산강은 내해를 형성했고, 옛날 남해만이나 덕진만이나 영암만이 펼쳐지는 내해였습니다. 결국 반남과 다시 영동리나 영암 시종일대가 해안지역이므로 노령 이남의 마한사회의 중심지는 해상활동을 통한 백제와 가야와 왜국 또는 신라와 연결되는 해상세력이 마한사회의 중심이었다, 이렇게 이해할 수 있을 것 같습니다.

이와 관련해서 양직공도에 보이는 마한소국을 이해하자면 가장 먼저 보이는 것이 지미와 관련해서 위서동이전에 보이는 신운신국, 그다음 진서 장화전에 보이는 신미국, 그다음 신공기의 침미다례, 그다음 양직공도에 지미가 있는데, 여기에 하침라까지 이어집니다. 그것은 두륜산맥의 북쪽 이서지역, 그러니깐 백포만과 현산지역 그 일대에 이러한 정치체가 있지 않았나 생각하고, 그다음 주작산과 두륜산 동쪽에 북일면 일대에 보이는 세력이 혹여 양직공도의 하침라가 아닌가, 이 문제는 동성왕 20년조에 서기 498년조에 동성왕의 무진주 침정과 관련해서 침라라고 되어 있습니다. 그런데 이 침라는 백제때 현이 보이지 않습니다. 다른 쪽에는 현이 들어서는데 백제때 북일 쪽에는 현이 보이지 않고 신라 때에도 동웅현, 그러니까 강진읍 방면에 새로운 현이 들어서는데 그것이 탐진현입니다. 그러니까 백제, 신라를 계승하면서 탐진이라는 그러한 지명은 존속했던 것 같습니다.

이러한 관점에서 봤을 때 주작산과 두륜산 서쪽은 지미세력권, 그 동쪽은 침라세력권이 아닌가 생각되어집니다. 문제는 마련입니다. 마련은 광양과 영광, 고창과 서남해연안과 나주 등 영산강 중류쪽으로 비정이 되는데 이러한 방소국 중에서 해남 북일지역과 백포만 현산면지역은 고고유적과 문헌에서 찾을 수 있는데, 나주 다시나 반남 세력과 일치가 되지 않습니다. 추정컨대 그러한 고고학 자료로 볼때 어쩌면 마련이 단순히 영산강유역 나주 반남 일대에 있었을 가능성도 있습니다. 그러나 아까 이동희 선생님이 말씀하셨는데 마련과 관련해서 저도 지금까지 광양으로 생각했는데 제가 말씀드린 대세론적인 관점에서 보면 영산강유역 중심지가 비어있다, 이렇게 말씀드릴 수 있습니다. 노령 이남쪽에 해상활동의 관점, 그리고 고고자료, 문헌자료로 봤을 때 지미와 침라를 두륜산맥 이서와 이동으로 나누고, 마련은 잘 모르겠습니다. 그리고 기문 문제는 섬진강 루트가 아니겠는가 저는 이렇게 생각합니다.

정재윤 : 김기섭 선생님이 문헌쪽에서 말씀하기 전에 고고학적으로 한번 더 접근을 해야할 것 같습니다. 일단 영산강유역이 나주 일대가 나왔기 때문에 나주 일대는 정촌고분이라든지 그 위에 광주 동림동유적도 나오고 백제계 유물이 보이기 때문에 여기에 대해서 서현주 선생님은 어떻게 생각하시는지요.

서현주 : 저는 그렇게 구체적인 지역 비정에 대한 의견을 가지고 있지 못합니다. 그리고 양직공도에 대해서도 마찬가지인데요. 다만 이번 학술회의를 통해서 이 양직공도라고 하는 것을 이 시기에 호남 남부지역의 백제하고의 관계, 소국들 존재, 이러한 것들을 살펴보는데 중요한 자료로 봐야한다, 이런 정도로 인식 했었습니다만 이번에 발표하신 분들이 주로 지금 언급

되었던 지미나 마련 등에 대해서는 남해안을 포함한 영산강유역권으로 비정을 하고 계십니다. 영산강유역으로 비정을 한다면 대체로 임나4현의 경우에는 섬진강유역으로 비정이 됐는데 임나4현까지도 영산강유역으로 비정을 하고 계시는 분들도 있었습니다.

임나4현이 언급된 것은 일본서기 계체기이니까 백제가 그 지역을 어떻게 했든 안했든 간에 비슷한 시기에 존재했던 소국들이 임나4현에 나오고 있다고 생각합니다. 그것들 중에 기문이나 임나4현을 제외한 기문, 대사까지 다 포함을 했을 때 연결을 시킬 수 있는 소국명도 있지만 또 마련이나 마로 같은 경우는 연결을 시킬 수 없다는 분들도 계셔서 비슷한 시기에 영산강유역으로 비정하고 있는 임나4현이나 또는 양직공도에 나오는 소국 명칭들을 남해안을 포함한 영산강유역으로 모두 비정을 시킨다면 그런 부분들을 잘 안배해서 지역을 비정해야 한다고 생각합니다.

그 과정에서 고창이나 나주, 광주까지 다 비정이 되어야 할텐데 어떻게 보면 음운이라든지 그런 것까지는 한계가 있지 않나라는 생각이 듭니다. 그래서 앞으로 그런 것들까지 고려가 되어야 되겠고, 만일 중요 소국들로 지미나 마련이 양직공도에 언급이 되었다고 한다면 나머지 임나4현으로 언급되는 그러한 소국들은 어떤 차별이 있다고 봐야할지 그것도 문제일 것 같고 지미나 마련이 중요한 영산강유역의 소국이라고 한다면 그 이후에 일본서기같은 다른 역사서에는 언급이 되지 않는 점은 어떻게 이해해야 할 것인가, 이런 것들이 설명이 되어야 영산강유역 비정에 대한 적극적인 해석이 가능하지 않을까 이런 생각입니다.

정재윤 : 일단 지미라는 지명은 신찬성씨록에 나오고 또 인물들도 속일본기에 나오고 있습니다. 그래서 지미는 양직공도에 확인이 되는 것 같고 그곳이

어디이냐가 문제이죠. 그래서 제가 균형성을 맞추기 위해서 문헌쪽에서 봤을 때는 동성왕 20년에 무진주를 점거를 했거든요. 신공황후의 침미다례를 도륙했던 기사와 아울러서 동성왕 20년에 무진주 정벌이 하나의 키워드가 될 수 있을 것 같은데 여기와 관련해서 김기섭 선생님께서 말씀하여 주시면 감사하겠습니다.

김기섭 : 방소국 문제와 관련해서 제가 생각한 특징들이 있었는데요. 방소국을 백제와 경쟁했던 나라 혹은 적대했던 나라로 생각하시는 분들이 꽤 있는데 그렇게 되면 백제영역과 다른 나라가 이것이 백제 영토를 규정해주는 기준점이 된다, 이런 내용인데 저로서는 좀 동의하기가 어렵습니다. 방소국을 포함한 양직공도에 있는 내용들은 백제 입장입니다. 백제 사람들이 이야기 한 것이고 중국 사람들이 쓴 것이죠. 백제 입장에서 이것은 우리 영토가 아니다라고 이야기하는 것 자체가 스스로 고백했다라고 볼 수도 있지만 그것은 백제 입장에서 썩 유쾌한 이야기가 아니다는 것이죠.

왜 이런 현상이 벌어졌을까. 이 부분에 대해서는 저는 먼저 6세기 전반의 국제정세에 대한 관심이 아주 중요하다고 보고 있습니다. 백제가 4세기 후반부터 왜와 열심히 교류했던 것은 사실인데 간 사람도 많았고 왜에서 백제로 온 사람도 굉장히 많습니다. 그러니까 통로가 열려있었다는 것입니다. 그 통로를 빈번히 오갈 수 있었다는 것은 백제가 그만큼 왜와 교통하는 요로에 뭔가 믿을만한 구석들이 있었다, 중간 거점이라든지 그런 것이 있었다는 것을 전제로 해야할 것 같습니다. 중국쪽으로도 마찬가지고 왜와의 관계도 마찬가지인데 이런 것들을 전제하고 이 상황들을 이해했으면 좋겠습니다.

그렇게 보면 이와 관련해서 6세기 전반기는 신라에게도 상당히 중요한 시기였습니다. 가야 입장에서는 상당히 두려운 존재가 신라였던 시기인데 신라 사신을 백제 사신이 데리고 가서, 양나라에 가서 신라는 우리 부용국이다, 이렇게 소개하고 있다는 것은 굉장히 아이러니컬한 그런 내용입니다. 백제가 왜 다른 나라도 아니고 신라를 데리고 갔을까? 이 부분에 대해서는 윤용구 선생님이 아주 재미있는 지적을 했는데요, 저는 동의합니다. 고구려를 의식해서 예전에는 고구려의 졸병이었던 신라지만 지금은 내 졸병이 되어있다, 이렇게 표현해서 중국쪽에 자기를 어필하는 것에 사용했던 것 같습니다. 신라가 이정도면 옆에 있는 나라들은 이야기 할 것도 없다, 그런 간접적인 증거가 되는 것이죠. 그런데 신라가 제일 앞에 나오는 것도 아니고 중간쯤에 들어 있어요. 그래서 신라도 가라, 전라, 사라 이 세 개와 별반 차이가 없는 것처럼 취급하고 있다는 것이 중요한 것 같습니다.

사실 스펙트럼이 굉장히 넓었던 것이 아닌가, 지금 강대한 신라 같은 나라도 내 졸병으로 들어와 있다, 그렇게 표현을 하고 백제와 신라 사이에 끼어서 여러모로 고생하면서 나름대로 재츠쳐를 취하고 있는 가야제국들도 싸잡아서 자기 속국이다, 이렇게 표현하고 있고 이미 자기 수중에 들어와 있던 이쪽 지역도 나란히 놓으면서 신라가 우리의 부용국이다, 이런 것을 아예 확인받고 싶어 했던 것이 아닌가, 저는 처음부터 신라를 의식한 것이 아닌가, 이런 생각이고, 그런 이유는 고구려 때문이다, 이렇게 생각하고 있습니다. 전체적인 6세기 전반의 상황 속에서 보면 양직공도의 방소국에 관련된 기록들은 대단히 신뢰하기 어려운, 이것은 일방적인 주장이기 때문에 거기다가 의미를 많이 두고 조그만 나라들이 어디 있을까 찾는 것은 어떻게 보면 위험한 접근일 수 있겠다, 이렇게 생각합니다.

손희하 : 저를 이렇게 초대해 주신 이유는 뭔가 음운학적인 마한의 지명이라든지 이러한 점들을 설명 좀 해줬으면 좋겠다, 이런 의미인 것 같습니다. 제가 항상 당혹스러운게 우리 국어학 쪽에서도 이렇다 할, 그동안의 자료가 나왔으면 굳이 저를 초대하지 않고 그런 자료를 보고 연구를 진행 하셨을 겁니다. 그런데 죄송스럽게도 국어학 쪽에서도 우리가 중세 국어, 그러니까 중세국어에 대해 대략 말씀을 드리면, 우리나라의 언어의 중심지가 개경, 중부지역으로 올라가는 것을 중세국어라 하는 것이고 그 전에 고대로 치는 것은 신라 쪽에 언어의 중심지가 있었고 그리고 개경으로 천도가 되고 그때부터 중세다, 이런 식으로 이야기를 하고 있습니다.

물론 그 근거는 언어학적인 것입니다. 그런데 저는 여기에 대해서 반성을 많이 해야한다고 생각합니다. 왜냐하면 중세국어 중에서도 후기 쪽에 해당하는 15세기부터, 훈민정음이 나오기 바로 전입니다. 중국에는 조선어를 가르치기 위한 책이 있는데 거기부터 우리는 중세국어라고 합니다. 그때부터 훈민정음이 있기 때문에 상당히 사실에 근접한 이야기를 할 수 있는 정리가 되어 있습니다. 그 이전의 것은 그것을 가지고 거슬러 올라가서 중국의 한자음이라든지 기록을 가지고 맞춰나가는데 주의해야할 것이 있습니다.

중국의 한자음이라는 것 자체도 고정되어 음이 기록이 되어있는 것이 아닙니다. 그것을 제공한 것이 한국 한자음이라든지 일본 한자음이라든지 베트남의 한자음, 이것을 가지고 제공 했다는 것입니다. 그러니까 우리 한자음과 관련해서 올라가면 결국은 중세 때인데 중세 한자음을 가지고 중국의 고대 한자음을 제공했다. 중국의 한자음이라는 것 자체가 명확한 것이 아닙니다. 근데 그 명확하지 않는 그것을 바탕으로 다시 거꾸로 한국의 고대어에 대한 발음을 추측만 할 따름입니다. 그래서 상당히 불확실하다, 이런 것입니다. 거기에 대해서도 자료가 부족합니다. 명확한 자료가 없기 때문에 과거의 초창기 설, 그러니까 일제때 나온 설이 그대로 이어지고 있습니다.

또 하나는, 제가 국어사를 하면서 문제가 뭐냐면, 물론 그분들이 책에다 기록할 때에는 언어학적인 것을 바탕으로 해야 한다. 말하자면 역사적인 사실, 왕조의 변화가 국어사의 사실과 일치하는 것은 아니라고 이야기는 하고 있지만 공교롭게도 시기가 비슷합니다. 그러니까 대부분의 사람들은 역사적인 사실을 가져다 언어학적 사실의 갈림길, 이렇게 많이 생각합니다. 예를 들어 교과서에 나오는 국어사의 시대구분을 보면 근대와 중세를 나눌 때는 17세기부터는 근대라는 것입니다. 17, 18, 19세기가 근대라는 것입니다. 그런데 17세기 바로 이전에 있었던 임란, 7년 전쟁이 있었기 때문에 거기서 많이 이야기를 합니다. 그런데 7년 전쟁 이전부터 언어의 변화에 근대의 요소들이 보이거든요. 아무튼 공교롭게도 고대 국어 그러면 신라, 중세 국어는 고려, 이런 식으로 되어 있습니다.

언어의 중심지라고 밝혔는데 실제로 다른 지역의 언어, 우리가 현대 국어를 가지고 유추를 해보면 지역마다 방언들이 있지 않습니까. 방언들이 상당히 다른 점이 있다는 말이죠. 지금은 중앙만 표준어로 해서 나머지는 쓰면 안 되는 그런 것으로 교육을 받아 왔습니다. 그런데 실제로 고대 삼국시대, 그때에도 언어의 중심이 신라이지만 고구려와 백제의 경우는 무시하는 시각이 있다는 말입니다. 그렇기 때문에 언어의 중심지가 옮겼다 하더라도, 한반도 내만 보더라도 지방은 변하지 않았죠.

그리고 당시에 한자로 되어 있는 것을, 자료도 많이 남아있지 않은데 가능하면 유사한 발음의 표현을 쓰면서 연결하려고 애를 쓰고 있습니다. 물론 국어학 쪽에서도 그런 식의 사고는 있습니다. 역사학계에서도 그런 것이 있습니다. 그런데 조심할 것을 몇 가지 말씀 드리면 일단은 한자를 그대로 보면 안 된다는 것입니다. 심한 경우에는 21세기 한자음으로 보면 안 된다 그런 말씀입니다. 또 역시 우리가 올라갈 수 있는 한자음이 결국은 19세기인데 그 한자음으로 봐서도 안 되겠지요. 예를 들어 지금도 박혁거세, 이렇게 말을 하는데 이게 그 당시 우리 말이 아니거든요. 지금도 보면 이사부라는 것이 한자의 표기이지 그게 그 당시에 이사는 앞 말의 받침을 받쳐주는 그런 말에 가깝습니다. 아무튼 그것을 그대로 실체로 보면 안 된다는 것입니다.

중국에서도 구개음화가 생깁니다. 예를 들어 '가지 지'자, 그것이 어떤 것은 '기'고 어떤 것은 '지'잖아요. 또 지금은 연세가 어떻게 되십니까, 할 때 '세'자, 이것은 지금은 '세'지만 중세 국어때는 '설'입니다. 연설, 유세할 때 '설'과 '세'가 같은 한자이듯이 나이를 따지는 '세'가 올라가면 '설'이고, 이 '설'이 뭐냐면 우리가 고유어라고 생각했던 한 살, 두 살의 '살'입니다. 그리고 그것을 지내는 것이 '설'이잖아요. 실제로 보면 '설'이 '살'이고 그것에 '세'고, 그런 것입니다. 그렇기 때문에 조심할 필요가 있습니다. 그래서 고대어가 이런것이다고 국어학자가 제시해 주면 좋겠지만 현재로서는 한계가 있습니다. 그래서 여러 학제들 간의 공동 연구가 있어야 할 것 같습니다.

그리고 또 하나, 우리가 현재 지명을 보면 실제로는 소지명들이 큰지명으로 불린다는 말입니다. 예를 들어 광주같은 경우에도 광산, 구도청, 거기가 원래 광산입니다. 거기가 커져서 전체 광주를 대표하게 되는 지명인데 완주, 완산도 마찬가지입니다. 그렇기 때문에 지금부터라도 소지역의 마을 이름도 연구하고 역사적인 기록, 지명, 이런 것들도 다 조사를 해야 하지 않을까 이런 생각입니다.

정재윤 : 선생님 말씀은 아까 말했던 지미를 침미, 신미 이렇게 발음하는 것에 대해서 언어학적으로 신중하게 접근을 해야한다 이렇게 이해를 하면 될 것 같습니다.

지금 방소국 위치는 여기에서 논의를 해도 합의점에 이르기 힘들 것 같습니다. 실제적으로 이 4개국이 왜 열거되었을까 하는 의미를 찾은 것이 현실적으로 합리적인 대안이 되지 않을까 싶습니다. 이 4개국이 거점인가 아니면 교통로인가 이러한 차원에서 접근할 수 있겠고 임영진 교수님께서는 권역을 대표한다, 그리고 영토적 중요성에 대한 의도적 열거이거나 지배력에 대한 외교적 활용의 결과물이다, 이런 의견도 있었습니다.

이렇게 열거된 것은 왜 이 시점에 백제에 의해서 언급이 되었는가 논의를 해야할 것 같습니다. 그리고 중요한 문제는 김기섭 선생님께서 말씀하셨는데 이 방소국이 그냥 단순하게 방소국이 아니라 사라라는 신라도 있고 가야라는 나라도 있고 또 여러 가지 논란이 있지만 고고학적으로 전남지역에 해당하는 이런 나라도 있기 때문에 방소국을 일률적으로 바라볼 수는 없지 않을까 합니다. 다만 그래도 중요한 포인트는 있지요. 양직공도에서 담로 다음에 방소국이 나왔다는 것이죠. 그래서 이 방소국 문제는 담로와 다른 접근 방식이 필요하다는 것도 우리가 양직공도의 사료적 가치를 인정을 한다면 함께 고민을 해야할 것 같습니다.

방소국은 독립국으로 본다는 발표도 있었고 백제에 의한 의도적 열거, 이런 의견도 있는데 지금 이 자리에서 합의된 결론을 도출하기는 어려울 것 같습니다. 결국 우리가 방소국을 통해서 마한제국을 어떻게 접근해야 하는가, 그리고 6세기 초반의 마한제국, 6세기 초반 이전의 마한제국, 이런 부분을 우리가 논의를 해야할 것 같습니다. 여기에 대해 임영진 교수님 말씀 부탁드립니다.

임영진 : 역사고고학에 있어서 가장 큰 어려움은 역사 기록을 빼버리면 쉽지만 그래서는 안된다는 것입니다. 역사시대에 해당하는 고고학자료는 고고학을 넘어서서 역사 기록과 결부되지 않을 수 없는 것이고, 역사적 해석이 없으면 역사고고학의 존립 의미가 없다고 할 정도로 역사시대 고고학 자료에 있어서는 역사적인 해석이 중요할 것입니다. 그런 점에서 역사고고학 자료는 나름대로 고고학적으로 분석하고 해석한 다음에, 그다음 단계에서는 관련된 역사 자료하고 결부시켜 역사적인 해석을 해야하는 것입니다.

늘 이 지역은 기존 통설로 설명하기 어려운 고고학 자료 때문에 많은 논란이 있어 왔는데 저는 고고학적으로 자료를 정리해 가면서 왜 고고학적 해석과 관련된 문헌자료가 없을까 아쉬워 했었는데 1996년에 우연히 양직공도를 알게 되었습니다. 양직공도 백제국사 제기 내용이 크게 잘못된 것이 아니고 그 시기가 521년이라면 당시 백제 주변에 수많은 나라들이 있었고 그 가운데 일부는 전남지역에 있었다고 볼 수 밖에 없겠다. 따라서 이런 내용이라면 이 지역 고고학 자료와 합치하는 부분이 있기 때문에 조금 더 구체적으로 이 지역의 역사적인 실체 문제에 접근해 볼 수 있지 않겠는가 하는 생각이었습니다.

오늘 논의는 사실 백제학회 논의에서 다루어져야 할 것이 거의 반을 차지했고 제가 기대했던 논의는 시간적으로 조금 아쉬운 부분이 있습니다. 사료적 가치에 대해서 조금 낮게 평가하는 분들도 있지만 대부분의 연구자들은 믿을만하다고 보시는데서 의견을 같이 한 것 같습니다. 한술 밥에 배부르기는 힘들겠지만 차후에도 좋은 기회가 되면 범위를 좀 더 좁혀서 진지한 논의를 할 수 있었으면 하는 바램입니다.

정재윤 : 끝으로 사실 4개의 국이 나오는데 지미도 문헌에서 확인이 되고 마련같은 경우에도 진법자 묘지명에 조부가 마련대군장으로 나옵니다. 그 다음에 하침라, 침미다례도 나오기 때문에 이들 네 나라가 이미 문헌에서도 확인이 될 정도로 전남지역 일원에서 중요한 지역이었다는 점을 보여주고 있다는 것입니다. 그런 점에서 방소국에 접근을 할 때 이들 네 나라에 대한 다양한 관점에서 여러 논의들을 진행하면서 서로 논리를 보완하면 더 깊이 있는 연구가 진행될 것으로 생각됩니다. 이상으로 종합토론을 마치겠습니다. 지금까지 장시간 토론에 참여해 주신 선생님들께 감사드립니다.

색 인

ㅂ

ㅅ

ㅇ

ㅈ

ㅊ

ㅌ

ㅎ